Гный детектив

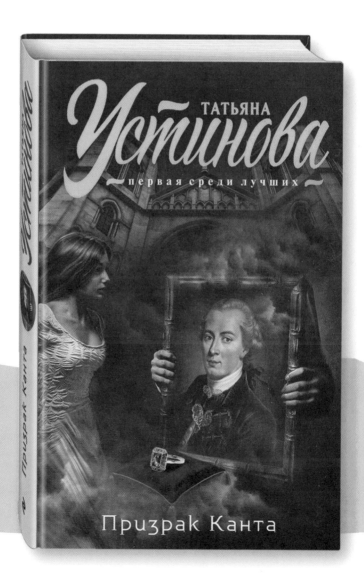

ТАТЬЯНА
Устинова
~ первая среди лучших ~

Призрак Канта

ТАТЬЯНА Устинова

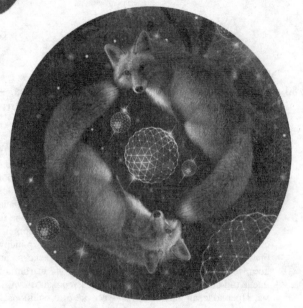

Звезды и Лисы

Москва
2018

УДК 821.161.1-312.4
ББК 84(2Рос=Рус)6-44
У80

Под редакцией *О. Рубис*

Оформление серии *С. Груздева*

В оформлении серии использован шрифт «Клементина»
© «Студия Артемия Лебедева»

Устинова, Татьяна Витальевна.

У80   Звезды и Лисы : роман / Татьяна Устинова. — Москва : Эксмо, 2018. — 320 с. — (Татьяна Устинова. Первая среди лучших).

ISBN 978-5-04-096936-4

    Знаменитый рэпер ПараDon'tOzz, в миру Сандро Галицкий, купается в славе и деньгах. Журналисты и поклонницы не дают ему проходу. Его брат Ник немного посмеивается над ним, но какая разница, что думает брат, начальник отделения в обыкновенном НИИ?.. В одночасье все меняется. ПараDon'tOzza обвиняют... в убийстве совершенно постороннего человека, почему-то завещавшего рэперу и его брату все свое имущество. Неожиданное наследство выходит достаточно солидным, а смерть завещателя выгодна только наследникам. Сандро и Нику всерьез угрожают суд и тюрьма. Преодолевая разногласия — все же они очень разные, — братья должны во всем разобраться. Вокруг них происходят страшные и темные дела. Погибает приятель ПараDon'tOzza, в дело вмешивается странная девушка, называющая себя Лисой, которая явно что-то скрывает. И тут история принимает совсем уж нежданный оборот — оказывается, неизвестный завещатель много лет прослужил в разведке!.. У братьев нет выхода, они должны довести дело до конца, чего бы это ни стоило, и они вдвоем разгадывают головоломку!..

УДК 821.161.1-312.4
ББК 84(2Рос=Рус)6-44

— Который?

— Поди разбери, они все на одно лицо!

— Да которого паковать-то?! Или всех?

— Я тебе дам — всех! — мгновенно рассвирепел майор Мишаков. — Накатают на нас телегу, будем до пенсии рапортá писать!..

Он огляделся по сторонам.

Комната была огромной, окна в пол, стены не штукатуренные, красного кирпича, с серыми прослойками цемента — мать твою за ногу! — полы деревянные, доски все неровные, такие полы были у мишаковской бабки в бараке на Таганке. Мебель тоже причудливая — словно пьяный деревенский столяр строгал, — одним словом, обстановка богатая, современная. Кругом портреты, и на всех — знаменитый рэпер ПапаDon'tOzz. То по пояс голый, руки и торс в наколках, то в экстазе на сцене, то за рулем кабриолета, то верхом на арабском скакуне или мотоцикле. Портреты отличались невиданным разнообразием — писаны красками, выложены лампочками, набиты на досках гвоздями, сконструированы из тонких проводков. Мишаков засмотрелся на один, как раз из лампочек, хмыкнул, покрутил головой и огляделся как следует.

По всей комнате — на диванах, на полу, на столах и креслах — лежали вперемежку бабы и мужики. Они спали. Некоторые стонали и храпели во сне.

— Кто тут есть Александр Галицкий?! — гаркнул Мишаков. — Отзовись!..

Какое-то тело на ближайшем диване шевельнулось, голова, вроде женская, поднялась и упала.

— Принесите минералочки, — простонало тело. — Там есть минералочка... На кухоньке...

— Который Галицкий?!

Сандро разлепил глаза. Потолок моментально стал валиться на него, и глаза пришлось закрыть.

— Я сплю, — сипло выговорил Сандро. В горле першило, из желудка подступало нечто вовсе нехорошее. — Отстаньте.

Он попытался повернуться, у него не получилось, и надвинулся отвратительный запах то ли табака, то ли чужой одежды, и кто-то крепко взял его за плечо. Сандро замотал головой, чтобы не чувствовать запаха. Желудок полез куда-то вверх и вбок.

— Вы Галицкий? — И нечто железное впилось Сандро в плечо.

То ли от этого железа, то ли от запаха, который стал невыносимым, страдальца стало корчить. Он закашлялся, с трудом сел, и тут его вырвало.

Рядом заорали и заматерились.

Сандро, которому немного полегчало, взялся обеими руками за голову, стараясь, чтобы она не качалась, — качка была ужасная.

— Ты смотри, — удивленно сказал рядом густой, как гудение навозной мухи, голос, — это ж он и есть!

— Кто?

— Рэпер. Как его... ну, знаменитый!.. Он еще в прошлом году все баттлы взял! Пародонтоз, точно!.. Вот этот!..

— Где? — недоверчиво спросил майор Мишаков, подбородком показал на страдальца и поморщился брезгливо. — Слышь, чувак, ты рэпер или ты Галицкий?

— Вы кто? — выдавил из себя Сандро и поднял на них воспаленные глаза. — Вам кого?

— Ты Галицкий?

Сандро кивнул.

— Александр Михайлович?

Тот снова кивнул. Его сильно качнуло, и майор проворно отскочил — во избежание.

— Паспорт есть?

Сандро полез во внутренний карман «бомбера», он спал в куртке, нашарил паспорт и протянул.

— Что вам нужно?..

— Тебя нам нужно, тебя, милый, — сказал майор Мишаков. — Давай, давай, поднимайся потихонечку, и поедем. Лейтенант, ты с той стороны, а я с этой. Ну, раз, два, взяли!..

Сандро ничего не понял. Кто... поедем?.. Куда... поедем?.. Он сообразил, что его куда-то волокут, только в лифте, да и то потому, что неожиданно увидел прямо перед собой отечную, щетинистую желтую физиомордию — свою собственную.

— Ужас какой, — выговорил Сандро, разглядывая себя в зеркало. — Это кто там?..

— Ты вчера как зажигал-то? — спросил рядом майор Мишаков. — Пил, нюхал, кололся? Или все разом?

— Я не кололся, — вяло возразил Сандро.

— Хороший мальчик, — похвалил майор.

...Потом Сандро ничего не помнил — его качало и бросало из стороны в сторону, и он решил, что плывет на подводной лодке и вот-вот начнется бой с противником. Кажется, его еще раз вырвало, потому что вокруг опять заорали и заматерились, и кто-то ударил его кулаком под ребра — больно.

Он осознал себя в тесной комнате на три стола. За столами сидели какие-то люди, и пахло отвратительно.

Сандро всегда был исключительно чувствителен к запахам!..

— Галицкий Александр Михайлович, — говорил один из сидящих за столом. — Тысяча девятьсот восемьдесят третьего года рождения, родились в Москве, проживаете тоже в Москве по адресу...

— Дайте попить, — попросил Сандро. Ему было плохо и очень жалко себя. — Там на кухне в холодильнике минералка. Принесите, а?..

Сидящие за столами дружно заржали, как будто по телику показывали финал КВНа, а он был капитаном команды!..

— Ну чего, Александр Михайлович? Будем признаваться? Вот признаемся, и в камеру, а там кран, а в кране не водичка!

— Водичка, — с надеждой повторил Сандро.

— Не он это, — сказали в дверях.

— Он, я тебе говорю!

— Тот... такой холеный, а этот облезлый!

— Он с бодуна просто! Облезешь, если столько выпьешь!

Сандро с трудом оглянулся, потаращился в сторону двери, ничего не разглядел и опять повесил голову.

— Да ну, товарищ майор, гиблое дело! Он до завтра не того... не оклемается.

— Мне ждать некогда. Бланки давай, Павлуш.

Сандро морщился и вздыхал, не понимая, почему эти люди никак не сообразят подать ему холодной минералки, аспирина, льда в салфетке — приложить к виску, — почему не проводят в спальню, где он сможет хоть глаза закрыть. И уж совсем непонятно, куда они дели Маргариту Степановну, которая уже давно догадалась бы все это проделать!..

— Ну, будем признаваться-то? Да не спи ты, чувак, в камере выспишься! Ты дедулю прикончил? Говори, ну?!

И опять удар под ребра. Сандро задышал открытым ртом.

— Товарищ майор, вы поаккуратней, вдруг он это... он? Рэпер знаменитый?

— Плевать я хотел, рэпер он или кто! Я знать хочу, кто старика завалил!

— Где мой брат?! — раздался за спинами возмущенный голос.

Все разом обернулись, а Сандро поморщился от крика.

...Почему никто не понимает, что ему... нехорошо? Почему никто с этим не считается?!

— А вот и второй, — констатировал майор Мишаков. — Галицкий Николай Михайлович собственной персоной, я так понимаю.

В кабинет протиснулся темноволосый взъерошенный человек. Он именно протиснулся, потому что был высок и широк в плечах, а дверь полностью не открывалась — мешал несгораемый шкаф.

— Я Галицкий, — сказал высокий неприязненно. — И я не понял ничего! Я на работе, у меня эксперимент, и вдруг я должен куда-то срочно ехать, давать объяснения! Что происходит?! И при чем тут мой брат?!

Тут он увидел Сандро, сгорбившегося на стуле, сбился и замолчал.

— Вы присаживайтесь, Николай Михайлович, — пригласил майор Мишаков. — Разговор у нас будет долгий. С вами обоими разговор.

— Вы что, били его?!

— Как можно? — перепугался майор. — Мы его по голове только и гладили, только и гладили! А вид у вашего брата неважный, потому что он вчера, видать, сильно... упоролся. Отдыхал, видать, и переутомился.

— Ник, — прошелестел Сандро. — Принеси мне минералки! Там на кухне! И где Маргарита Степановна?..

— Павлуш, — распорядился Мишаков, — налей ты этому воды!.. — Лейтенант не двинулся с места, как будто не слышал. — А вы паспорт предъявите и вот на стульчик присаживайтесь. В ногах правды нет.

Второй Галицкий хотел возразить, но не стал, выволок из угла стул и неловко приткнулся рядом с братом.

Майор Мишаков неторопливо полез в сейф, извлек из него толстую картонную папку и стал развязывать белые завязочки. Делал он это долго и сосредоточенно.

... Пусть понервничает, пусть. Ему сейчас только одно и остается — нервничать!.. Брат не в себе, выходит, этому Николаю Михайловичу одному придется весь воз тащить!.. Так что пусть попереживает, самое время переживать.

Николай Михайлович в самом деле нервничал, дергал шеей, облизывал губы, оглядывался по сторонам, время от времени взглядывал на брата, который трясся и качался из стороны в сторону на своем стуле.

Мишаков развязал наконец папку и стал выкладывать на стол бумаги — по очереди. Выложит, полюбуется, достанет следующую.

— Что ж вы так неосторожно? — перестав выкладывать, неожиданно спросил он Галицкого-брата. — Нужно было подождать, покуда дедуля сам... того... отойдет. А вы? Поторопились, поторопились!..

По расчетам Мишакова, второй Галицкий после таких его речей должен был непременно взвиться на дыбы. Но тот лишь мельком посмотрел на майора, поднялся, в два шага оказался в углу, где на столике теснились стаканы и початые бутылки с минеральной водой. Он выбрал стакан почище, набулькал в него воды и сунул брату. Тот обеими руками принял его и стал жадно пить, проливая воду на «бомбер».

Все смотрели, как Сандро пьет.

— Вам что нужно? — спросил Галицкий-второй. — Говорите быстрей, мне надо на работу! У меня эксперимент, а я тут с вами!

— Вам вот этот человек хорошо знаком? — И майор Мишаков по одной, как игральные карты, выложил перед Галицким фотографии с места преступления.

Фотографии были... рабочие. Мертвое тело, сфотографированное криминалистом, как положено, а не как показывают в кино. На неподготовленного человека такие снимки производят сильное впечатление. Вот это самое впечатление Мишаков и должен был зафиксировать и затем действовать в соответствии!..

Галицкий мельком глянул на фотографии, забрал у брата пустой стакан, отошел в угол и набулькал еще воды.

Уселся, помолчал и сказал как-то на редкость убедительно:

— По этим фотографиям узнать человека невозможно. По крайней мере, я не берусь.

— Да, труп несвежий, — согласился Мишаков. — Да и убит был... зверски. Ну, хорошо, вот сюда посмотрите. Это прижизненная!

Галицкий посмотрел, на этот раз пристально.

— Нет, я его не знаю, — сказал он.

Мишаков с досадой махнул на него рукой.

— Ну вот, начинается! Хоть бы один душегуб, на вашем месте сидя, сказал что-нибудь другое! А вы все одно и то же — не знаю, не знаю! Скучно с вами.

— Мне с вами тоже скучно, — неожиданно сказал Галицкий. — Мне на работу давно пора!..

— Вы про работу лучше пока забудьте, Николай Михайлович, — посоветовал Мишаков. — Она теперь без вас как-нибудь обойдется.

— Ник, ты зачем приехал? — вдруг спросил Сандро. — Я тебя не звал! И где, мать ее, Маргарита?!

— А он рэпер, да? Знаменитый! — не выдержал лейтенант Павлуша. — Мы поспорили, он или нет? Так с виду вроде он!

— Он, он, — быстро и тихо ответил Галицкий-второй.

— Точно, да? — восхитился лейтенант. — Говорю же — он! Рэпер Пародонтоз!..

Сандро встрепенулся, сделал движение рукой и пробормотал:

— Е-е, бро!..

После чего Павлуша проворно, как белка, выбрался из-за стола и бросился вон из кабинета.

— Так значит, каяться не будем, — подытожил очень недовольный майор Мишаков, — значит, не хотим мы каяться!..

— Мы, может, и хотим, — опять неожиданно сказал Галицкий-брат, — только мы не знаем, в чем!..

— В убийстве с отягощающими гражданина Милютина Александра Аггеевича, вот этого самого, сорокового года рождения, проживавшего по адресу Подколокольный переулок, двенадцать!..

— Нас в переулке имели суки, — неожиданно захрипел рэпер ПараDon'tOzz, — под ногтями грязь и в цыпках руки, и нам хватило всей их науки, чтоб по ночам приходили глюки о землях иных, где иные шлюхи...

Брат крепко взял рэпера за плечо, повернул к себе, слегка встряхнул и сказал твердо:

— Замолчи.

Сандро поморщился и сделал вялую попытку стряхнуть с плеча братнину руку.

Галицкий-второй перехватил его покрепче и спросил майора Мишакова:

— Чем мы можем вам помочь?

Майор рассвирепел:

— Признание подпишете, и дело с концом! Когда и каким макаром вы с братом — или без брата, или, может, брат без вас! — лишили жизни гражданина Милютина. Самая лучшая помощь будет!..

— Ту-ру-ру, — словно протрубил Галицкий-второй. Подумал немного и продолжил: — Смотрите. Вариантов у нас два на самом деле. Первый: мы сейчас во всем разбираемся, приходим к выводу, что произошла ошибка, и я увожу его домой. — Он кивнул на Сандро. — Вариант второй: вы продолжаете нести всю эту ахинею, я звоню его адвокату, — он опять кивнул на брата, — и дальше как пойдет.

Мишаков исподлобья смотрел на Галицкого-второго.

...Что такое?.. Этот второй — никому не нужный научный сотрудник в никому не нужном научном институте, — должен был оказаться рохлей и мямлей, его следовало ошарашить, взять на испуг, и готово, дело закрыто!.. А он, ты погляди, разговаривает, адвокатов поминает!.. Или он такой храбрый из-за брата, знаменитого рэпера?! Уверен, что тот бабла отвалит, и они оба тихо-мирно пойдут по домам — сладко жить, вкусно есть, много пить, от души нюхать и колоться?..

Тут Галицкий-второй майору немного помог.

— Вы объясните, — сказал он. — Что за человек на фотографиях? И при чем тут мы с братом?

— А вы не знаете? — уточнил майор. — И даже не догадываетесь?

— Я догадался, что все напрасно, — забубнил на своем стуле рэпер, — ключи в помойку, и жизнь прекрасна, мы станем вместе ходить по крышам, не ждать, что кто-то нас услышит!..

— Сандро, — предостерегающе сказал брат, и рэпер послушно умолк.

Вернулся лейтенант Павлуша — очень радостный — и почему-то оставил дверь в коридор нараспашку.

— Покойный Милютин Александр Аггеевич все свое имущество завещал вам, — сообщил майор Мишаков с явным злорадством. — Этого вы тоже не знали, конечно, и даже не догадывались!.. Месяц назад он завещаньице составил, а на той неделе... того. Зверски убили дедулю. Это вам как?

— Никак, — сказал брат рэпера твердо. — Я не знаю никакого Милютина. Сандро, ты знаешь Милютина?

Рэпер снова было понес околесицу, но брат опять спросил — на этот раз строго, и тот сказал, что никаких Милютиных он не знает и знать не хочет, зато желает знать, куда делась домработница Маргарита Степановна, мать ее.

— Ник, найди ее, скажи, чтобы аспирину принесла! — прохныкал он.

...Показал бы я тебе аспирин, придурок, с раздражением подумал майор Мишаков, ты бы несколько дней голову свою искал, чтобы в нее аспирин засунуть!..

— Почему вы решили, что завещание в нашу пользу? — спросил брат рэпера. — Мало ли Галицких на свете!..

— Может, и немало, но в завещании указаны именно вы, и паспорта ваши с прописочкой, с номерами, со всеми делами-пирогами. А больше у покойного гражданина Милютина никаких связей нету!.. Ни сродственников, ни друзей, ни знакомых.

— Так не бывает.

— По-всякому бывает. Павлуша, — вдруг заревел майор, — дверь закрой!

Из коридора то и дело в кабинет заглядывали любопытствующие — словно по ошибке! Даже дознавательницы Таня и Соня сунулись по очереди, вид у обеих был взволнованный.

Лейтенант вскочил и прикрыл дверь, но не до конца.

— Кому сказал!..

Дверь захлопнулась перед чьим-то носом.

— Ну что ж, пойдем проверенным путем, хоть и долго это, — заключил майор, — но деваться нам некуда. Спрашивать буду под протокол. Где вы, Николай Михайлович, были двенадцатого апреля?

— Апрель, — неожиданно сказал рэпер ПапаDon'tOzz человеческим голосом, — самый гнусный месяц!.. В лесу цветет подснежник, а не метель метет, и тот из вас мятежник, кто скажет — не цветет.

— Сандро, — твердо перебил его брат. — Тихо. Какой это был день недели?..

Майор фыркнул и покрутил головой, как бы не веря, что Галицкий не помнит, отлистнул календарь, хотя сам отлично знал, какой это был день.

— Четверг.

— В четверг двенадцатого апреля я был на работе.

— До ночи?

— Почему, нет, конечно. Я уехал часов в восемь.

— Куда поехали-то? В Подколокольный переулок? К Милютину в гости?

— В гости, да, — согласился Галицкий почти весело. — К маме. Двенадцатого апреля мы всегда бываем у мамы.

То, что он говорил «мама», а не «мать», Мишакова позабавило. Ишь, нежности какие!.. Ему сорокет скоро, а туда же — мама у него!..

— Кто это может подтвердить, кроме вашей... мамы?

— Тетя Рая, — не моргнув глазом, выдал Галицкий, — Кожедубова Раиса Петровна, дядя Валера, ее муж. Кожедубов Валерий Яковлевич. Тата, то есть Татьяна, их дочка. Они все были у нас в гостях.

Майору Мишакову надоело записывать.

Из быстрого и приятного «раскрытия» ничего не выйдет, вот что, а выйдет балаган, беготня, болтовня, и придет все к тому же — старикашку как пить дать завалил кто-то из братьев или оба сразу, но чтобы доказать это, придется ему, Мишакову, из кожи вон вылезти, всех этих мамаш, тетей, дядьев и Тат разыскать, опросить, поймать на вранье, провести тьму очных ставок, разослать тыщу запросов!..

— Ночевали тоже у мамули, правильно я понимаю?

— Да мы выпили, — продолжал Галицкий так же весело, он тоже понял, что майор терпит крах, — конечно, у родителей остались.

— И этот? То есть ваш брат?

— И брат тоже, да.

Тут показалось майору, что он немного сбился, Николай Галицкий, словно какое-то препятствие перепрыгнул, но неудачно, зацепился. Придется разбираться, а так хорошо все начиналось.

— Милютин Александр Аггеевич ваш родственник? Знакомый?

— Я не знаю такого человека, — повторил Галицкий с нажимом. — Ну, честное слово, майор.

— А вы?

Сандро неожиданно встал со стула, покачиваясь, направился к столику в углу, взял бутылку и стал жадно пить из горлышка.

— Не, тут без вариантов, милиция! Никакого Милютина я не знаю, — выговорил он, оторвавшись от бутылки. Он тяжело дышал и утирался ладонью. — И не знал никогда. И родственников у нас таких нет. И не было никогда. И все, хорош дурака валять, милиция, мне на хату давно пора, ща райтер явится, мне с ним за дабл-тайм перетереть надо.

— Повежливей!

— Да я вежливо, — знаменитый рэпер вылил в горло остатки воды и взялся за следующую бутылку. — Культурно я. Ник, валим отсюда!..

— Никто никуда не пойдет, пока на мои вопросы не ответит! — заорал майор. Дверь приоткрылась, за ней обозначились физиономия дежурного и еще чьи-то. — Где вы были вечером и ночью двенадцатого апреля?!

— На даче у мамы, сказано же, — отдуваясь, проговорил ПараDon'tOzz. — Вы че, не слышали? И спали мы там же, потому как поддали!

— Во сколько уехали и куда?

— Я часа в два встал, а может, в три, солнце шпарило вовсю, — рэпер пошуровал бутылками, но вода кончилась во всех. — Развели, мать твою, бардак, воды не допросишься! Пообедал и в Москву, за мной машина пришла. Вечером сведение было, звуковик подгреб, пацаны тоже.

— Я, — вступил Галицкий-второй, — утром уехал на работу. На электричке. У меня эксперимент, я же вам говорил.

— Где мамуля проживает?

— В поселке Луцино под Звенигородом.

— Точный адрес!..

Пока Галицкий-второй записывал на бумажке адрес, его брат пил из чайника, лил из носика в горло.

— И кто такой Милютин, вам обоим не известно?

— Ты че, тупой? — взревел рэпер, отрываясь от чайника, и закашлялся. — Не, ну сколько можно! Ты в орех себе вложи, что никакого Милютина мы знать не знаем, попутал ты чего-то, бро!..

...Эх, с каким наслаждением майор дал бы ему по шее!.. А еще лучше — по роже. Так бы вот и дал, чтобы тот в стену головой въехал, чтобы из носа юшка пошла, а глаза чтоб из орбит вывалились! И кликухи-то у них собачьи — один Ник, другой почему-то Сандро, хотя имена при рождении дадены были человеческие, Николай и Александр!..

...Придется отпускать. Придется отпускать и впрягаться по полной, свидетелей искать, опрашивать, показания сличать, на колу мочало, наша песня хороша, начинай сначала!.. Прям рэп получается!..

— И никаких соображений нету, почему Милютин завещал имущество посторонним людям, то есть вам? — преодолевая застрявшую в горле ненависть, выговорил майор. — Может, есть все же, а?..

ПараDon'tOzz развел руками и притопнул издевательски, а его брат спросил, что за имущество.

— Наследство хорошее, и не маленькое. — Мишаков зашелестел бумагами, чтобы не смотреть на них, окаянных. — Значит, что тут имеется... — Он еще пошелестел. — Хотя!.. Имущество ваше, сами и выясняйте!..

Тут майор быстро и остро глянул на братьев — ПараDon'tOzz ковырял в ухе и морщился, второй безразлично смотрел в сторону.

— К нам это имущество не имеет отношения, — твердо сказал Николай Галицкий.

— Кто знает, кто знает, как оно там обернется. Хотел я с вами по-человечески, но вы все, душегубы, одним миром мазаны! Пока за шиворот вас не приволочешь, как котов шкодливых, ни за что не сознаетесь...

— Душегубы, — повторил за ним ПараDon'tOzz, словно пробуя слово на вкус, — душегубы, ваши губы недостаточно грубы, чтобы женские трубы...

— Заткнись, Сандро, — велел брат.

— ... трубы распевали у гроба, как далека дорога...

— Сандро!..

— И что за клички-то у вас, — не выдержал майор, — вы ж не блатные вроде!

— Мы не блатные, мы грузины, — неожиданно выдал рэпер. — Там, в колхидских низинах, море пахнет резиной...

— Наш дедушка родом из Грузии, — пояснил Галицкий второй, — это правда. В семье нас с детства называют на грузинский манер — Сандро и Нико.

— Свободны, грузины, — устало сказал майор обоим. — И мой вам совет — разберитесь, кто и за какие лютики вам такой куш отвалил, если на самом деле вы не в курсе!.. А то ведь никакой адвокат не поможет, когда я вас по-хорошему прижму.

Ник Галицкий поднялся и потянул за собой Сандро, все еще что-то бормотавшего про Колхиду.

В тесном коридоре с давно не крашенными желтыми стенами толпился народ. Сидящие на стульях вытягивали шеи, и когда показался Сандро, весь коридор как будто ахнул.

— Быстрей, — процедил Ник. — Шевелись, шевелись!

Сандро накинул на голову капюшон толстовки, вызвав в коридоре бурный восторг, — в кино всегда так делают знаменитости!.. Накидывают капюшоны и напяливают темные очки, маскируются они так!

— Можно автограф? Вот здесь распишитесь!

— А мне в паспорте! Не, ну правда!

— А селфи с вами можно? Ну, пожалуйста!

— Что здесь происходит?! — заревел в дверях майор Мишаков. — Всем разойтись по местам!

— Товарищ майор, — в один голос застонали дознавательницы Таня и Соня, к ним еще присоединилась буфетчица Зоя и новенькая из отдела по работе с несовершеннолетними. — Ну, мы сфотографируемся только, и все! Что вам, жалко?

— А кто это такой-то? — спрашивала соседа старушка из очереди. — Не признаю никак! Вроде на этого похож, лысого, давеча в концерте выступал!

— Юморист, что ли? Под женщину наряжается? — взволновался сосед. Старушка махнула на него рукой и с трудом поднялась, прижимая к груди сумку, должно быть, тоже хотела селфи.

— По местам! — продолжал бушевать майор. На его крики сбежался весь отдел, и со второго этажа полезли тоже.

Ник подталкивал брата в спину, но пройти им было трудно — со всех сторон обступали люди.

— А на улице чего делается! — счастливо выдохнул лейтенант Павлуша. Глаза у него горели. — Камеры, журналисты, прям как в телевизоре!

— Какие, на хрен, журналисты! — враз обессилел майор. — Откуда они взялись, мать их?!

— Без понятия, — и Павлуша попятился от майора. — Как-то сами набежали.

— Сами!.. Я вам покажу — сами! Всем разойтись!

Сандро налево и направо подписывал бумажки, которые ему протягивали, брат подталкивал его в спину. Самые ловкие снимали происходящее на мобильные камеры. Майор ревел, как медведь, в дежурке на разные лады звонили-заходились телефоны, гопники в «обезьяннике» висели на прутьях и вопили: «Эй, бро!.. Мы с тобой, бро! За свободу!»

Толпа выкатилась за Сандро на крыльцо, а с той стороны уже мчались люди с камерами и микрофонами наперевес.

— За что вас задержали?! Что предъявляют?! Где ваш адвокат? Короткий комментарий для НТВ, пожалуйста, очень короткий!.. Вас выпустили под подписку? Это ваш представитель?

Сандро закрывался рукой от камер, занавешивал лицо капюшоном, отворачивался, но наседали со всех сторон, куда бы он ни повернулся. Ник волок его за шиворот, и должно быть, все это выглядело комично.

— Вы представитель ПapaDon'tOzza? — в лицо Нику кричала какая-то обезумевшая от возбуждения девица. — Что он натворил? Почему его забрали в отделение?! Что вы молчите?! Пресса имеет право знать!

— Наркотики? Драка? — наседал с другой стороны
парень в кожаной куртке. — Бытовуха?..

Ник, сжав зубы, волок брата к машине, толпа кати-
лась за ними, на проезжей части сигналили и притормаживали.

Ник затолкал Сандро в салон, обежал капот, плюхнулся на водительское сиденье и сразу же взял с места,
на ходу захлопнув дверь. Кто-то сильно стукнул в заднее стекло.

Некоторое время Ник просто ехал вперед, поглядывая в зеркало, нет ли погони.

Погони не было.

— Вот она, мировая слава, — наконец заключил
он. — Снимай капюшон и очки, придурок!

— Чего это я придурок!..

Сандро задрал на бритый череп темные очки,
тоже оглянулся, поежился и нашарил в двери бутылку воды.

— Куда мы едем? — попив немного, спросил он.

Ник помолчал.

— Я на работу, — выговорил он наконец. — А куда
ты, понятия не имею!

— Ник, хорош дурить!..

— Если б кто знал, как ты мне надоел, — сквозь
зубы процедил брат. — Всю жизнь я за няньку, всю
жизнь!.. Ты живешь как хочешь, а разгребаю за тобой я!

— А кто тебя просит?!

— Да никто не просит! — как по команде, взбеленился Ник. — Звонят и говорят — ваш брат задержан
по подозрению в убийстве, приезжайте! Будь моя воля,
я бы пальцем не шевельнул!

— И не шевелил бы!

— Мне в твоем навозе сидеть неохота, Сандро!
У меня свои дела!

— Дела-а-а! — передразнил Сандро. — Какие у тебя дела?! С бабами чаи гонять и на компьютере стрелять?! Дела у него! Останови тачку, я выйду!..

— Щас! — набравши в грудь воздуха, проорал брат. — Выйдешь! Только сначала объяснишь мне, что это было! Ментура, фотографии трупа, наследство какое-то, и ты в отключке! Ты до утра пил, что ли?!

— А если и до утра, тебе-то что?!

— То, что я не хочу в ментуре объяснения писать по поводу трупов! Ты человека укокошил по пьяной лавочке, Сандро?! И не помнишь?

Знаменитый рэпер тяжело задышал, весь покрылся потом, бритый череп заблестел, набрякли щетинистые щеки, из желтых превратились в бурые.

— Я. Никого. Не. Убивал, — выговорил он отчетливо, с силой выдохнул и обеими руками потер лицо. — Слышь, Ник, а правда, чего они ко мне привязались, а?

— Заметь, они не только к тебе, но и ко мне привязались, — сказал брат.

— Не, я не понял ничего, — признался Сандро. — Я правда вчера малость... перебрал. Лиса приехала, с ней Сиплый, с ними еще какие-то навалили, не помню, а потом вдруг я в кутузке, во рту сухо, в башке набат, и главное, вонь!..

Его опять затошнило, он нажал кнопку, стекло поехало, и он наполовину высунулся в окно. Ник сбоку посмотрел на него.

...Всю жизнь одно и то же. С тех самых пор, как мать принесла из больницы — про больницу туманно объяснял отец, — сверток в голубом одеяле и сказала: «Нико, мальчик, это твой братик. Ты его очень любишь!» Двухлетний Нико сразу заинтересовался «братиком», но оказалось, что ничего интересного — непонятное существо, которое все время орало и писалось. Взрослому и самостоятельному Нико казалось, что просто так лежать и писать — неприлично, и было странно, что взрослые не обращают на это внимание, да еще и умиляются.

И понеслось!..

...Нико, ты старше, будь умнее, ты должен уступить. Нико, посмотри, чтобы Сандрик не упал со стула. Нико, поиграй с братом, дай маме поговорить с тетей Раей. Подумаешь, машина! Он не специально сломал твою машину, просто он еще маленький!

...А потом школа! Николай, передай родителям, что Саша опять не был на химии! Николай, подойди к классному руководителю, она отдаст тебе Сашин дневник, пусть отец непременно подпишет каждую страницу! Николай, позанимайся с братом английским, он не сдаст экзамен!..

Всю жизнь Сандро был «маленьким», его следовало опекать, хвалить, смотреть, чтобы не потерял «сменку» и чтобы его не побили большие мальчишки — он был задиристым и всегда лез на рожон.

В университете стало еще хуже, потому что Сандро внезапно увлекся театром и, вместо того чтобы учить модусы категорического силлогизма — он поступил на философский факультет, — с утра до ночи репетировал в авангардных постановках.

Отчего-то мать была совершенно безмятежной, словно знала о младшем сыне нечто такое, чего кроме нее не знал и не понимал никто. Отец с Ником, наоборот, страшно нервничали, что «парень пропадет» — Ник чувствовал ответственность наравне с отцом, — и разговоры о том, что Сандро «ждет смерть на помойке» постоянно перерастали в грандиозные скандалы.

Сегодня дело дошло до полиции и подозрений в убийстве!..

— Кто такой этот человек с наследством? И окно закрой, грязь летит!

— У тебя в машине и так грязь!

— Закрой окно, я сказал!

Сандро прикрыл стекло — не до конца, разумеется, из принципиальных соображений, — и пробормотал, что ни об этом человеке, ни о наследстве никакого понятия не имеет.

— Может, ты забыл по пьяни?

— Ник, не пошел бы ты!..

— Это все нужно выяснять, — с тоской произнес Ник. — Делать мне больше нечего, еще и этим заниматься!

— А чего тебе делать-то? Можно подумать, ты чем-то занят!

— Как нам узнать, кто такой Агеев... нет, Милютин Александр Аггеевич?

— А кто такой Милютин Александр Аггеевич?

— Труп.

— Е-е!.. Точно! А зачем нам узнавать?

— Завещание, — процедил Ник. — Майор утверждал, что он оставил нам наследство.

— Брехня, — заявил Сандро. — Останови, я воды куплю! Трубы горят!

— Всухую доедешь! — заорал брат. — Ты что, последние мозги пропил?! Они не отвяжутся теперь, у них есть труп, завещание и два подозреваемых, то есть мы с тобой!

— Е-е, — удивился Сандро. — Ну, ты загнул! Какие мы, на хрен, подозреваемые? Мы честные граждане! Честным гражданам никто за просто так наследство не отписывает!

— Как узнать, откуда взялось это наследство?

— Охота тебе валандаться! Ну, я могу Павлику позвонить, Павлик все узнает. Или скажет, как узнать.

Павел Глебов был знаменитый адвокат, и знаменитый рэпер ПapaDon'tOzz водил с ним дружбу — так положено, все знаменитости всегда знакомы между собой и водят дружбу.

— Только я не при делах, — предупредил Сандро, — мне некогда! У меня сведение, райтер должен привалить и с даблом затерло. Давай ты сам, если оно тебе надо. Вот тут поворачивай, поворачивай! Че ты как тунгус-то?! «Трешка» впереди вся стоит!..

Ник вывернул руль, тормознул, сзади засигналили, и Сандро ткнулся носом в торпедо — к удовольствию брата.

Сандро жил в наимоднейшем месте — в небоскребе «Москва-Сити», Ник так и не смог запомнить, на каком именно этаже — то ли на тридцать шестом, то ли на сорок восьмом. Это называлось — «жить на высоте». У Ника, когда он два раза в год бывал в квартире брата, непременно случались приступы паники — его тянуло выброситься из окна, холодели руки, вдоль позвоночника прошибал пот, он старался держаться подальше от панорамных стекол, за которыми словно висел в воздухе гигантский мегаполис. С такой высоты ничего... человеческого, живого было не разглядеть и не ощутить, сплошь каменные громады, такие же каменные небеса, застывшие дымы, свинцовая в любую погоду река.

Дверь в квартиру на сорок восьмом или на тридцать шестом этаже была приоткрыта, и за ней шла жизнь — ходили люди, звучала музыка, кто-то то ли причитал, то ли монотонно ругался, тянуло сигаретным дымом и какой-то сладкой гадостью.

— Кальян, — объяснил Сандро, когда Ник повел носом. — Ты че, не вкуриваешь, братух? Самая модная тема!

— Позвони Глебову, и я поеду.

— Да ладно, че ты, куда тебе спешить-то? Давай посидим, я пивка дерну, башка трещит, сил моих нет.

— Сандри-ик! — закричали из глубин кирпично-бетонного пространства, и на Сандро накинулось невиданное существо.

Существо было белого цвета, с голыми коленками и локтями, которые торчали в разные стороны, как у кузнечика. На голове у существа была рыжая шляпка, а там, где у людей бывает лицо, все разрисовано черным и белым.

Ник быстро стал за стойку — на всякий случай.

— Са-а-ндрик! Где ты был? Все уехали, а я тут одна! Сиплый и я! И еще два чувака, незнакомые какие-то! А ты меня бро-о-сил!

— Я в легавке был, — сказал Сандро с гордостью, — мне дело шьют, прикинь!

— Тебе?! — обмерло от восторга существо. — Ты че, на Триумфальную арку на «поршике» въехал? Или в Мавзолей?

— Где Маргарита? С утра, мать ее, не дозовешься!

— Ты же в легавке был, — удивилось существо. — А Маргарита твоя здесь. Сандрик, а это кто? У тебя шофер новый?

Тут Сандро неизвестно почему обиделся и сказал, что это не шофер новый, а его брат Ник — старый. Засмеялся собственной шутке и пошел куда-то, через голову стягивая толстовку.

— Маргарита Степановна!!! — издалека послышался его голос. — Мне воды с лимоном, пиваса ледяного и ванну! Пивас в ванну подайте!

— Сандро! — позвал Ник, стараясь не смотреть на существо. — Сандро, позвони Глебову!..

— Лиса, — представилось существо и протянуло Нику изломанную не в ту сторону конечность — так ему опять показалось. — А ты правда брат, а не шофер?

Ник попытался ее обойти, но куда там!

— Сиплый! — закричала Лиса. — Разве у нашего Сандрика есть брат?

— А разве нет? — закричали в ответ.

— Я не зна-а-ю, — протянула Лиса. — Он не похож на Сандрика, а похож на шофера!..

— Лиска, че ты гонишь?!

Из глубин квартиры выполз, почесываясь и щурясь, бородатый не первой свежести молодчик в черной майке-алкоголичке и брезентовых штанах. Борода у него была на одну сторону, видно, молодчик не успел ее пригладить, а руки, шея и грудь сплошь покрыты татуировками.

— Я Сиплый, — представился он. — Сандриков хоуми[1]. Можешь звать меня Юра. Ты че, правда братан нашего?

— Правда, — сказал Ник. — Дайте я пройду.

— Проходи, кто тебе не дает, бро! Тут все свои! — Юра-Сиплый притопнул на манер Сандро и проговорил нараспев: — Мы своих не томим у порога, для своих открываем дорогу, братья, бу-де-те все обогреты, нам не страшны Вселенной вендетты!..

Николай Галицкий развеселился. Слово «вендетта», извергнутое всклокоченной бородой, его позабавило.

— Если ты брат, то ты кто? — вновь привязалось существо. — Ну, то есть кто? Райтер? Звуковик? Промоутер?

— Прошу прощения, — пробормотал Ник, обходя ее.

Сандро не было видно. Точнее, он был везде — на плакатах, картинах, на кирпичах и досках, даже на полу был Сандро, выложенный чем-то наподобие мозаики. В прошлый раз, когда Ник заезжал, мозаики на полу не было.

— Николай Михайлович!

---

[1] Х о у м и — друг, приятель (*сленг.*).

Ник обернулся. Домработница брата — уверенная и доброжелательная тетка в простых джинсах и футболке — весело улыбалась из-за стойки. Ник так обрадовался, словно ожидал в тайге, что на него выскочит медведь, а из-за елки показался самый обычный человек.

— Я утром пришла, Александра Михайловича нет, и никто не знает, где он!.. Хорошо, что вы вместе вернулись! Кофе? Или пообедаете?

Ник решительно не хотел обедать. Он хотел на работу, проверить, как там его эксперимент.

— А ты кто? — тоненьким голосом вопрошало сзади существо. — Нет, ты скажи, кто ты!

— Куда Сандро пошел, Маргарита Степановна?

— В спальню. Ну, я сварю кофейку, да?

— Спасибо.

— Ну, кто же ты? Ты же кто-то, если брат Сандрика! Ты кто?

Ник ни с того ни с сего вышел из себя, повернулся и оказался нос к носу с существом, пялившим на него глаза и сосавшим чупа-чупс.

— Я аэродинамик, — пролаял Ник существу в лицо. — Вы знаете, что это такое?

Оно покачало рыжей нашлепкой на голове.

— А что такое самолет, знаете?

Оно покивало.

— Вот как хорошо. Я занимаюсь самолетами.

— Зачем ты ими занимаешься? Пусть себе летают!

Маргарита Степановна открыла перед Ником дверь в спальню Сандро и ловко захлопнула перед самым носом существа с чупа-чупсом.

Здесь было холодно, словно окна открыты, хотя никакие окна на такой высоте никогда не открывались. Холодно, тихо и чисто, как будто никто тут и не жил. Где-то шумела вода.

— Сандро! — позвал Ник.

Брат в одних клетчатых трусах показался из-за какой-то двери, махнул рукой и пропал. Плечом он прижимал к уху телефон.

Ник вздохнул.

Его тянуло посмотреть в окно, но он знал, чем это кончится — шумом в ушах, пóтом вдоль позвоночника и нестерпимым желанием выпрыгнуть.

... Ты псих, сказал себе Ник, тебе лечиться нужно.

Он сделал шаг к окну, глубоко вдохнул и огляделся.

В спальне не было никаких портретов рэпера ПараDon'tOzza, ни мозаичных, ни живописных. И мебели почти не было — прибранная кровать, торшер, кресло и оттоманка, на которой страницами вниз лежала затрепанная книга, словно из школьной библиотеки. Ник подошел и посмотрел — «Бесы», произведение Ф. М. Достоевского.

...Я не стану смотреть вниз. Я вот лучше из «Бесов» почитаю!..

Интересно, чья книжка? Брата или какой-нибудь его подружки?.. Вряд ли Сандро водит знакомства с девушками, читающими Достоевского!.. Или... водит?

— Все, все, я понял, Павел, — громко проговорил за плечом у Ника Сандро. — Да ну их к лешему!.. Ладно, хорошо, если что, сразу позвоню. Давай, шли!..

Он бросил телефон на кровать и стал стягивать трусы.

— Сейчас Глебов адрес скинет и фамилию нотариуса, который в том районе завещательными делами занимается, — Сандро прыгал на одной ноге. — Подколокольный переулок, я правильно сказал? Только я все равно не поеду, Ник! Больно надо!..

— Можно подумать, мне надо, — пробормотал Ник. — Достоевского ты читаешь?

— А че такое?! Короче, адрес придет, ты его себе перешли, если оно тебе вперлось! Мне ванну надо принять, райтер на подходе! Три раза звонил!.. И скажи

Маргарите, чтобы пивка принесла! Сколько можно терпеть-то?!

— Пошел ты, — пробормотал Ник себе под нос, забрал телефон и вышел из спальни.

— А зачем ты занимаешься самолетами? — как завороженное, спросило существо, караулившее под дверью. — Разве ими можно заниматься?

— Маргарита Степановна! — громко крикнул Ник. — Я уезжаю!

— А как же кофе?

— Самолет — это же... самолет. Это такой... девайс. Как ими можно заниматься? Ты что, их рисуешь?

— Я их считаю, — сказал Ник. — Ты мальчик или девочка? — спросил он.

— Девочка, — обиделось существо.

— Ты в школе училась? Или сразу в тусовку прибыла?

— Училась, — ответила девочка с некоторым сомнением.

— Хорошо училась или плохо?

— Средне, — призналась девочка.

— Тогда как я тебе объясню, что такое аэродинамика?..

Тут она задумалась, и Ник понял — надолго.

Он переслал себе с телефона брата эсэмэску от Павла Глебова, стоя выпил чашку превосходного кофе — на этом настаивала Маргарита Степановна, — и уехал.

— Вы проходите и присаживайтесь. Девочки, закройте там кто-нибудь дверь поплотнее!

Нотариус «по завещательным делам» куталась в шаль, чихала, кончик носа у нее был красный, воспаленный.

— Вот весна, — проговорила она, благожелательно глядя на Ника поверх очков. — Всякий раз болею!.. Но все равно радуюсь, что зима кончилась!

Ник неловко кивнул.

Был вечер, сиреневый, апрельский, длинный. В такие вечера, когда солнце ломилось в окна кабинета, когда нагревался паркет и от него начинало тоненько пахнуть мастикой, когда под окнами далеко и отчетливо разносились голоса, особенно приятно было работать. Нику пришлось и сегодня работу бросить, чтобы поехать к нотариусу.

— Только в конце дня, — предупредила та по телефону. — Днем у нас не протолкнешься!..

Вот и пришлось ехать в конце дня!..

— Павел Алексеевич звонил, — продолжала нотариус. Ник забыл, как ее зовут, и мучительно пытался вспомнить. — Честно сказать, мы таких вещей не практикуем. Есть стандартная процедура оглашения завещания, открытия завещательного дела и вступления в права, но там же какая-то история произошла с вашим завещателем...

— Его убили, — проинформировал Ник.

Нотариус посмотрела на него.

— Вот видите, — непонятно сказала она. — Можно ваш паспорт?

Документ она изучила моментально и профессионально, словно просканировала. Как же ее зовут?.. В ней было некое противоречие, и Ник никак не мог понять, в чем дело. Самая обыкновенная женщина средних лет, да еще простуженная, прячет нос в платок, шмыгает, очки сползают...

— Уголовное дело открыто?

Задумавшийся Ник посмотрел вопросительно.

— А-а, я не знаю точно, должно быть открыто...

— Тогда вы не сможете вступить в права, пока по делу не будет вынесено решение.

— Дело не в правах, — сказал Ник. Как же ее зовут?.. — Дело в том, что ни я, ни брат не знаем человека, который что-то такое нам завещал.

— Не что-то такое, а наследство, — строго поправила нотариус.

— Татьяна Петровна, чай поставить? — спросила просунувшаяся в дверь девушка, и Ник с облегчением выдохнул, вот как ее зовут, ну конечно!..

— Нет, нет, Женечка, не нужно.

— Мы никогда о нем не слышали и не знаем, что за наследство, — продолжал Ник. — Нас уже вызывали в полицию, а мы... не понимаем.

— Странно, — сказала Татьяна Петровна задумчиво. — Завещание составлено не очень давно. И вы ничего о нем не знали?

Ник посмотрел ей в глаза. Она поправила очки.

— Нет. Не знали.

— Ну, давайте посмотрим.

Папка лежала у нее на столе, видно, специально приготовленная к разговору. Нотариус открыла ее и пролистала.

— Указаний на ваши родственные связи в завещании действительно нет, — сказала Татьяна Петровна. — Но наследники определены совершенно однозначно — Галицкие Николай и Александр Михайловичи, наследуют в равных долях.

— Что?! Что именно наследуют?

Она вдруг усмехнулась.

— Наследство хорошее, — проговорила она, — я бы даже сказала... превосходное. Две квартиры, одна в Подколокольном переулке, другая в Брюсовом. Это самый центр, вы понимаете, центральнее только Спасская башня. Далее. Два дома. Один на Николиной Горе, второй в поселке Усово по Рублевскому шоссе. Это что касается недвижимости.

Ник улыбнулся Татьяне Петровне:

— Здесь какое-то недоразумение, — сказал он, стараясь быть как можно более убедительным.

— Никаких недоразумений! — жестко возразила она, опять проявилось несоответствие — простуженной женщины и профессиональной орлицы, сбивавшее Ника с толку.

— Далее. Коллекция картин. Коллекция старинного серебра. Коллекция хрусталя и бронзы. Все должным образом оформлено, каталогизировано, атрибутировано.

Ник потянулся было к бумагам.

— В руки ничего не дам, — предупредила орлица. — Уж поверьте мне, я не ошибаюсь и не морочу вам голову.

Некоторое время они посидели молча.

— И... что мне теперь делать? — спросил Ник. Ну хоть что-то он должен был спросить!..

— Я не знаю, — живо откликнулась обыкновенная женщина Татьяна Петровна. — Видимо, прежде всего вам нужно дождаться решения по уголовному делу, а затем... вступать в права в соответствии с процедурой.

— С какой процедурой? — спросил Ник. — Мы не знаем никакого... как его...

— Завещателя? Милютин Александр Аггеевич. Может быть, он ваш родственник, а вы просто не в курсе дела?..

— Да ну.

— Я могу дать вам его официальный адрес. Сходите, потолкуйте с его домочадцами, хотя, конечно, вряд ли они будут рады вас видеть.

— Домочадцами? — опять тупо переспросил Ник. — Послушайте, Татьяна Петровна, все это...

Орлица быстро перебила его, похлопав по столу ладонью:

— Николай Михайлович, уверяю вас, здесь нет никакой ошибки, это не мои выдумки, документы в полном порядке, завещание составлено в вашу пользу и вашего брата совершенно недвусмысленно. Обсуждать тут нечего. Адрес записать?..

Засунув бумажку в задний карман джинсов, Ник вышел на улицу и зажмурился от солнца.

На бульваре было чисто и просторно — в последнее время на всех бульварах в Москве стало просторно и чисто. На лавочках сидели старики и парочки, мамаши катили коляски, пес бодро бежал, раскручивая рулетку поводка. Все как всегда.

...Ничего не как всегда. Все поперек.

Ник достал мобильный телефон, посмотрел на него, подумал, сунул было обратно, но все же решился.

— Ма-ам?

— Никуш, привет! Ты как там?

— Мам, кто такой Милютин Александр Аггеевич?

Мать, кажется, очень удивилась:

— Не знаю, а что? Должна знать?

— Мам, у нас точно нет такого родственника?

Тут она засмеялась. Она всегда смеялась так, что все вокруг начинали улыбаться и жизнь становилась понятней и проще. Ник так до сих пор и не женился, потому что ему не попадались женщины, которые умели так же смеяться!..

— Никуша, все наши родственники тебе известны! Включая грузинских!.. А что такое?.. Ты нашел нам нового родственника? Он потерял память и забыл о нас, а сейчас вспомнил?

— То есть нет?

— Нет, — сказала мать и опять засмеялась. — Когда ты летишь в Бразилию?

Ник время от времени выступал на далеких конференциях, и мать этим гордилась. Он сказал, что нескоро, через месяц, поклялся, что в субботу приедет обедать и постарается прихватить с собой Сандро, и нажал «отбой».

...Итак, никакого Александра Аггеевича!..

Как любой мужчина, Ник терпеть не мог проблем. Никаких. Он ненавидел и боялся поликлиник, паспортных столов, техосмотров, налоговых уведомлений, изменений реквизитов банковского счета конторы, в которой он платил за интернет, перевыпуска кредитной карточки и новой версии Word! Все эти ужасные трудности отнимали у него душевные силы — нужно заново приспосабливаться, осваивать, привыкать, терять время!

Неизвестное наследство и убийство — проблема, да еще какая, куда там новой версии Word!

— Этим придется заниматься, — пробормотал Ник себе под нос.

Он понятия не имел, что значит «заниматься»! Затеять детективное расследование? Обратиться к адвокату Сандро, чтобы тот затеял? Вернуть наследство тем, кому оно на самом деле принадлежит по праву? И как это проделать?..

Он шел по бульвару, размышлял, заранее всего боялся, страдал и убивался, что жизнь его теперь уж точно загублена, и спохватился, что идет в другую сторону от машины, уже когда был довольно далеко.

Подколокольный переулок, 5, прочел он на чистенькой стене углового дома. Влево уходил уютный старомосковский переулок с узким тротуаром, выступающими клетками старинных лифтов, липами, еще не зазеленевшими, но словно тронутыми акварельной краской.

Как там сказала орлица Татьяна Петровна?.. Навестите домочадцев вашего завещателя?.. Поговорите с ними?

— Почему я должен все это делать? — сам у себя спросил Ник.

— Таким образом за видеоконференцию отвечаете вы, а мы отвечаем за организацию раздаточных материалов, — бодро откликнулся какой-то дядька, марширующий мимо. Ник не сразу понял, что дядька разговаривает по телефону — в ухе у него был наушник, вид исключительно деловой.

Сверяясь по бумажке, Ник дошел до ухоженного подъезда с маской над чугунным козырьком. Наличники выкрашены светло-серой краской. В доме было всего четыре этажа, в крыше мансардные окна. На массивной двери, разумеется, висел кодовый замок. Пока Ник размышлял, как ему поступить — уйти восвояси, вызвать консьержа или набрать номер квартиры, — дверь открылась и выскочила девчушка, тащившая на привязи нечто вроде квадратной тележки. Тележка упиралась и не шла.

— Да ладно тебе, — пыхтя говорила девчушка, — что такое-то?! Сейчас до памятника дойдем и обратно!..

Тележка притормозила возле Ника, злобно на него гавкнула и неохотно посеменила дальше.

— Это что за порода? — вслед девчушке спросил Ник, которому до смерти не хотелось заходить в подъезд, и было понятно, что зайти придется, раз уж дверь сама открылась.

— Мопс! — Она на ходу засунула в капюшон кудри. — Вредный, ужас! Только папу слушается! Смотрите, что сейчас будет! Моня, идем быстрее, или папа тебя отшлепает!..

Вредный мопс-тележка подпрыгнул на всех четырех лапах, словно табуретку передвинули, и устремился вперед. Девчонка понеслась за ним.

Ник посмотрел им вслед, вошел в подъезд и стал подниматься по закругленной лестнице.

— Вы в какую квартиру? — расплескав тишину, закричала из своей клетушки бдительная дежурная.

— В восьмую.

— А вас там ждут?!

— Нет, — сказал Ник, продолжая подниматься.

На каждом этаже было по три двери, и располагались они несколько в глубине площадки. Должно быть, дом строился так, чтобы жильцам в нем было покойно и просторно.

Он позвонил в восьмую квартиру и замер. Спине стало жарко и колко, как будто он смотрел вниз с большой высоты.

Ничего не произошло. Ник снова позвонил.

Внизу бабахнули чугунные двери лифта, клетка осветилась, и стал неторопливо опускаться трос.

Лифт причалил у него за спиной, двери вновь стукнули, и скрипучий голос с подозрением осведомился:

— Вы к кому, молодой человек?

Ник повернулся. Возле левой двери гремел ключами невысокий сухонький мужчина в светлом плаще.

— Мне бы... — Ник сверился с бумажкой, — Милютины здесь живут?

Мужик глянул на него остренько и с подозрением.

— Александр Аггеевич жил, да. Только умер. А больше никаких Милютиных тут нет.

— Извините, — сказал Ник, — мне очень нужно!.. Как вас зовут?

— Виктор Павлович, — представился человек в плаще, рассматривая Ника все более подозрительно. — С кем имею?..

— Галицкий Николай, — торопливо сказал Ник. — Вы... можно я у вас спрошу?

— Ну-с?

Тут вдруг обнаружилось, что спрашивать нечего. Кто такой Милютин? Почему он завещал нам свое имущество?

— Вы давно здесь живете?

— Позвольте, какое отношение это имеет к вам?!

— Никакого, — умоляюще заговорил Ник, — просто мне нужен Александр Аггеевич или его родственники!

— Да говорю же вам, он умер, а родственников нет и не было. Не знаю, я про них никогда не слышал!

— А... наследники? — брякнул Ник. — У него же остались наследники?

Человечек в плаще окончательно рассердился.

— Да вам-то что за дело до его наследников? Или вы страховой агент? Нет здесь никого с тех пор, как Милютина убили, квартира пустая!

— А где же?..

— Никого, никого нет! — закричал, наступая на него, мужик в плаще. — Уходите! А то вот позвоню... куда надо!

Ник сбежал по лестнице — снизу из-за перил выглядывала взволнованная дежурная, привлеченная шумом, — навалился на дверь и оказался на весенней улице.

Он вышел на бульвар, вдалеке возле памятника увидел давешнюю девчонку с мопсом, помахал им рукой — они не обратили внимания, — и не торопясь пошел в сторону машины.

...Вот что странно. Сосед Виктор Павлович сказал, что в квартире номер восемь никого нет с тех самых пор, как убили Милютина. Нету никаких родственников!.. Разве в таком случае квартира не должна быть опечатана?.. Как место преступления?.. Между тем печати на двери не было.

Впрочем, Ник плохо разбирался в этом!..

Человек, из окна провожавший его глазами, в это время торопливо набирал телефонный номер.

— Отделение? — заговорил он плаксиво, как только ответили. — Товарищ Мишаков?.. Товарищ Мишаков, это Селезнев беспокоит, сосед, сосед зверски убитого

Милютина, помните, вы велели звонить, если что! Так вот — что! А я тут кое-что вспомнил! Нет, нет, сам подъеду. Сегодня, сейчас же!.. Моей жизни угрожает опасность! Опасность, говорю!..

Он сунул телефон в карман плаща, подергал дверь, заперта ли, и бесшумно пошел по лестнице.

— Так скоро? — удивилась консьержка. — Ну, приходите еще, будем ждать!..

— Ну, все, ну, хорош, ну, не смешно даже! — Сандро Галицкий, на этот раз совершенно трезвый и очень сердитый, подался вперед так, что лейтенант Павлуша в волнении привскочил со своего места, собираясь в случае чего скрутить хулигана. — Ты опять все, на хрен, попутал, капитан!

— Ты мне не тычь! — рявкнул Мишаков. — А во-вторых, я майор!

— А во-первых, что?

— Во-первых, отправлю я тебя зону топтать годков так на двадцать! — И майор Мишаков ткнул Сандро в плечо. — В голову это себе возьми! Вот прямо сейчас возьми и держи там!.. Что ты мне в тот раз про алиби свое втирал?

— Про какое алиби? — не понял Сандро. — Послушайте, майор, что вы ко мне прицепились, а? Ну, найдите еще кого-нибудь и прицепитесь! Я не могу тут с вами париться, у меня Версус[1] на носу, в Питер мне надо!

— А мне надо процедуру опознания провести по всей форме закона! В последний раз по-хорошему спрашиваю — ты старика грохнул? С братом вдвоем? Дальше по-плохому будет только!

— Бляха от сандалика! Ты че, вообще не вкуриваешь, майор?! Не убивал я, и Нико не убивал, отпусти

---

[1] В е р с у с   б а т т л — состязание двух рэперов (*сленг*).

ты меня подобру-поздорову, пока я тебе тут скандала не наделал!..

— Ты сейчас в штаны наделаешь!..

— Товарищ майор, все готово, — сунулся в дверь человек в форме.

— Вставай! — велел Мишаков знаменитому рэперу ПапаDon'tOzzy.

— Я сейчас адвокату позвоню, — пригрозил рэпер.

— Ты сейчас прямиком на нары проследуешь, а там хоть министру юстиции звони!

Сандро ругался, орал и порывался уйти — его не пускали. Наручников на него не надевали — знаменитость и все такое, — но подталкивали со всех сторон и таким макаром затолкали в небольшую комнату, где пахло еще хуже, чем в первой, в ряд стояли три стула, а перед ними толпились какие-то люди. Сандро с размаху сел на первый попавшийся стул, рядом с ним пристроились еще двое.

Сандро продолжал возмущаться.

Майор Мишаков, торопясь и оговариваясь, прочитал какой-то текст, в котором присутствовали слова «процедура опознания», «при свидетелях» и «ведется видеозапись».

— Хорош ерундить, — сказал Сандро еще разок, и в кабинет вошел невысокого роста человек в светлом плаще. Перед ним майор тоже произнес какой-то текст, а потом человек повернулся лицом к Сандро и тем двоим.

И замер.

Вся комната словно замерла тоже.

— Че такое-то? — не понял Сандро.

Все происходящее не могло иметь к нему отношения. Он думал о том, что ему еще нужно звук сводить, билеты в Питер не заказаны, и в последнюю минуту верняк не окажется бизнес-класса, а поездом он ни за что не поедет, автографами замутузят его в поезде! Да и время терять неохота.

— Он! — выдохнул мужик в светлом плаще с восторгом и пальцем показал на Сандро. — Это он!

— Это я, — согласился знаменитый рэпер. — Селфи хочешь, чувак?..

— Расскажите, что вы видели. Свидетели, внимание! Камера пишет!

— Я видел, — торопливо заговорил мужик, — вот этого самого лысого ночью с двенадцатого на тринадцатое апреля, когда был злодейски убит мой сосед Милютин Александр Аггеевич. Я услышал шум на лестничной площадке, выглянул и увидел, как вот этот лысый закрывает за собой дверь квартиры номер восемь, где как раз и проживал Милютин Александр...

— Этого достаточно, — торжествующе перебил майор Мишаков. — Подставные свободны, свидетели свободны.

Сандро, думая про поезд и про будущий баттл, поднялся тоже.

— Ку-уда? — весело удивился майор. — Ты-то как раз занят! Я тебе обещал двадцатку, будет тебе двадцатка! А кто позавчера мне мозги канифолил? Не был, не состоял, не участвовал!.. Дурашка! Опознали тебя! Все вы, душегубы, ума малого, нет бы сразу явочку с повинной оформить!

Сандро вдруг словно споткнулся.

— Постой, майор, — сказал он испуганно. — Это чего сейчас было? Вот тот хрен в плаще сказал, что он меня где-то видел?!

— Да не где-то, а на месте преступления! Аккурат в ночь убийства! — Мишаков тиснул в папку протоколы и вжикнул «молнией». — Ты же не в окно вылетел, там третий этаж, ты ножками пошел после того, как старикана до смерти забил!

— Где... третий этаж? — тупо спросил Сандро.

— А где ты убивал, там и этаж. Павлуш, надоел он мне, сил нет, давай конвой и в камеру его.

— В какую камеру, ты что, обалдел?!

Мишаков подошел к Сандро вплотную и сказал с презрением, словно плюнул:

— Дело закрыто, понял, нет? Думал, раз ты знаменитость, можешь стариков мочить? Все позволено?! В гробу я тебя видал с твоей знаменитой рожей!.. Где конвой, Павлуша?! И второго, второго давайте, вряд ли этот один на дело ходил, жидковат он для такого дела!

— Так, — сказал Сандро. — Я должен адвокату позвонить.

— А это сколько угодно. Это пожалуйста! Вот следователь приедет, выпишет постановление на арест и разберется, кому там ты звонить должен.

— Майор, — рэпер ПараDon'tOzz сжал и разжал кулак. — Я никого не убивал.

— Ну, ну, ну, еще давай так — это какая-то ошибка!.. Ошибки в анализах бывают, а у нас тут без ошибок!..

На Сандро нацепили наручники — он посмотрел на свои руки с изумлением, — и куда-то повели. Майор с лейтенантом вышли следом.

Знаменитый рэпер оглянулся и сказал из конца коридора негромко:

— Вы хоть брату моему позвоните, мужики.

Мишаков махнул рукой:

— Вали, вали, без тебя разберемся! Павлуш, протоколы все подписаны, как положено?..

Лейтенант приблизился к майору — вид заговорщицкий и несколько озабоченный, — и проговорил, сильно понизив голос:

— Протоколы-то подписаны, только... малость того... не совсем...

— Чего того?!

— Главный свидетель, получается, в адресе по Подколокольному переулку не прописан, а по закону положено...

Мишаков перебил, скривившись:

— Павлуша, молодо-зелено, салага ты еще! Кабы все до одного законы соблюдать, лучше сразу работу бросить!.. Душегубы на свободе пусть гуляют, а мы с тобой в народное хозяйство, морковь сажать!..

Павлуша насупился. Молодо-зелено, понятно!.. Все должно быть по правилам, их так в академии учили!

— Не дрейфь, лейтенант, — сказал Мишаков добродушно. — Пусть свидетель хоть где прописан, проживает-то в Подколокольном! Его там все знают!..

Павлуша согласился — знают.

— Ну и все-о-о, — протянул Мишаков с удовлетворением. — Считай, дело закрыто, отбегался рэпер этот, звезда, блин! Думал, я его не закрою! А я закрыл, блин!.. Учись, пока я жив!..

Часов в одиннадцать Ник всегда пил на работе чай.

Научный руководитель Михаил Наумович, у которого аспирант Галицкий когда-то защищался, смешно рассказывал, как пили чай в советские времена. Для начальства покупалась отдельная пачка — индийского «со слоном». Чай в желтой коробочке с нарисованным слоном считался самым лучшим. Сотрудники и сотрудницы попроще пили чай поплоше — грузинский или азербайджанский. Грузинский котировался выше. К чаю вскладчину покупалось печенье «юбилейное» и еще — очень редко! — «курабье». Оно стоило дорого и быстро кончалось, не напасешься! Ушлые плановички, тетки из планового отдела, у которых был «свободный график», выстаивали гигантские очереди в булочных и кондитерских за конфетами и продавали их поштучно к чаю. Ириска стоила две копейки, «коровка» три, а шоколадные все десять!.. Остальные страдальцы, принужденные сидеть за забором НИИ от звонка до звонка, жались, но конфеты покупали — чай дело святое!.. К одиннадцати, рассказывал Михаил Наумович, в комнату начальника сектора подтягивались лаборантки, инженерши и научные сотрудницы, ставился чайник, пересчитывались кружки. Пачку «со слоном» никто не брал. В плетеную сухарницу высыпали сушки, выкладывали «юбилейное» так, чтоб красиво получилось, без крошек. Сразу после одиннадцати прибывали мужчины — со своими кружками. Эмансипированные лаборантки и инженерши мыли только свои, мужские игнорировали, и тем приходилось выливать заварку в цветочные горшки, отчего «щучий хвост» и герань постепенно вяли и сохли, под краном в туалете кружек никто из мужчин не мыл!.. Последними приходили начальники — сам Михаил Наумович, его заместитель и начальник того самого сектора. В момент приготовления чая начальник сектора всегда скрывался в курилке.

Чай пили долго, полчаса, минут сорок, не меньше. Разговаривали о политике. Когда Михаил Наумович только пришел на работу, ругали Брежнева и Советский Союз, хвалили Джимми Картера и Соединенные Штаты, вот у них там — да, наука, а у нас тут что!.. Потом ругали Черненко и Андропова, затем перешли к Горбачеву, а там — понеслось!.. В девяносто первом и девяносто третьем дружно побежали на баррикады — демократия, свобода, ветер перемен!.. Чайные дебаты достигли такого накала, что однажды Аркадий Бучеров неумело стукнул по носу Сашку Абрамцева — Аркадий был убежденный коммунист, а Сашок демократ. Политических противников разняли, разговоров о драке хватило на несколько месяцев. Чая «со слоном» не стало, конфет по три копейки за штуку и печенья «юбилейного» не стало тоже, и азербайджанский чай кончился в магазинах — там кончилось все. Заваривали чабрец и бадан, который присылала одной из лаборанток алтайская бабушка. Чабрец и бадан экономили — бабушка не успевала заготавливать.

Потом все кончилось. То есть вообще все.

Новая власть объявила разоружение — а институт, как и все тогдашние НИИ, работал исключительно на военную промышленность. Вместе с разоружением были объявлены «самоокупаемость» и «хозрасчет», предполагалось, что научные сотрудники должны сами зарабатывать себе на хлеб в рамках новых капиталистических отношений.

Ученые — а заодно инженеры и лаборантки — растерялись. Зарабатывать они не умели и плохо себе представляли, как можно заработать, продавая авиационные технологии!.. Разумеется, вскоре нашлись ловкие ребята, которые технологии тоже продавать не умели, зато живо распродали помещения института.

От огромного НИИ, заложенного в конце тридцатых, — с парком, фонтанами, сосновым бором, где стояли гигантские здания аэродинамических труб, среди них вертикальная, самая мощная в Европе, ею когда-то особенно гордились; с просторными корпусами, на них по традиции были выложены красным кирпичом даты постройки, 1939, 1956; с липовыми и березовыми аллеями, считалось, что ученым необходимы места, где они могут размышлять и прогуливаться, — осталась половина пятиэтажного корпуса с размороженными трубами и заколоченными сортирами. Из сортиров действовал только один, почему-то на пятом этаже.

Научные сотрудники постарше все как-то очень быстро умерли, года за два, так и не успев насладиться крушением ненавистной империи. Те, кто помоложе, поувольнялись. Самые активные уехали в Америку и как-то там пристроились, менее активные реализовывали государственный план по «самоокупаемости и хозрасчету», торгуя на рынках чем придется.

В «чайной комнате» теперь собирались пять человек — сам Михаил Наумович, единственная уцелевшая машинистка из некогда громадного отдела, она умела печатать научные тексты почти без ошибок и никогда не забывала оставлять пробелы для формул, которые вписывались от руки, «плановичка», тянувшая лямку до пенсии, пожилая бухгалтерша и тот самый Аркадий Бучеров, получивший некогда в нос за коммунистические убеждения. Говорили о продуктах, которые было не достать!.. Машинистка, замирая, рассказывала, как в ее детстве на Кубани всего было навалом — и мясо, и сливки, и куры с гусями, а яиц вообще не считали, по утрам из курятника приносили по целой кошелке!.. Михаил Наумович толковал, как проектировали «Буран» и верили в возможность создания возвращаемого космического аппарата — вот были времена!.. А теперь этот самый «Буран» гниет на каких-то задворках, и никому нет дела до величия человеческой мысли. Вскладчину, как раньше «юбилейное», покупали сало, небольшой кусочек, и пожилая бухгалтерша его солила — в чистой тряпочке, с чесноком и перцем. Чеснок она ловко выращивала на своих шести сотках, ни у кого не вырастал, а у нее вырастал!.. Проходило дня три, и в «чайной комнате» наступал торжественный момент — делали бутерброды с салом. За хлебом Михаил Наумович выстаивал огромную очередь, но что очередь, когда есть сало!.. Его хватало ненадолго, и все ждали следующей зарплаты — может, через месяц, может, через три, — и тогда скидывались и покупали еще кусок.

А вокруг этого острова нищеты и запустения шла жизнь!..

На территорию, некогда совершенно секретную и недоступную, заезжали фуры, в отданных под склады зданиях постоянно что-то разгружали; в инженерном корпусе бойко торговали оргтехникой и только что появившимися спортивными тренажерами, там же размещались турбюро и подпольный оптовый магазин, отпускавший паленую водку. Дюжие молодцы в ворсистых пиджаках непередаваемого свекольного цвета, впоследствии они стали называться почему-то «малиновыми», поигрывая цепками и брелоками, крутя на заскорузлых пальцах ключи от раздолбанных «меринов», ходили по территории, задевая дюжими плечами случайно уцелевших научных сотрудников. Научные сотрудники втягивали головы в плечи и опускали глаза — чтобы не встретиться с ними взглядами, это было опасно. С одного из зданий, где некогда размещалось самое перспективное, самое секретное, самое научное и самое молодое отделение, осенним ураганом сорвало крышу, и отвалилась единица, часть кирпичной даты, остались три последние цифры — 965. Михаил Наумович шутил, что нужно краской дописать «до н. э.». Все, что было когда-то здесь — наука, технологии, только вперед, мы учим летать самолеты, — осталось где-то там, до новой эры!..

Когда Ник в начале двухтысячных пришел на работу, трубы уже залатали и кое-где перестелили полы. НИИ занимал целое здание, а не половину, и у сотрудников были компьютеры. Аспиранты защищались и чохом отбывали в Штаты и в Китай, кто-то даже в Австралию, хотя там никогда не было никакой авиационной науки!..

Потом неожиданно выяснилось, что для того, чтобы самолеты летали, необходимы специалисты, которые знают, что нужно для этого делать.

Оказалось, специалистов нет. Все кончились.

Как-то очень быстро с территории института разогнали оргтехнику и паленую водку, поправили заборы, установили пропускной режим — в проходных снова появились турникеты, а возле них дядьки в форме, — выделили какие-то гранты, потом стали поднимать зарплату, но специалистов по-прежнему не было. Студенты учились, защищались и тут же отправлялись за океан — там больше платили, жилье и еда стоили дешево, подержанные автомобили отдавали и вовсе почти даром, английский после появления Всемирной паутины перестал быть проблемой. Чего там учить, плевое дело!.. Да и потом, Шекспира-то читать не нужно, надо в терминах разбираться, а они во всем мире одинаковы.

Время шло, и все постепенно менялось.

Оказалось, что сделать карьеру проще не уезжая, — как раз потому, что специалистов не хватает! Оказалось, что заниматься наукой можно и здесь — и юридический отдел не проверяет каждое слово в отчете на предмет толерантности, что начальник отдела может взять на работу соискателя просто потому, что он нужен, а не потому что он болен СПИДом или является негритянской многодетной матерью!.. Оказалось, что эмигрантский хлеб — даже при том, что подержанные машины и сосиски для барбекю очень дешевы! — не так уж сладок, что там то и дело приходится оправдываться, подтверждать лояльность и преданность «новой родине», что общаться получается только «в своей среде», то есть с братом-эмигрантом, что по телевизору все смотрят отчего-то исключительно отечественные сериалы и потом ругательски их ругают, и вопрос отношений с Украиной гораздо важнее и интересней, чем с Мексикой, хотя до Мексики рукой подать, а Украина во-он где, отсюда не видать!..

Николай Галицкий довольно быстро обзавелся сотрудниками, стал ездить на конференции в Италию и Францию, да и в Новосибирск — там тоже спохватились и зашевелились, — переехал в то самое здание, где некогда была самая перспективная и молодая наука. Крышу покрыли, а кирпичные цифры так и показывали 965 год!.. Старенький Михаил Наумович в «чайной комнате» рассказал новым аспирантам, как некогда хотел приписать белой краской «до новой эры», а они взяли и приписали!.. Никто не знал, как это получилось, кто лазил, когда, — по всей территории нынче были установлены камеры, «режим» вернулся, — но залезли и приписали!.. К годовщине института белые буквы замазали — ждали большое начальство, оборудовали вертолетную площадку для его, начальства, удобств, а тут на главном корпусе — «965 до н. э.»! Начальство прилетело и улетело, а буквы появились снова!.. Так с тех пор и повелось — их закрашивали, а они появлялись, и бдительность «начальника режима» пропадала втуне, прищучить шутников пока не удалось.

В «чайной комнате» вновь воцарилось оживление — к одиннадцати часам ставили чайники, их нынче было два, — накрывали столик: шоколадки, конфеты, модное печенье «без глютена», обязательно бутерброды с колбасой. На яства бухгалтерией выделялись деньги. Со всего этажа собирался молодняк, в последнюю очередь прибывало руководство — Николай Михайлович Галицкий, начальники отделов, Аркадий Бучеров, агитировавший на будущих выборах голосовать непременно за коммунистов. Кружек никто не приносил, они были закуплены централизованно.

Ника все это развлекало.

Чай пили долго, по полчаса, минут по сорок, и это было законное время для болтовни, флирта, разговоров о политике и науке. Некоторые фрондеры и особенно фрондерки приносили с собой растворимый кофе и сливки. Кофе всегда обязательно предлагался начальству. Начальство неизменно отказывалось — ничего не поделаешь, ритуал.

Вот и сегодня Ник налил себе чаю, выслушал Аркадия, который рассказывал о происках теневого мирового правительства и теории заговора, пообещал Михаилу Наумовичу вечерком зайти — старик числился научным консультантом и до сих пор пописывал дельные статьи в иностранные журналы.

— А вы в Бразилию летите? — спросила Ирина из международного отдела. Ник ее остерегался, хотя она была хорошенькая, ему казалось, что она имеет на него виды.

— Собираюсь.

— Тогда вам нужно к нам зайти, документы оформить.

Морока с документами начиналась всякий раз, когда нужно было куда-то лететь. Ник эту мороку ненавидел и всякий раз был уверен, что теперь уж точно что-нибудь стрясется и «его не выпустят».

— Да что там оформлять, — пробормотал он, косясь на Ирину. — Все ведь как обычно...

— Нет, нет, вы зайдите, чтобы не в последний момент! Мне же визу нужно оформить!

— Туда без виз пускают.

— Как?!

— Николай Михайлович, из Новосибирска не звонили? — вступил аспирант Олег. — Вчера на мыло прислали инфу, что у них там какая-то производная рвется.

В Новосибирске тоже шел эксперимент. Ник моментально забыл об опасностях, связанных с документами и Ириной.

— Какая там производная рвется?! И почему они тебе прислали, а мне не прислали?!

Олег пожал плечами и почесал бороду. Нынче все аспиранты были при бородах.

— Да они сказали, что вам тоже отправили, но вы же почту не смотрите...

Это была чистая правда. Почту Ник не смотрел никогда.

— Хорошо, я взгляну.

— Николай Михайлович, а правда, что вашего брата арестовали? — ясным голосом спросила инженерша Зося. Она была вся белая, угловатая и чем-то напоминала Лису, подругу Сандро, которая задумчиво сосала чупа-чупс и не знала, зачем люди занимаются самолетами.

В «чайной комнате» моментально стало тихо и все повернулись к Нику. Тот замер на полдороге к чайнику.

— Ерунда какая, — пробормотал Михаил Наумович себе под нос. — Николай Михайлович, добавьте-ка и мне горяченького!

— Я в новостях видела, — продолжала Зося. Она сидела на столе и качала ногой в белом чулке и тяжелой коричневой туфле. Нога была похожа на спичку. — Правда показывали!.. Сказали, что знаменитый рэпер ПараDon'tOzz задержан по какому-то там подозрению! Правда? Задержан?

— Да нет, ну... — начал Ник и осекся.

В отделении-то они с братом на самом деле были. Вполне возможно, что всю эту канитель показали по телевизору! Интересно, мама видела или нет? Впрочем, если бы видела, она бы уже сорок раз позвонила.

— Вообще рэп сейчас — это сила, — сказал аспирант Олег, дуя в чай. — Сиплый такие перлы выдает! Новый Пушкин прямо! Хотя ПараDon'tOzz на прошлом баттле его уделал, конечно, особенно на даблтайме! Я и не знал, что ПараDon'tOzz так умеет! Я думал, только Файк и Домино!

— А за что его взяли-то? — не отставала Зося.

— Никто никого не брал! — Ник долил чаю Михаилу Наумовичу. — Просто... недоразумение.

— Так интересно, что он ваш брат, — протянул кто-то из аспиранток. — Вы совсем, ну, вот ничуточки не похожи!

— Как не похожи! Одно лицо! Я иногда смотрю — прям наш Николай Михайлович, только бритый!

— А вы их всех знаете, да? ПараDon'tOzz прошлый сезон шоу «Вопли» судил с Полиной Брызгалиной и Александром Датским, вы были на съемках, Николай Михайлович?

— Мне нужно почту посмотреть, — сказал Ник себе под нос. — Там, оказывается, какая-то производная рвется...

— Вот бы на съемки попасть! Вы были, Николай Михайлович?

— Ты лучше баттл посмотри, это клевей гораздо! Они там такие тексты забубенивают, мама не горюй!..

— Так вы к нам в отдел непременно зайдите, — напомнила Ирина, блестя глазами. — И как можно скорее, чтобы мы все успели, да?

И кончиками пальцев провела по Никовой руке. Тот скосил глаза. Ирина усмехнулась — какой пугливый!

В дверь заглянула секретарша отделения, обшарила глазами собравшихся и возликовала, увидев Ника:

— Колечка, там в приемной человек тебя дожидается. Я уж звонила-звонила, ты что, телефон куда задевал?..

Ник всегда и везде забывал мобильный телефон.

— Михал Наумыч, я зайду потом обязательно!

— И к нам не забудьте! — Ирина улыбнулась.

Она очень старалась. У нее было двое бесхозных детей, а Галицкий неженат и перспективен.

С кружкой в руке Ник быстро пошел по коридору, секретарша за ним не поспевала, распахнул дверь в приемную и замер — возле стола сидел давешний майор Мишаков. Он был в штатском и сосредоточенно ковырял заусенец.

— Вы... ко мне?

— А? — Мишаков поднял голову и сунул в рот палец. — А, да. Не то чтобы к вам, за вами я.

Секретарша вошла и стала основательно располагаться за столом. В окна ломилось апрельское солнце, заливало громадную фотографию планера «Су-57» в аэродинамической трубе на стене у нее за спиной. Рядом висел православный календарь с затейливыми красными буквицами.

— У вас тут строго, — вынув палец изо рта, продолжал майор как ни в чем не бывало. — Я пропуска два часа добивался!

— Режимный объект, — пояснил Ник.

— Оно и видно. Ну чего? Пошлите?..

...Уж я б тебя послал, подумал Галицкий. Уж послал бы так послал!..

Он распахнул дверь в кабинет — как начальнику отделения ему полагался отдельный кабинет!

— Проходите.

Майор Мишаков засмеялся:

— Да я бы и тут подождал, пока вы одежонку возьмете, хотя!.. — Он зашел за обитую коричневым дерматином дверь, Ник ни в какую не соглашался заменить ее на современную, пластмассовую, огляделся по сторонам, фыркнул и поторопил: — Давайте, давайте, руки в ноги и марш-марш!.. Мне ждать некогда, мне дело нужно в суд передавать!..

Ник поставил кружку с чаем на собственный стол, заваленный бумагами, распечатками и карандашами. Он писал всегда исключительно карандашами.

— Добрый день, — сказал он майору. — Куда я должен с вами ехать?

— В отделение, куда, куда!.. — нетерпеливо ответил Мишаков. — Ты мне только лицо не строй, не на того напал. Брательник твой строил, строил, а все равно на нарах отдыхает. Где барахло твое?

Он по-хозяйски распахнул один шкаф, другой — все не то, — и в третьем обнаружил пальто.

— Поехали, по-быстрому очную ставку проведем, да и дело с концом.

Майор вытащил пальто и кинул Галицкому. Пальто упало на паркет, Ник наклонился и поднял.

— Не верю я, — продолжал Мишаков, — что братан твой в одиночку дедулю до смерти забил, чую я, вы вдвоем постарались! Так что смотри — кто паровозом пойдет, а кто вагоном поедет, решать тебе. Как ты дело повернешь, так оно и будет. А ему все равно годков двадцать впаяют!

Дверь приоткрылась, и просунулась голова:

— Николай Михайлович, можно?

— Нельзя! — взревел майор Мишаков. — Вон отсюда!

Дверь испуганно закрылась.

Ник быстро и сосредоточенно думал.

— Значит, вы решили повесить убийство на нас с братом, — сказал он и сел на стол. — Это понятно. Это проще всего. Но у нас свидетели есть!..

— Да что ты говоришь?! — всплеснул руками майор. — А у меня нет, что ли?! У меня такой свидетель, что не подкопаешься! Своими глазами твоего брата видел, когда тот из квартиры убитого выходил, как раз ночью с двенадцатого на тринадцатое апреля. И показания его записаны, протокол оформлен, так что хорош дурить, профессор!

Ник, успевший оценить ситуацию, понял, что деваться ему некуда, только в окошко выпрыгнуть.

Он глотнул напоследок чаю, аккуратно поставил кружку на стол, нацепил пальто и вышел в приемную.

— Я отъеду ненадолго, — сказал он секретарше. Майор у него за спиной засмеялся. — Михал Наумыча предупредите, что меня не будет до вечера. И Олега. Нет, Олегу я сам позвоню.

— Он позвонит, позвонит, — поддакнул майор.

Навстречу попалась Ирина — как видно, народ только расходился из «чайной комнаты» — и сделала большие глаза, увидев Ника с майором.

— Уезжаете, Николай Михайлович?

— Я постараюсь вернуться побыстрее, — сказал Ник, и майор опять ехидно засмеялся.

По территории института они шли молча и долго — пропуск на машину майору, как видно, не удалось добыть. Когда дошли до фонтана, Мишаков спросил неожиданно:

— А это чего такое?

Ник посмотрел.

— Лестница там за каким лядом? В фонтане?

— Для белок, — ответил Ник. — Белки в жару приходят пить, падают в воду и не могут выбраться. Для них и приспособили. С лестницы они не падают.

— Вот цирк! — восхитился майор. — Для белок!..

По обеим сторонам аллеи размещались солидные щиты с портретами знаменитых ученых, когда-то работавших в этом институте, — начиная от Жуковского и Капицы.

— А это кто? — поинтересовался любознательный майор. У него было прекрасное настроение.

Ник опять глянул.

— Рецидивисты, — сказал он, сдерживаясь, чтобы не нахамить как следует. — Ранее отпущенные, но вновь преступившие закон.

Майор положил руку ему на плечо.

— Ты со мной не шути, парень, — посоветовал он. — Я серьезных людей сажал, не чета вам с братом, недоумкам голопопым!

— Какие уж тут шутки.

Полицейская машина стояла прямо за проходной, возле нее курил и сплевывал соскучившийся водитель.

Ник остановился.

... Я туда не хочу. Я не умею со всем этим бороться! Я ненавижу проблемы, а они серьезные — прав этот самый майор Мишаков!..

— Давай полезай назад. Вон, за решеточку! Или за шиворот тебя тащить?

Ник торопливо и неловко, оскальзываясь и опасаясь, что кто-нибудь из сотрудников обязательно увидит, забрался в машину. Двери захлопнулись. В первый раз в жизни он ехал вот так — за железными прутьями! Он трясся на жестком сиденье и уже чувствовал себя преступником, и понимал, что ничего не сможет поделать — решетчатые челюсти перемелют и его, и Сандро, и то, что останется от них, будет не пригодно к нормальной жизни, без решеток и наручников.

На тротуаре возле отделения слонялись люди с камерами, должно быть, журналисты. Некоторые фотографировали через забор «Порше» рэпера ПапаDon'tOzza, загнанный в самый угол полицейской стоянки.

Майор на переднем сиденье что-то энергично говорил водителю, через пуленепробиваемое стекло Ник не слышал ни слова, но понятно было, что Мишакову не нравятся люди на тротуаре!

Машина заехала во двор, Ник проводил глазами закрывающиеся ворота с колючей проволокой, намотанной поверху, и остановилась. Двери распахнулись, Ник выпрыгнул.

— Туда давай!

Ник не успел взяться за железную скобу двери, как она распахнулась, и навстречу выскочил молодой человек в форме. В тот, первый, день Мишаков называл его Павлушей.

— Товарищ майор, — выпалил молодой человек, таращa глаза. — Плохо дело, адвокатишка приехал, права качает, вас требует!

— Отставить! — гаркнул Мишаков. — С адвокатишкой я разберусь, а этого в допросную, быстро! И глаз с него не спускать! Он со страху может в бега податься, тихий больно, знаю я таких!..

Павлуша, напирая корпусом, погнал Ника по коридору — тот послушно, как баран, шел, куда его толкали. За одной из дверей разговаривали на повышенных тонах, и ему показалось, что он узнает голос брата.

Лейтенант втолкнул Ника в полутемную комнату с железным столом и табуреткой, прикрученной к полу. Бабахнула, закрываясь, дверь. Стало тихо.

Ник долго стоял, прислушиваясь, потом сел на табуретку и вытянул ноги.

— В Бразилии, — сказал он вслух спустя какое-то время, — такое изобилие невиданных зверей.

Звери прицепились к нему надолго.

... Домашние звери стояли в пещере... Верь не верь, дикий зверь — верь не верь, великий зверь... Заяц — зверь ушлый.

Сначала Ник ходил из угла в угол, потом стоял у стены, прижавшись спиной, замерз и снова стал ходить. Сел на табуретку и посидел немного. Постоял под решеткой окна, оно было высоко, под самым потолком, и почти не пропускало света.

...Странно, что из Новосибирска прислали письмо Олегу!.. Ах да, мне тоже прислали, но я почту не смотрел. Какой дебил придумал эту самую почту, как будто по телефону нельзя позвонить!..

...Дебил-крокодил. Всякий дебил знает, кто такой крокодил. Крокодил на задних лапах ходил.

На часы Ник старательно не смотрел, запретил себе смотреть. Почему-то ему казалось важным избавиться от чувства времени, которое шло за стенами этой комнаты по каким-то другим законам. Здесь, внутри, оно идет совсем не так, поэтому нельзя смотреть на часы, мало ли что там увидишь.

Он слонялся из угла в угол, сидел, стоял, пытался посчитать спектр функции в степени минус икс квадрат и долго думал о том, что теория функции комплексного переменного, которая была одним из сложнейших институтских курсов, редко пригождается ему в работе, интересно, почему?..

Дверь открылась, и с той стороны скомандовали:

— Выходи, живо!..

Николай Галицкий в это время как раз стоял под решетчатым окном.

— Кому сказано, на выход!

Ник вышел в коридор, и время вдруг вернулось!..

В коридоре ходили люди, хрипела в отдалении рация, звонил телефон, и приглушенный женский голос бубнил монотонно: «В соответствии с вашим запросом сообщаем, что на территории нашего района подобных случаев не наблюдалось...»

— Туда проходите, — и лейтенант Павлуша показал Нику рукой, куда проходить. Корпусом не напирал и в плечо не тыкал!..

Ник посмотрел — он просидел в «допросной» два с половиной часа, ого!..

В кабинете с табличкой «Начальник отдела розыска» он увидел Сандро, адвоката Глебова и майора Мишакова.

Сандро сидел на стуле и обеими руками тер лицо, Глебов стоя перелистывал в папке бумаги, майор сидел за столом, вид у него был взбешенный.

— А Николай Михайлович, — кивнув Нику, словно продолжил ранее начатую речь адвокат, — тут вообще ни при чем, и вы должны это понимать, майор!.. Зачем вы время тянете, мы должны были закончить три часа назад, все ведь понятно!..

— Мне одно понятно, — выговорил майор, старательно проглатывая слова-связки, — чем богаче сволочь, тем больше у нее шансов от ответственности уйти, вот это мне понятно!..

Глебов пожал плечами. Сандро вскинулся было на стуле, но плюхнулся обратно.

— Я вам десять раз перечислял процессуальные нарушения, допущенные в ходе задержания! Вы не имели права задерживать моего клиента, уж о его брате и речи нет. Вы даже протокол опознания с нарушениями составили, майор! Это не протокол, а... — Лощеный Глебов поискал сравнение и выразился литературно: — Филькина грамота!.. Вы же опытный человек! Главный свидетель вообще невесть откуда взялся, в Подколокольном переулке не прописан, откуда известно, что он — сосед? Где это зафиксировано?

Мишаков посмотрел на адвоката. Взгляд был тяжелый, словно свинцовый.

— Никогда у нас в стране порядка не будет, — сказал он в конце концов, — если мы будем убийц сажать, а потом отпускать!.. Потому что на них лучшие крючкотворы работают!..

Глебов помолчал немного.

— На первый раз крючкотворов я вам прощу, — проговорил он медленно. — И мой вам совет, майор. Свидетелей найдите и опросите. У моего клиента алиби, есть свидетели, я вам на них указал. И шевелитесь, шевелитесь!.. Вы за это зарплату получаете.

— Еще про зарплату мне расскажите!.. Поучите меня!..

— Мы можем идти? — осведомился Глебов.

Майор молчал, смотрел в сторону.

— Александр Михайлович, Николай Михайлович, за мной. Да, майор, и машину верните сразу! Ваша машина на спецстоянке, Александр Михайлович?

— Почем я знаю, — пробормотал Сандро.

— Павлуша, сними печати с тачки, отдай ключи, — процедил майор в сторону лейтенанта. И посмотрел на Сандро. — Вот я клянусь, рэпер хренов, я тебя посажу. Ты убил, тебе и отвечать, и братцу твоему научному! А сейчас пошли вон отсюда!..

Глебов придержал дверь, и Ник вышел следом за Сандро.

— Будут вопросы, звоните, — сказал адвокат напоследок и захлопнул дверь, за которой сразу что-то обвалилось, словно потолок рухнул, дзинькнуло, а потом послышался заковыристый, зигзагообразный мат.

— Каков затейник, — под нос себе пробормотал Глебов. — Сандро! Стой!

Рэпер ПапаDon'tOzz дернул плечом.

— Стой, я сказал! Там журналистов до черта!

— Оу, е-е-е...

— Нико, ты на машине?

Ник покачал головой:

— Меня полиция привезла.

Адвокат скривился:

— За каким лешим ты поехал, а?! Вот народ, хоть бы на ночь законы читали, что ли! Ты же грамотный вроде! Или мне бы позвонил сразу!.. Его повезли, и он поехал! Зачем?!

— Чтобы скандал на весь институт не затевать, — процедил Ник.

Со всех сторон на них смотрели — открывались двери кабинетов, выглядывали люди и пялились. У всех были телефоны.

— В сортир, быстро, — скомандовал Глебов. Он был собран и сосредоточен, оба брата слушались его.

В туалете было холодно, сильно тянуло табаком и мочой, из ржавого крана тонкой струйкой лилась вода. Ник подошел и завернул кран.

— Пипец, — сказал Сандро.

— Переодеваемся, — подумав секунду, решил Глебов. — Ник, давай мне свое пальто. Сандро, отдай ему куртку и кепку. Портфель мой забери, Нико.

Братья быстро и молча сняли верхнюю одежду. Почему-то они никак не могли друг на друга посмотреть, словно от стыда.

— Я подгоню машину, — продолжал Глебов. — Очки давай, Ник!

Галицкий протянул ему очки.

— Ничего не видно, — пожаловался Глебов. — Сколько тут у тебя?

— Минус четыре.

— Досчитаете до семи, и выйдет Ник в куртке и кепке, Сандро сразу за ним. Раскусят нас моментально, но будем надеяться, секунд пять мы выиграем. Снимать они будут куртку и кепку, а показать потом все равно не смогут.

— Почему не смогут? — не понял Ник.

— Потому что тебя показывать смысла нету, — как-то даже весело ответил ему адвокат. — Даже в кепке и куртке ПападонʼtOzza!..

Дверь в туалет распахнулась, на пороге показался лейтенант Павлуша — тоже с телефоном.

— Действуем быстро, мужики!..

Гуртом они выскочили в коридор, и Глебов моментально юркнул за дверь. В проеме было видно людей с камерами и микрофонами — много.

— Ты считаешь? — спросил Сандро. — До семи?

Ник выскочил на крыльцо, к нему бросились люди, он шарахнулся было назад, но подлетела глебовская машина.

— ПараDon'tOzz, в чем вас обвиняют?! Вы провели ночь в тюрьме? Вы соберете пресс-конференцию? Это правда, что вы убили человека? Вас будут судить? Когда?

— Быстрей! — проорал изнутри Глебов, распахивая пассажирскую дверь.

— Это не он! — взвизгнул кто-то из толпы. — Он — вон! Снимай того, в пальто, снимай скорей!..

Но Глебов уже нажал на газ, машина тронулась, Сандро упал на заднее сиденье.

— Пипцовый пипец, — послышалось оттуда.

Глебов вырулил на шоссе, посмотрел в зеркало заднего вида — за ними бежали люди, — вильнул направо, потом налево, перелетел перекресток на желтый, прибавил скорость и снова повернул.

— Вот она, слава, — заключил он наконец и засмеялся. — Сандро, можешь сесть.

— Мне на работу нужно вернуться, — проинформировал Ник.

— Неплохецки я на нарах время провел, — поделился Сандро. — Душеполезно.

— Откуда взялся этот свидетель? — спросил Глебов серьезно. — Который тебя опознал? Сосед Милютина?

— В рот мне ноги! Откуда я знаю?!

— Сосед? — переспросил Ник. — Он взялся из дома номер 12 в Подколокольном переулке. Я его видел, когда позавчера туда заходил.

— Зачем ты туда заходил?!

— Поговорить хотел. С родственниками Милютина, который оставил завещание в нашу пользу. Никаких родственников там нет, зато был сосед.

— И что?

Ник подумал, вспоминая.

— Ничего, Павел. Он сказал, что Милютин жил один, и я ушел.

— Занятно, — протянул Глебов. — Ты ушел, а он побежал в отделение! До этого не бежал, а тут побежал! И сразу же узнал в Сандро злодея!..

Он еще раз повернул и продолжил:

— Если б они документики в соответствии с законом оформили, ничего бы я не смог поделать, парни. Сандро, ты бывал в доме, где жил убитый?

— Е-е. Нет.

— Даже по пьяни?

— Павлик, я до положения риз напиваюсь только дома. На людях — никогда. Когда напиваюсь, не выхожу никуда.

Ник усмехнулся. До положения риз!.. Иногда он словно забывал, что брат не просто охламон, добившийся некой непонятной охламонской известности, а вполне образованный человек. Философский факультет, красный диплом, стажировка в Оксфорде, Шекспир в подлиннике.

— Нужно думать, — заключил Глебов. — Я вас здесь высажу, ладно? У моего офиса наверняка уже караулят. Сандро, возле твоего дома тоже. Ты бы у Ника переночевал, пока они не расчухали.

— Мне на работу нужно, — повторил Ник.

— Что ты заладил! — с досадой сказал Сандро. — Мне в Питер нужно, на лайв-баттл[1], я же молчу, блин!..

— Здесь тихо, народу в переулках мало, — продолжал Глебов. — Потихоньку-полегоньку доберетесь. Сандро, я тебе буду звонить, телефон не выключай. Незнакомые номера сразу сбрасывай. А лучше новую симку купи, только не на себя, а на водителя, к примеру, и скинь мне номер. Нико, если за тобой опять приедут, гони в шею! И сразу мне звони.

---

[1] Л а й в - б а т т л — соревнование рэперов (*сленг*).

— Спасибо, Павлуш, — сказал Сандро с заднего сиденья. — За мной не заржавеет.

— Я знаю. — Глебов через плечо протянул руку, Сандро пожал.

«Ягуар» причалил к нарядному дому со львами, держащими в передних лапах шары, братья выбрались из машины и проводили ее глазами.

— Если бы не мои деньги, — сказал рэпер Para-Don'tOzz вслед «Ягуару», — хрен бы нас отпустили. Правосудие, е, честное следствие, рожденная революцией!..

— Плохо дело, — себе под нос пробормотал Ник. — Не отстанет он от нас.

— Кто?

— Этот майор.

— Как — не отстанет, если мы не при делах?!

— Мы его бесим. Особенно ты.

— Да из-за меня многие бесятся, — молвил Сандро беспечно, — не один этот майор!.. Слушай, я жрать хочу не могу, и помыться! Там такая вонь, в этой кутузке!..

— Почему на самом деле сосед позвонил после того, как я пришел? Ведь наверняка его опрашивали или как это у них называется, у полиции? И он ничего не сказал! А сказал только... потом. Почему?

— Да он больной, может! Какая разница?!

Тут Ник схватил брата за лацканы глебовского пальто — поменяться одеждой они забыли!

— Ты понимаешь, что это все всерьез, — зашипел Ник. — Совсем всерьез, без дураков!

— Отпусти, белены, что ли, объелся?!

— Человек оставил наследство, почему-то нам с тобой, а мы этого человека в глаза не видели! Я даже у матери спросил, не знает ли она такую фамилию — Милютин?!

— Обалдел?!

— Она не знает! А там наследство... Какие-то дома, квартиры, коллекции, черт знает что!.. И его убили! Как доказать, что убили не мы с тобой?! Ради этого чертова наследства!

— Мы в ту ночь спали у родителей, — пробормотал Сандро.

— Точно? — переспросил Ник и тряхнул его еще раз. — Точно спали?..

Сандро стряхнул руки Ника с глебовского пальто и поправил воротник.

— Точно, — сказал он, не глядя на брата. — Вот мы сейчас пойдем и спросим, е, у этого соседа, как это он меня там видел, когда меня там не было и быть не могло!

— Не могло? — снова переспросил Ник. — Говори правду!..

— Я. Никого. Не. Убивал, — выговорил Сандро и первый раз взглянул Нику в глаза. — Пошли! Или тебе на работу надо?! Куда идти-то?!

— Подколокольный, двенадцать, — машинально сказал Ник. — Это рядом, здесь все рядом, в центре. Зачем мы к нему пойдем? Он опять полицию вызовет, и нас опять загребут!

— Не дрейфь, бро! — Сандро улыбнулся. Улыбка у него была дивная, он знал это и умел ею пользоваться. — Бить его я не стану! Я просто спрошу! Тихо, мирно, без всякого такого. А ты можешь ехать на работу!

— Ну, конечно, — сквозь зубы процедил Нико. — Почему твои проблемы — всегда мои?! Почему я должен...

— Ты ничего мне не должен, — перебил его брат. — Я без тебя разберусь. Включай навигатор, где этот Подколокольный?

Телефон Ника остался на работе. Как только Сандро включил свой, тот бешено затрезвонил, и пришлось его сразу выключить.

— Маме нужно позвонить, — сказал Ник с тоской. — Если нас в новостях показали, она там с ума сходит.

— Позвоним! Мадам, вы не знаете, в какой стороне Подколокольный переулок?

Старушка, катившая сумку на колесах, остановилась и принялась с удовольствием объяснять. Сандро слушал, кивал, Ник голову мог дать на отсечение, что он ничего не понимает и не запоминает. Он знал своего брата!

— И очки, — бормотал Ник горестно, пока старушка объясняла. — Очков тоже нет! Я же не вижу ничего! И еще эта Бразилия! Может, не лететь?..

— На кого-то ты похож, сынок, — сказала старушка и улыбнулась, взявшись за сумку. — А может, мне от старости кажется! Я когда в Москву приехала в пятидесятом по лимиту, мне все чужими казались. А теперь как будто свои!..

— Свои, свои, — уверил Сандро. — Слушай, Ник, вроде на первом перекрестке направо, потом вниз и налево. Или сначала налево, а потом направо, как-то так.

Блуждали они долго.

Липы, словно тронутые акварельной краской, стояли, не шелохнувшись, из черной земли лезла молодая трава — иглами, окна в домах были вымыты к Пасхе, и у других львов у подъезда другого дома, державших в пастях чугунные цепи, были веселые морды. Ник всегда любил весну в Москве, а сейчас особенно, когда насадили деревьев, разогнали машины, разбили клумбы и наставили каменных ваз с немудрящими цветочками.

— Я спать хочу, — ныл Сандро. — Я есть хочу!..

— Вон кафе, — отвечал Ник.

— Ты че, сдурел, бро?! Это тошниловка какая-то! И автографами зае... задерут!

Возле дома номер двенадцать в Подколокольном переулке ничего не изменилось — людей мало, машин тоже почти нет. Ник оглянулся по сторонам, не гуляет ли вредный мопс Моня с девчонкой, но их не было видно.

Сандро нажал кнопку домофона, как-то очень убедительно наврал консьержке, что он в гости в такую-то квартиру, их пропустили.

Ник никогда не умел так разговаривать с людьми.

Они поднялись на третий этаж.

— Вот тут я его встретил, — сказал Ник, и голос его гулко отразился от толстых стен. — Я позвонил, а он как раз вышел из лифта и стал открывать свою дверь.

— Как его?..

— Виктор Павлович, что ли.

Сандро решительно позвонил в квартиру номер семь. Раздались приглушенные трели. Ник быстро вздохнул.

...Меня посадят, эксперимент остановят, и я так и не узнаю, какая там проблема в Новосибирске. У них проблема, и без меня они ее не решат!..

Дверь открылась. Ник сделал шаг и стал у Сандро за плечом, словно подпирая его.

— Вы к кому? — удивилась открывшая девица.

Сандро улыбнулся — у него была дивная улыбка, и он этим всегда пользовался!.. — она сразу же улыбнулась в ответ.

— Нам нужен Виктор Павлович... — он запнулся, но вспомнил, — Селезнев! По делу. Он дома?

Девица сделала большие глаза.

— Не знаю, может, и дома, — сказала она весело, — но не у нас. У нас дома никакого Виктора Павловича Селезнева нету!

Сандро оглянулся на Ника. Тот посмотрел на девицу.

— Здесь живет Виктор Павлович Селезнев, — сказал Ник как можно более убедительно. — А в той квартире жил Милютин, так ведь?

— Правильно, — согласилась девица. — Милютин жил, но его убили. Ужасная история. В нашей квартире живем мы, а никакой не Селезнев!..

Что-то, по всей видимости, отразилось у них обоих на лицах такое, что она сказала быстро:

— Хотите, паспорт покажу?..

— Нико, ты ничего не перепутал? — спросил Сандро. — Это именно тот дом и тот подъезд?

— Можно мы зайдем на секунду? — Ник словно разом лишился сил. — Мы... не злодеи, правда.

Девица колебалась, но недолго.

— Заходите! — и она отступила в квартиру, пропуская их. — Если вы все-таки злодеи, моя преждевременная смерть будет на вашей совести. Обувь можно не снимать. Прямо и направо.

Один за другим они прошли — прямо и направо. Девица где-то задержалась, но через секунду появилась, в руках у нее был паспорт.

— Вот, пожалуйста. Прописку хотите посмотреть?

Паспорт недвусмысленно свидетельствовал, что в доме номер двенадцать по Подколокольному переулку в квартире номер семь прописана Кутайсова Авдотья Андреевна.

— Это я, — сказала Авдотья Андреевна, тыча пальцем в паспорт. — Видите морду лица? Ну, то есть фотографию?

— А... Селезнев? — спросил Ник.

— Дался вам Селезнев какой-то, — нетерпеливо проговорила девица. — Вы правда, может, домом ошиблись?..

— Меня зовут Николай, — спохватился Ник. — А это мой брат Сандро. То есть Александр. Наша фамилия Галицкие.

Он полез во внутренний карман, скривился — куртка-то не его! — и никакого паспорта там не оказалось.

— А паспорт где?..

— В Караганде, — буркнул Сандро. — Глебов увез, должно быть. Девушка, драгоценная, вы всегда здесь живете?

— В каком смысле? — удивилась Авдотья Андреевна. — С тех пор как родилась.

— И двенадцатого апреля вы здесь были? — перебил Ник. — И тринадцатого?

Девица посмотрела в лицо сначала одному, а потом другому.

— Вы какие-то странные, — сказала она задумчиво. — Хотите чаю?

— Да! — воскликнул Сандро.

— Нет, — отказался Ник.

— Прекрасно, — оценила Авдотья Андреевна, — тогда пойдемте на кухню.

В центре кухни помещался овальный стол, покрытый скатертью, братья приткнулись по разные стороны напротив друг друга и одинаково выложили на скатерть руки. Девица Авдотья Андреевна набулькала в чайник воды из канистры, нажала кнопку и уселась в торце, оказавшись таким образом между Галицкими.

— Я жду объяснений, — сказала она. — Что за Селезнев, почему он должен жить в моей квартире и что за вопросы про двенадцатое апреля?..

Ник и Сандро посмотрели друг на друга.

— У вас в подъезде есть камеры? — спросил наконец Ник.

— Можно мне бутерброд с сыром? — попросил Сандро. — А то моя преждевременная кончина от голода будет на вашей совести!..

Ух ты, оценил Ник. И никаких тебе «е» и «че», и никакого «пипца», а сплошная «преждевременная кончина»! Оксфорд, аспирантура, Шекспир, всякое такое...

— Есть бульон, — не моргнув глазом, сказала Авдотья Андреевна. — Из петуха, он гораздо вкуснее куриного. Хотите?

— Хочу! — завыл Сандро. — Вы святая и посланы нам небом!..

— Ничего себе, — удивилась девица.

— Видите ли, — начал Ник, — я встретил на вашей лестничной площадке мужчину, и он сказал, что живет в этой квартире. Такой... невысокий, в светлом плаще.

— А потом этот же человек сказал, — подхватил Сандро, — что видел меня здесь же в ночь с двенадцатого на тринадцатое апреля.

— В моей квартире?! — поразилась Авдотья Андреевна, помещая на чугунную конфорку газовой плиты медный ковшик. — Если вы здесь были хоть в какую-то ночь, я бы запомнила!..

— Кто кроме вас здесь живет?

— Никто, — сказала девица. — Вам с лапшой или так?

— А как быстрее?

Она усмехнулась, ловко опустила в кипящий бульон горсть лапши и сказала, что и так и сяк быстро.

— Мы не продвигаемся, — заметила она, нюхая пар. — Я ничего не понимаю.

— Мы сами, честно сказать, ничего не понимаем.

— Плохо, — заключила Авдотья Андреевна.

Разлила огненный бульон в две одинаковые тарелки, выложила салфетки и ложки, подумала, поставила в центр солонку и перечницу. Братья принялись синхронно хлебать.

Она уселась на свое место и честно ждала, пока они поедят. Сандро доел суп в пять минут, и она добавила ему еще.

— Понимаете, — проговорил Сандро, нагибаясь над тарелкой, — я в тюрьме сидел, проголодался сильно.

Если она и дрогнула, то виду не подала.

— В тюрьме, должно быть, рацион так себе.

Она забрала тарелки, подала чашки и невесть откуда взявшееся блюдо с сыром и виноградом — когда она успела все это соорудить, непонятно!..

— А вашего соседа Милютина? Вы знали?

Авдотья Андреевна пожала плечами.

— Его хорошо знали мои бабушка и дедушка. А я... просто соседствовала. У него собака такая была забавная, дворняга, но очень умная! С собакой мы дружили. Я иногда с ней даже гуляла, когда Александр Аггеевич просил.

— А его родственников знали?

— Не было никаких родственников, — заявила девица. — Бабушка всегда Александра Аггеевича жалела, говорила, что человек совсем один на белом свете, нехорошо это. Почему вы спрашиваете? Вы из полиции, что ли?

— Там мы тоже были, — махнул рукой Сандро. — Я прямиком из КПЗ.

— Мы не из полиции, — сказал Ник.

— Тогда что вам нужно?

Ник глотнул чаю. После всех сегодняшних переживаний и целой тарелки бульона из петуха — который гораздо вкуснее куриного! — ему захотелось спать. Вот бы лечь, накрыться чем-нибудь теплым, старым платком, например, и перестать думать.

Самое главное — перестать думать!..

— Ваш сосед, — заговорил он, — Милютин Александр Аггеевич почему-то завещал нам с братом, — и он показал, с каким именно братом, — все свое имущество. Двенадцатого апреля в ночь его убили, и следствие считает, что убили его мы. Из-за наследства!..

— А мы не убивали Милютина Александра Аггеевича, — подал голос Сандро. — Мы, видите ли, третьего дня даже не знали о его существовании! Не подозревали!

— Самым главным свидетелем оказался его сосед, Селезнев Виктор Павлович, — продолжал Ник. — Он заявил, что видел Сандро выходящим из квартиры Милютина как раз в ночь убийства.

— Какой сосед?

— Тот, что живет в этой самой квартире.

Девица помолчала.

— Мы зашли в тупик, — резюмировала она. — В этой квартире живу я. Без всякого Селезнева Виктора Павловича! Бабушка с дедушкой лет семь назад переехали в Сочи, а квартиру оставили мне. Дедушка всю жизнь мечтал жить в тепле возле моря!.. В Москву они не приезжают, мы с родителями к ним летаем, а они ни за что!..

Ник взялся за лоб. Собственная рука показалась ему очень холодной, а лоб горячим.

— Двенадцатого апреля, — продолжала Авдотья Андреевна, пожалуй, с сочувствием, — здесь никого не было. И тринадцатого тоже! Я ночевала у Марины, своей научницы. Ну, научного руководителя!

— Вы ученая девушка? — спросил Сандро и улыбнулся. — Мой брат Нико тоже ученый.

Авдотья Андреевна мельком посмотрела на Ника.

— Я занимаюсь индонезийским фольклором, — пояснила девица. — А вы?..

— Аэродинамикой.

— О!..

Все трое помолчали, словно собразуясь со своим новым положением.

— Странная история, — наконец сказала Авдотья Андреевна. — Просто чепуха какая-то редкостная. Хотите кофе?

Сандро немедленно захотел кофе.

Девица куда-то вышла, а Ник хмуро велел брату хотя бы не лезть в ванну.

— Ты уже поел, попил, осталось только ванну принять!

— А что? — Сандро ухмыльнулся. — Это было бы отлично.

Авдотья вернулась с крохотными кофейными чашками в руках.

— Но ведь в полиции, — начала она, — проверяют паспорта! Или я ошибаюсь? У этого вашего так называемого свидетеля в паспорте не может быть написано, что он живет здесь, потому что он здесь не живет.

— Вот именно, — сказал Сандро с удовольствием. Девица чем дальше, тем больше ему нравилась.

— Произошла какая-то путаница, — вступил Ник. — И мы пока не можем в ней разобраться.

Она разлила кофе и рядом с сырной тарелкой, наполовину съеденной, появилась дополнительная — со свежей малиной и орехами.

Сандро застонал:

— Я же знал, что вы ангел!.. Чистый ангел!..

Авдотья Андреевна хмыкнула.

— Что вы от меня хотите? — спросила она, пригубив кофе. — Чтобы я пошла в полицию и заявила, что здесь отродясь не было никакого Селезнева?

— Это было бы... прекрасно, — сказал Ник, не ожидавший от нее такого благородства.

Кофе и лапша одно дело, а идти куда-то и что-то там заявлять, подписывать, доказывать — совсем другое, неравнозначное.

— Я бы за вами заехал, — предложил Сандро, сверкая глазами. — Только машину мне отдадут! Она, видите ли, возле тюрьмы осталась.

— Можно подумать, у тебя одна машина, — пробормотал Ник.

— Точно! — возликовал брат. — Поедем на другой!

— Но он же откуда-то взялся, — продолжал Ник, — этот человек! Он приехал на лифте, вышел и подошел к вашей двери. И достал ключи!..

Авдотья Андреевна немного подумала.

— Когда это было?

— Позавчера.

— В котором часу?

— Вечером, — сказал Ник. — Точно не помню, но вечером! После работы я поехал к нотариусу выяснять подробности этого самого завещания. Нотариус дала мне адрес, и я пришел сюда. Мне даже звонить не пришлось, потому что какая-то девочка вела на прогулку собаку. Мопса, похожего на табуретку! Она открыла дверь, и я зашел.

— Моня, — кивнула Авдотья. — Со второго этажа. Вредное животное.

Сандро доел с тарелки сыр и теперь горстью зачерпывал орехи, ссыпал в пасть и энергично жевал.

— Позавчера я приехала поздно, — задумчиво продолжала Авдотья Андреевна. — После одиннадцати, должно быть. Нет, какая-то дикая история, честное слово!..

— И все же, — вмешался Сандро, прожевав, — можно я заеду за вами, допустим, завтра? И мы съездим в отделение, и вы им скажете, что Селезнев Виктор Павлович здесь не проживает! Можно?..

Авдотья Андреевна пожала плечами.

— Мы не злоумышленники! — умоляющими, страдающими и черт знает какими глазами глядя на нее, продолжал ныть Сандро. — Мы безвинно пострадавшие!

— Сандро, — перебил Ник. — Не кривляйся.

— А вы старший брат, да? — живо спросила Авдотья.

Ник кивнул.

— И опекаете младшего?

— Я совершенно самостоятельная личность! — воскликнул Сандро. — В опеке не нуждаюсь, нахожусь в здравом уме и твердой памяти.

— По-моему, никто в здравом уме и твердой памяти не читает рэп, — заявила Авдотья.

Братья Галицкие переглянулись.

— То есть вы меня узнали? — на всякий случай уточнил Сандро.

— Вас не узнать трудно, — сказала девица. — Вами переполнен интернет и телевизор. Только вчера показывали повтор финала конкурса «Вопли»! Вы его судили.

— Судили-рядили, — повторил Сандро. — Почему вы сразу не попросили у меня автограф?

— За каким лешим ей твой автограф, Сандро?!

— Почему вы так странно друг друга называете? — осведомилась девица. — Вы же Александр, да?

— А он Николай! Наш грузинский дедушка так нас называл, и теперь все тоже так называют — Нико и Сандро! А что? Вам не нравится?

Ник положил на салфетку тоненькую невесомую кофейную ложечку. Подумал и переложил ее в блюдце, рядом с чашкой. Немудрящие действия он проделывал медленно и сосредоточенно.

Все ясно и понятно. Брат позабыл обо всем на свете. Ему понравилась Авдотья Андреевна — еще как понравилась! — и на все остальное ему наплевать. Уголовное дело, кутузка, майор Мишаков, неизвестное наследство — фьюить! — и выдуло у него из головы словно свежим апрельским ветром. Глаза блестят, улыбается умильно, того и гляди на одно колено встанет!..

Как бы его приструнить?..

— Авдотья Андреевна, — Ник приступил к приструнке, — можно ваш телефон? Мы переговорим с адвокатом и позвоним вам. Если понадобится, вы согласитесь подъехать в отделение и подписать показания? Что не знаете никакого Селезнева и что он здесь не проживает?

— Фамилия нашего дедушки Дадиани, — Сандро не обратил на изменившийся тон брата никакого внимания. — Он, знаете ли, был грузинский князь!..

— Уймись, — пробормотал Ник. — Что такое!..

— Запишите мой номер, — продолжал Сандро. — Нет, лучше я вам сам позвоню, и он у вас определится!.. Нет, сейчас не позвоню, у меня телефон выключен и включить его я не могу. Журналисты одолевают!..

— Понятное дело, — кивнула Авдотья Андреевна. — Вы же еще какая знаменитость!

Сандро словно осекся и посмотрел на нее с некоторым подозрением.

— Эта девушка надо мной смеется, — сказал он брату. — Я прав?

— Прав, прав, — подтвердила Авдотья и встала. Они оба моментально поднялись тоже.

Сидеть в присутствии женщины можно в двух случаях, учил дедушка Дадиани. Если у тебя отнялись ноги и если она угощает тебя обедом. Во всех остальных случаях позволительно только стоять.

Авдотья по очереди посмотрела на братьев. Они были значительно выше нее, и ей приходилось смотреть вверх.

— Вот телефон. — Она записала карандашом на бумажке и отдала ее Нику. Тот сунул в карман. Сандро проводил бумажку глазами. — Если понадобится, звоните. Я сделаю все, что нужно. — И пояснила: — Из принципиальных соображений. Я-то точно знаю, что в моей квартире нет и не было никаких Селезневых... как дальше?

— Селезнев Виктор Павлович, — машинально повторил Ник. — Спасибо вам.

— За то, что не вызвали наряд и не выбежали с воплями, — серьезно продолжил Сандро. — Правда, спасибо. И вы очень красивая девушка.

Перед подъездом братья некоторое время постояли молча, один глядел налево, другой направо.

— Ты бы себя в руках держал, — сказал Ник в конце концов. — Смотреть на тебя, козла, тошно.

— Я на ней женюсь, у нас будет трое детей, и все мальчики, — ответил Сандро. — Вот клянусь тебе.

— Бог в помощь.

По бульвару они дошли до первого попавшегося магазина, торговавшего телефонами, купили сим-карту — покупал Ник, а Сандро делал вид, что читает афишу. Как только телефон заработал, Сандро первым делом позвонил Авдотье Андреевне.

— Это я, — сказал он так нежно, словно все трое детей были уже на подходе, — Сандро. Мы только что у вас были с братом!.. Это мой телефон, вы его запишите и не потеряйте!..

Ник пошел быстрее, чтобы не слышать этой чепухи.

... Нужно вернуться на работу, понять, что пошло не так в Новосибирске. Оформить визу в Бразилию. Хотя туда пускают без виз, можно расслабиться.

Нужно разобраться с опасным наследством, но как?.. Как?!

Ник оглянулся на брата, который не отрывался от телефона, размахивал свободной рукой, выписывал ногами кренделя по тротуару, словно танцевал, и улыбался так, что Ник тоже невольно заулыбался. Сандро не станет ничем заниматься. Завтра он улетит в Питер, потому что у него там «баттл», «лайв», «кранк» или еще какая-нибудь чепуха, Ник плохо разбирался в том, чем занят брат. Или наоборот — никуда не полетит, останется в Москве ухаживать за Авдотьей Андреевной Кутайсовой, и тогда есть некоторая надежда, что он свозит ее к майору Мишакову, а она подтвердит, что никаких Селезневых в квартире номер семь в двенадцатом доме по Подколокольному переулку не проживает!..

...И что это даст?

Ну, допустим, некоторую отсрочку и надежду на то, что майор отвяжется. Но Ник отчего-то твердо знал, что майор уже вцепился, впился, как клещ в лосиную шкуру, просто так от него не отвяжешься, он будет прогрызать шкуру до последнего, до конца, до мяса.

— Позвони маме, — сказал Ник в сторону Сандро, который перестал разговаривать и теперь любовно и призывно глядел на телефон, как на саму Авдотью Андреевну.

— Авдотья — это ведь Дуня, да?

— Нет, Шура.

Сандро удивился и перевел взгляд на брата:

— Почему... Шура?

— Маме позвони, — повторил Ник. — Тебя наверняка показывали в новостях, и она наверняка видела, а сейчас у тебя телефон не работает!.. И у нее наверняка... инфаркт.

— Да, да, — спохватился Сандро.

Телефонные номера родителей и друг друга они знали наизусть, Сандро быстро набрал цифры. Нико позвонил аспиранту Олегу и спросил, что слышно из Новосибирска. Тот немедленно стал рассказывать — со всеми подробностями. Подбежал брат и выхватил телефон у него из ладони.

— Ты что?! — рассвирепел Ник. — Обалдел?!

— Маме очень плохо, — едва выговорил Сандро. Губы у него были серые, и Ник вдруг удивился, что у человека могут быть такие серые губы. — Там какие-то посторонние люди, я не понял.

— Где люди?

— Взяли трубку.

— Где она? Ты понял, где она?!

— Дома, — сказал Сандро. — Ник, если она дома, а там посторонние люди, значит, ей совсем плохо, да? Да, Ник?..

Старший брат выскочил на проезжую часть и вскинул руку. Через секунду рядом притормозило желтое такси. Ник полез в машину. Младший подбежал и стал дергать дверь с другой стороны.

— Не открывается! — огрызнулся водитель. — Не открывается она! Туда иди!

Ник не успел подвинуться, Сандро плюхнулся почти к нему на колени.

— Пробки, — сквозь зубы сказал Ник, — мы будем ехать два часа!

— Давай сначала ко мне, я своего водилу вызову. С ним быстрее. Он ездит, как на истребителе летает.

Ник не слушал.

Мать в жизненной системе координат обоих братьев была величиной... незыблемой, вне времени и вне любых жизненных течений. Все имели право стареть, хиреть, отставать от молодых, ничего не понимать в современности и не уметь пользоваться интернетом!.. Все имели право — кроме матери. Мать всегда была и оставалась лучше всех — она не старела или старела как-то так, что братья этого не замечали; она знала по именам всех модных блогеров, и они ее смешили или сердили; она посещала выступления сына, и у нее ни разу не дрогнуло лицо от вязкого, дрянного, неизобретательного мата, которым разговаривали рэперы, их друзья и подруги; она любила и пестовала свой сад, как истинная английская леди, и готовила, как самая настоящая грузинка; она носила джинсы, белые футболки и черные пиджаки, а на церемонию награждения Сандро или на защиту Нико наряжалась так, что к ней весь вечер по очереди приставали все мужчины, от аспиранта Олега и рэпера Сиплого до старенького Михаила Наумовича и поэта Андрея Дмитриевича Дементьева, который знал толк в интересных дамах!..

С ней никогда и ничего не может случиться. Она Нефертити — вечная и прекрасная. Ей не может быть... плохо!.. Она может сердиться, раздражаться и негодовать, но *ей не может быть плохо!* Она всю жизнь жила так, что всем вокруг казалось, что ей хорошо, лучше всех!..

Очень быстро таксист довез их до небоскребов. Заходили они через какую-то пожарную калитку, журналистов возле нее не было, никто их не задержал, и они без помех оказались то ли на сорок восьмом, то ли на пятьдесят четвертом этаже.

— Маргарита Степановна! — заорал Сандро с порога. До этого братья не проронили ни слова. — Данияр приехал?! Позвоните Глебову, скажите, что мы в Луцино! Пусть срочно найдет каких-нибудь врачей! Маргарита, вы слышите меня, вашу мать!..

— Ой, ты уже вернулся, да? — спросило возникшее из воздуха бело-рыжее существо с чупа-чупсом во рту. — Сандрик, ты вернулся? А это кто с тобой? Опять брат?

В гостиной показалась домработница, вид у нее был встревоженный.

— Каких врачей, Александр Михайлович? Зачем найти?

— Любых! — в лицо ей проорал Сандро. — Самых лучших!!! Где Данияр?!

— Я здесь, Сандро.

— Поехали, быстро!.. Что ты тут торчишь, твою мать, ты давно должен быть в машине!

Неторопливый и по-восточному уважительный водитель не удивился, вид у него был такой, словно ничего не происходит.

— Какую машину брать?

— Да положить какую, лишь бы быстрей ехала!.. Глебову скажите, чтобы шмотки свои забрал, а нам прислал нашу одежду и документы, — продолжал Сандро, сдирая пальто. — Ник, пошли!

— Я с вами! — тут же встряло существо с чупа-чупсом. — Вы кататься, да?..

На него никто не обратил внимания.

— Внизу журналисты, Сандро, — предупредил, вываливаясь из соседней комнаты, рэпер Сиплый. — Их там до мамы. Осада, блин!..

И, задрав майку, почесал волосатый живот.

Сандро застонал.

— Можно в переход на восьмом этаже и через тот дом, — предложил водитель Данияр неторопливо. — Машину я подгоню.

Через несколько минут они уже летели на все мигающие «зеленые», по обочинам и «сплошным».

Ник понимал, что должен позвонить и спросить, что там происходит в Луцино.

И не мог.

Пока еще он не позвонил, есть... надежда. Если он позвонит, и ему скажут все как есть, надежды больше не будет.

Оказывается, больше всего на свете Ник боялся не бухгалтерии, новой версии Windows, Ирины из международного отдела и блокирования банковских счетов. Оказывается, больше всего на свете он боялся, что жизнь изменится — непоправимо и навсегда.

Он не хотел *таких* изменений!

Неожиданно оказалось, что жизнь его была прекрасна!..

— Ты подожди, — сказал кто-то рядом с ним, и Ник открыл глаза. — Может, ничего.

Галицкий повернул голову.

Рядом с ним на заднем сиденье покачивалось существо с чупа-чупсом во рту.

Ник сначала потерял дар речи, а потом обрел.

— Ты кто?!

— Я Лиса, — обиделось существо. — Я девочка. Ты что, забыл?!

Ник глубоко вдохнул. Потом еще раз глубоко вдохнул и с силой выдохнул.

— Сандро, — сказал он в сторону переднего пассажирского кресла. — Зачем ты потащил ее с собой?!..

Никакого ответа. Данияр летел, как на крыльях, Сандро сидел, вцепившись в торпедо.

— Никто меня не тащил, — обиделась Лиса. — Я сама поехала. Все пошли, и я пошла. Через переход на восьмом этаже. А что такое-то? Это запрещено конституцией?..

— Сандро!..

Брат мельком оглянулся, скользнул взглядом по Лисе и промолчал.

— Зачем ты потащил ее с собой, я тебя спрашиваю?!

— Я не тащил. Сейчас съезжай на МКАД, быстрей будет. Слышь, Данияр?

— Я тебя уважаю, Сандро, — очень вежливо отозвался водитель, — но как ехать, мне лучше знать!

— Сказал, на МКАД съезжай!..

— Все равно Данияр не послушается, — заметила Лиса, вынула изо рта чупа-чупс, от которого осталась палочка с крохотным шариком неопределенного цвета на конце, осмотрела его и опять сунула в рот, — он все равно по-своему поедет! Он всегда так делает.

— Сандро, ее нужно высадить у метро! Где здесь метро?

— А что, тебе места в машине жалко, что ли?! — взвилась Лиса. — Я сижу тихо, никому не мешаю, нет, он меня высадить хочет! А я не выйду!..

— Метро мы давно проехали, — сообщил водитель, поймав в зеркале заднего вида взгляд Нико. — Если прикажете, я потом девочку в город мигом отвезу.

— Я не поеду, сказано, — отрезала Лиса и стала тыкать во все подряд кнопки на широкой кожаной панели, разделявшей их с Ником места. В этой машине все было устроено не так, как в других, обыкновенных, машинах. В салоне грянул рэп, потом зажегся свет, потом спинки кресел стали медленно и величественно отклоняться, превращая сиденья в полноценные диваны, затем включилось массажное устройство, а подголовник стал нагибаться вперед, угрожая снести Нику голову.

— Что происходит?! — заорал Ник, двигая шеей. — Не трогай тут ничего, ничего не трогай!..

— Мне окошко надо открыть, — проскулила Лиса. — Что, тоже нельзя?!

Водитель Данияр что-то сделал там у себя на передней панели, и постепенно задний ряд пришел в прежний вид — вместе с шеей Ника. Окна не открылись, зато на Лису дунуло прохладным воздухом из всех решеток. Она зажмурилась.

— Ник, — обернулся Сандро. — Ты... не звонил? Старший брат покачал головой.

На крыльях, которые видел и которыми умел управлять лишь Данияр, они влетели в тихий поселок, где ранним вечером не было ни машин, ни людей. Ничейный пес Полкан, знакомый обоим братьям с младенческих Полкановых лет, шарахнулся из-под колес, проломился через ветхий штакетник, чуть не застрял и словно провалился внутрь лесистого участка.

— Ешкере! — непонятно завопил на своем рэперском языке Сандро про Полкана, а Ник завопил на понятном:

— Аккуратней!!!

— Чтобы я какое животное, — проговорил Данияр, — собачье или, может, человечье, жизни лишил?.. Аллах мне судья, не было такого и не будет!..

Возле участка все было как обычно — ни «Скорой», ни других подозрительных и страшных машин и людей. Данияр еще только катился по «взлетно-посадочной» полосе, а братья уже выскочили и побежали.

Сандро бежал впереди, Ник за ним, возле беседки Ник брата придержал и обогнал. Он должен первым войти, все увидеть и оценить.

Брат еще слишком мал и глуп.

Волкодав Сеня, про которого в семье было известно, что он непременно проспит царствие небесное, валялся на боку под самой дверью и, завидев Ника, забил хвостом, вскочил и гавкнул.

Ник распахнул дверь.

— Мама?! Мама!!!

Где-то работал телевизор и, кажется, кто-то что-то говорил.

— Мама!..

Ник ворвался на кухню, которую мать в шутку называла своим «кабинетом и будуаром». Она проводила большую часть времени на кухне или в саду.

Мать, очень удивленная, замерла с кофейной чашкой в руке.

— Никуша?..

Тетя Вера, сидевшая напротив, подняла брови.

— Мама, что случилось? Тебе плохо? Ты заболела?! Мать поставила чашку.

— Мне хорошо, и я здорова, — выговорила она твердо. — Что такое, Нико?

— Но ведь тебе *могло быть плохо*, Ната, — с нажимом сказала тетя Вера и особенным образом сложила губы. — И твои дети должны об этом знать! Они должны беречь мать!..

Ник все понял моментально, как-то с начала и до конца.

Он подошел к столу, выдвинул белый стул с резной спинкой, сел и одним глотком выпил то, что было в чашке у матери — он не сообразил, что именно там было.

В кухню ворвался Сандро.

— Мама!.. Ты заболела? Мама, это все глупости, что они показывают! Я разберусь, правда, ты не думай даже! Сейчас Глебов пришлет врачей, я ему позвонил, то есть Маргарита позвонила, неважно! Мама, ты мне скажи, что у тебя болит?

— Саша, — сказала мать. Так она называла младшего сына только в экстренных случаях. — Перестань кричать. Сядь и успокойся! — и перевела взгляд на старшего, который, как обычно, отвечал за все. — Что с вами приключилось? Откуда вы такие... взволнованные?..

— Мама, ты была в больнице?!

— Была, — согласилась мать. — В последний раз я была в больнице, когда должен был родиться Сандро. С тех пор нет.

— Но *могла бы быть*, — встряла тетя Вера и многозначительно посмотрела на братьев, на каждого по очереди. — Если вы будете так себя вести, мать непременно сойдет в могилу раньше срока!..

Тут, кажется, и Сандро все понял, потому что подошел к столу, выдвинул соседний стул, упал на него, сложил на столе руки и поник головой.

— Мы думали... тебе совсем плохо, — пробормотал он и ладонью обтер бритую голову, блестевшую от пота. — Что ты... в больнице. Или даже хуже!.. Я позвонил, и мне кто-то сказал, что ты... при смерти...

— Я сказала, — с удовольствием согласилась тетя Вера, и мать изумленно посмотрела на нее. — Мы же вместе видели это безобразие по новостям! Я сама была при смерти, и Ната тоже! Вас обоих вели в наручниках и под конвоем!..

На крыльце лениво и размеренно гавкал Сеня. В телевизоре элегантный и проницательный сыщик Пуаро любезничал с блондинкой. Сандро тяжело дышал.

— Нужно было мне позвонить, — заметила мать с сочувствием.

— Я тебе и позвонил! — жалобно простонал Сандро.

— Да, да, — опять вступила тетя. — Я взяла трубку. Наточка, ты как раз выходила.

— То есть все в порядке? — на всякий случай уточнил Ник. — И никаких новостей ты не видела?

— Я смотрела «Пуаро», — сказала мать. — В это время дня всегда показывают что-нибудь стоящее! Вера переключила на новости, и мы вместе их посмотрели. Давайте обедать! У меня как раз приготовилась цесарка с капустой! Мальчики, идите умойтесь с дороги! Сандро, у тебя на лице грязь, странно, что тебя на самом деле не арестовали, эдакую образину!.. Никуша, посмотри, почему собака лает. Она уже давно лает!..

— Это она на меня лает, — послышался писк. — Она собирается меня съесть!

— Вы привезли гостей?! — поразилась Наталья Александровна и заспешила. — Верочка, накрывай на стол, ты знаешь, где тарелки. А я встречу...

— Ната, я должна была их вызвать. Безобразие какое, до чего дошло! На всю страну позор, на весь мир!

— Мы потом с тобой об этом поговорим, — сказала мать безмятежно.

Братья, хорошо знавшие эту безмятежную интонацию, поняли, что тете Вере в ближайшее время придется туго. Пощады не жди.

Они оба поднялись и с двух сторон обняли мать, которая замахала руками, засмеялась, а потом шутливо взяла каждого за ухо.

— До чего колючие морды, ужас, — проговорила она с наслаждением и поцеловала по очереди одного и второго. — Все, успокойтесь. Я не при смерти, новости видела, особого впечатления они на меня не произвели. Лучше давайте обедать!

Сандро вдруг всхлипнул. Ник с изумлением взглянул на него из-под материнской руки.

— Все, все, — повторила Наталья Александровна и еще раз поцеловала младшего. — Вы мне все расскажете! Кто там с вами? Данияр? Он нашу собаку не боится!

— Это я, — снова запищали с крыльца. — Лиса. Они меня бросили, а сами убежали.

— Ступайте умываться, — велела мать.

— Ната, так нельзя, — заговорила тетя. — Ты должна с ними серьезно поговорить, особенно с Сашей! Он невесть как себя ведет! Ты слышала, что он поет в этих своих песнях?! Нет, ты слышала?! Славик мне нашел в интернете! Это позор, стыдоба!

— Если ты еще раз скажешь моим детям, что я при смерти, я тебе все волосы повыдеру, глаза повыцарапаю и откажу от дома. — Твердо перечислив все кары, Наталья Александровна улыбнулась сестре и поспешила на крыльцо.

Волкодав Сеня размеренно махал хвостом и так же размеренно гавкал на белое непонятное существо, прижавшееся к перилам балкона.

Волкодав оглянулся на хозяйку, ухмыльнулся во всю пасть, словно говорил: нет, ты посмотри на это чучело!..

— Я Лиса, — повторило существо в третий раз и посмотрело жалобно. — Я с мальчиками приехала. У них мама скончалась!

— Мама не скончалась, — возразила хозяйка энергично. — Сеня, иди на место! Мама — это я. Меня зовут Наталья Александровна. Проходите в дом.

— А-а-а, — протянула Лиса уважительно. — То есть вам удалось выжить?

— Удалось. Проходите, пожалуйста!

— Меня можно называть на «ты», — сообщила Лиса. — Я еще молодая.

— Молодость — это прекрасно! — воскликнула Наталья Александровна бодро. — Пока слишком прохладно, чтобы сидеть в беседке! Вы подруга Сандро?

Лиса помотала головой.

— Не-а, я его «хоуми», как Сиплый. Вы знаете Сиплого?

— Скорее всего знаю.

— Как — скорее всего?

— Я плохо различаю друзей и подруг Сандро в лицо, — призналась хозяйка. — Вы проходите, проходите! Сейчас будет обед.

— Только я мяса не ем, молока не пью, яйца тоже, потому что они зародыши, а овощи ем только те, которые уже упали, потому что живые резать нельзя, ведь они живые, а все живое...

Тут Лиса сообразила, что рассказывает подробности своего бытия волкодаву Сене, который опять скроил ухмылку и подбирается, чтоб прижать ее к перилам и начать гавкать! Хозяйки и след простыл.

Лиса юркнула в дверь и плотно прикрыла ее за собой, чтобы Сеня не ворвался следом.

— Мам, как я рад тебя видеть, — басил на кухне Сандро. — Слушай, ну как я рад, знала бы ты!..

— Я тоже рада тебя видеть, сынок. Достань из духовки утятницу, только аккуратней, горячо.

— Нет, мам, ты не понимаешь! Мам, ну, не мечись ты, дай я тебя обниму!..

— Саша, нужно думать о матери и вести себя прилично, ты не понимаешь, что мы испытали, когда увидели в новостях тебя в наручниках! — вмешалась тетя.

— Лично я, — отозвалась Наталья Александровна, — ничего особенного не испытала, хотя, конечно, хотелось бы, чтобы вы оба объяснили, что все это значит.

— Мы объясним, объясним, — торопливо вступил Ник. Он, как старший, чувствовал себя виноватым больше, чем Сандро. — Мы толком сами не знаем.

Зашла Лиса и объявила, что хочет чупа-чупс, но весь запас остался в машине, а в машину она не пойдет, потому что на крыльце собака злая.

— Сандрик, сходи, а? Или пошли брата!

— Никаких чупа-чупсов, — объявила Наталья Александровна. — Мы садимся обедать. Сандро, пригласи Данияра. Он сам ни за что не зайдет!

— Еще бы, — пробормотал Сандро.

— Верочка, Слава когда должен подъехать?

Славой звали тети-Вериного сына, братьям Галицким он приходился каким-то сложным братом. Тетя Вера была двоюродной сестрой матери, и все то и дело сбивались, высчитывая, какой именно брат Слава — то ли троюродный, то ли четвероюродный.

— Мы, между прочим, собирались его дождаться, — заметила тетя и поджала губы.

— Мы же не знали, что к нам пожалует такая большая компания! — отмахнулась Наталья Александровна.

— Я водки выпью, — объявил Сандро. — Я переволновался!

— Я тоже, — радостно сказала Лиса. — Я тоже переволновалась.

— Ник, достань из холодильника компот, — распорядилась мать. — И перелей его в кувшин.

— Ната, разве можно пить спиртное так рано? До вечера еще далеко! — ужаснулась тетя Вера.

— Ну, я не собираюсь пить никакого спиртного!

— Да, но твои дети!..

— Мои дети абсолютно взрослые дяденьки, — сообщила Наталья Александровна. — Они без нас разберутся, Верочка.

Когда уселись за стол — Данияр долго отказывался, его пришлось уговаривать, должно быть, так полагалось по-восточному, — и принялись за щавелевые щи, и Наталья Александровна велела начинать рассказывать, у калитки позвонили.

— Вот и Слава, — просияла тетя. — Я знала, что он не опоздает! Он никогда не опаздывает!.. С детства приучен приходить вовремя!

— Мы им гордимся, — заметила Наталья Александровна.

Славу долго знакомили с Данияром и Лисой — Данияр его отчего-то напугал, а Лиса привела в замешательство. Потом он тщательно мыл руки, потом усаживался и благодушно оглядывал стол и собравшихся, поцеловал ручку у тети Веры, порывался у Натальи Александровны тоже поцеловать, но та не дала, отняла. За это время братья Галицкие доели щи и приступили ко второй порции.

Лиса мыкалась над миской тертой моркови. Ей отдельно подали две миски — с тертой морковью и отварной картошкой. Наталья Александровна очень серьезно уверила гостью, что эти овощи есть можно, их никто не срезал, ибо растут они в земле.

— Откуда вы знаете? — заинтересовалась Лиса. — Вы почвовед?

— Тобой весь интернет полон, — сообщил Слава, принимаясь за щи и значительно поглядывая на Сандро. — С тобой прямо профессионалы работают! Надо же такое придумать!.. И главное, все реально — отделение, журналисты, какой-то капитан орет: «Никаких комментариев!» Все, как положено. И не скажешь, что это постановочные съемки!

Тетя Вера уронила ложку на скатерть.

— То есть это все... игра? — дрожащим голосом спросила она. — Боже мой, Славочка, почему ты мне сразу не сказал?! Мы с Натой разум потеряли от ужаса!

— Да какая игра, при чем тут игра-то? — буркнул Сандро. — Все правда. Замели нас с Ником, чуть дело не пришили, хорошо Глебов вмешался, отмазал.

— То есть это все... правда?! — воскликнула тетя Вера с ужасом. — Вы убили человека?!

— Мамочка, не волнуйся, — попросил Слава кротко. — Сандро шутит.

— Да чего я шучу, ничего я не шучу!..

— Мы никого не убивали, — вступил Ник. — Но в полиции почему-то решили, что это мы!

— Расскажи, — велела Наталья Александровна.

Пока Ник рассказывал, Сандро ел, морщился, вздыхал, ерзал, подливал себе компоту, живо выпивал и подливал еще.

Когда дошло дело до Милютина Александра Аггеевича, тетя Вера ахнула и зажала рот обеими руками. Впрочем, сначала она вытерла губы салфеткой.

— Как, как ты сказал?!

— Милютин, — повторил Ник. — Александр Аггеевич. А что? Вы его знаете?!

— Боже мой, — простонала тетя Вера. — Боже мой! Судьба меня нашла...

— Какая судьба? — вдруг рассердилась Наталья Александровна.

Слава подскочил и стал обмахивать тетю Веру растопыренной пятерней.

— Мама, что с тобой! Тебе плохо? Нашатырь, срочно! Скорей!

— Боже мой, — стонала тетя.

— У меня нет никакого нашатыря, — Наталья Александровна поднялась. — Валокордин есть! Вера, скажи толком, что случилось?! Ты знакома с этим человеком? С убитым?!

— Не говори так, не смей так говорить о нем!..

— Да ешкин-матрешкин, — пробормотал Сандро в изумлении.

— Ты что, не помнишь?! Наша молодость! Я собиралась замуж! И меня тогда... не пустили! Был страшный семейный скандал! Ты что, забыла, Ната?

По лицу Натальи Александровны было понятно, что она ничего такого не помнит. Ни женихов, ни скандалов!..

— Саша, — продолжала тетя. — Саша Милютин! Он ухаживал за мной!.. Он был сыном дипломата или посла! — Она махнула рукой. — И должен был уезжать за границу! Он хотел на мне жениться, но мне не разрешили!..

— Да, — пробормотала Наталья Александровна неуверенно. — Кажется, что-то такое было... Его звали Александр Милютин?..

— Боже мой, ну, конечно!..

— Мама, выпей валокордину! Немедленно! И пересядь в кресло. — Слава сунул тете Вере стаканчик.

— Мы писали друг другу письма! Я храню их до сих пор!

— Я пойду, Сандро, — негромко сказал Данияр, поднимаясь, — подожду в машине.

Рэпер махнул рукой.

— Тетя Вера, — попросил Ник. — Расскажите! Он ухаживал за вами, а потом?

— А потом все!

— Как... все?

— Мы больше никогда, никогда не виделись!

— Не видеться — это ужасно, — задумчиво сказала Лиса. — Я когда своих долго не вижу, прямо болею.

— И почему этот человек, ваш бывший жених, завещал нам свое имущество?..

— Я не знаю! — вскричала тетя и повалилась в кресло. Слава стоял над ней со склянкой и все уговаривал выпить.

— Кино какое-то, — заметил Сандро. — И немцы!..

— Расскажите, — настаивал Ник. — Кем был... ваш жених? Когда это было? Где он жил?

— А может, это другой, — предположила Лиса. — Может, однофамилец или тезка? Или тезка и однофамилец — это одно и то же?

— Мама, — умолял Слава, — выпей лекарство! Тебе нельзя волноваться, а ты весь день на нервах!..

Тетя Вера у него из рук приняла склянку с прозрачной жидкостью, проглотила, поморщилась. Слава подал ей запить.

— Мы познакомились в Доме моды на проспекте Мира, — слегка отдышавшись, заговорила тетя. — Этот дом только открылся, Слава Зайцев устраивал там шикарные показы! И я пошла на показ. Я была необыкновенной красавицей, — голос тети окреп и потеплел. — И мечтала, что меня возьмут в манекенщицы! Это так красиво — ходить по сцене в лучах прожекторов в необыкновенных нарядах!.. Каждый раз в новых! Славик, помнишь наш альбом? Ты переснимал оттуда фотографии! Покажи!..

Слава немедленно добыл из недр многокарманных штанов телефон, пролистал картинки и сунул Нику под нос. Ник сел так, чтобы матери было видно. Сандро подошел и тоже стал смотреть, и Лиса пододвинулась поближе.

Ник листал в телефоне старые черно-белые снимки. В плечо ему сопела Лиса. На снимках была запечатлена девушка, отдаленно похожая на тетю Веру. Она сидела в парке, раскинув по загорелым ногам и скамье вокруг себя юбку-солнце. Она плыла в лодке по тенистому пруду, в прическе, в смоляных волосах у нее была белая лилия. Она стояла на летней эстраде, вытянувшись, заложив за спину руки, словно что-то декламируя. Она в пушистой шапке и белых варежках ловила на бульваре снежинки. Она сосредоточенно слушала лектора, сидя в первом ряду аудитории, но по лукавому носику видно было: она знает, что ее фотографируют, и ей это нравится!..

— Вот, — сказала тетя Вера. — Такой я была.

Все помолчали, а потом высказалась Лиса:

— А у моей бабушки тоже есть фотографии разные. Из Евпатории!.. У нее там очень смешные трусы. Тогда такие купальники шили!..

Тут все как-то разом задвигались, Сандро налил себе компоту, Ник дернул Лису за край непонятной одежды, чтобы вела себя прилично, а Наталья Александровна заметила, что Верочка в молодости была очень хороша.

Лиса посмотрела на руку Ника, потом перевела взгляд на тетю:

— Вы поступили в модели, да?

— Я не понимаю, кто это, — вдруг раздраженно заговорила Вера. — Вот этот человек — кто? — И показала на Лису. — И как он здесь оказался, в нашей семье? Зачем он здесь?

— Я не он, а она, — обиделась Лиса. — И я «хоуми» Сандрика. Я приехала с мальчишками, потому что вы им наврали, что у них с мамой плохо. Не могла же я отпустить их одних!..

— Ната, если она будет так высказываться, я немедленно уеду! Слава, мы уезжаем!..

— Тетя, подождите, — взревели братья Галицкие, а Ник опять дернул Лису за хвост, и она опять возмущенно посмотрела на его руку. — Она будет молчать, она больше ни слова не скажет, а вы нам дальше расскажете! Что было дальше? Кто такой Милютин?

Тете Вере не хотелось уезжать.

Вообще гостить у сестры ей очень нравилось, так бы и гостила!.. Ната как-то все успевала и умела хорошо устраиваться. В свое время она удачно вышла замуж, потом благополучно родила сыновей, вырастила их как-то незаметно, без особых проблем. Нет, проблемы, разумеется, были, и это несколько утешало любящую сестру!.. Из Ника вообще ничего не вышло — научный сотрудник в нищем институте; из Сандро вышло такое — что уж лучше бы ничего не выходило, ужас, кошмар, позорище!.. Иногда втайне от собственного сына, который никогда ничего подобного себе не позволил бы, Вера слушала, как Сандро читает рэп, и замирала от ужаса — такая это была похабщина и непотребщина!.. Правда, за это хорошо платили, так хорошо, что Сандро жил, как миллионер — в небоскребе, с прислугой, машины чем дальше, тем становились все дороже, а ее собственный сын Слава все никак не мог определиться с работой! Окончил университет с красным дипломом, между прочим, сам профессор Буриков прочил ему большое будущее, и... ничего. Бедный мальчик немного поработал там, потом сям, потом переводил кому-то диссертацию на английский язык, потом еще на курсах повышения квалификации прочел несколько лекций то ли по этике, то ли по эстетике, Вера не очень запомнила, а потом вообще все закончилось. Вера собиралась попросить Нату, чтобы она устроила племянника к сыну или к друзьям сына, но... еще не собралась. По выходным приезжала, располагалась на кухне, где у Наты было любимое место и все так чудесно устроено, пила кофеек, дожидаясь обеда, и пилила Нату за беспечность в отношении детей. Надо признать, Ната слушала ее вполуха, Вера это понимала, но все равно пилила. Когда несколько лет назад умер муж и отец семейства Галицких, Вера решительно взяла на себя роль помощницы и утешительницы. Она прибывала на дачу к сестре, садилась в кресло, принималась вспоминать, как хороша была жизнь, покуда муж и отец был жив, а потом начинала рыдать. Ната тогда сильно изменилась. Постарела, потемнела. Она не рыдала, почти все время молчала и не ела. И отказывалась ездить на кладбище! Вера то и дело уговаривала ее поехать «проведать покойного», а Ната никогда не соглашалась. Потом Сандро отправил мать в Италию — надолго, на несколько месяцев, и Вере пришлось скучать в одиночестве. Сандро снял дом, прилетал каждую неделю, сначала один или с Ником, потом стал возить с собой друзей, а мать принялась на всех готовить, и торговец рыбой Маурицио научил ее варить самый лучший на свете буйабес, а она научила его делать самую настоящую уху. Веру в Италию тоже приглашали, но она отказалась — Слава сказал, что приживалкой у богатых родственников его мать никогда не будет. Вера умилилась, прослезилась и не полетела. Потом ругала Славку, конечно, но и гордилась им — гордый, бережет материнскую честь. Сегодня случилось такое-растакое, что Вера отпросилась с работы и кинулась к сестре, позабыв про перерыв в электричках! Минут сорок промаялась на платформе, предвкушая страдания Наты и придумывая слова утешения. Все придуманные утешения начинались так: «А я тебя предупреждала!» Когда Вера ворвалась на дачу, выяснилось, что бедная Ната ничего не знает! Она ничего не знает! Она собиралась смотреть про Пуаро и пить кофе!.. Вера моментально отменила Пуаро, они дождались криминальных новостей на НТВ, и там все показали — как Сандро вели в наручниках, как он закрывался от людей, как за ним по пятам двигался конвой, а потом через толпу продирался растерянный Ник!.. Вера боялась взглянуть на Нату, боялась, что та обнаружит, как она торжествует — этим должно было закончиться, и этим закончилось, она ведь много раз предупреждала!.. Ната досмотрела про Сандро, переключила на Пуаро и сказала, что это какая-то чепуха и такого быть не может. Ее сын ни в чем не замешан, это ошибка, и она скоро разъяснится. Как Вера ни билась, ничего не вышло!.. Ната продолжала стоять на своем — ничего страшного, вскоре все объяснится. Когда приехали братья и начались объяснения, Вера оказалась в центре внимания, кавалер по фамилии Милютин у нее на самом деле был!.. Ей хотелось рассказывать о том, какая она была красавица, показывать фотографии, хотелось, чтобы Слава подносил ей успокоительные капли, лучше бы, конечно, Ната подносила или кто-нибудь из этих двоих, но пусть и Слава!.. Непонятная девушка совсем сбила ее с толку своими замечаниями!

— Тетя, — продолжал между тем ныть Сандро, — тетечка, расскажите! Кто такой Милютин?

Вера вздохнула, как бы покоряясь, и продолжила.

— Я пошла на показ, и там был... — она прикрыла глаза, — он. Это я потом узнала, что он молодой дипломат, служит в МИДе, собирается за границу! А тогда... тогда я просто увидела в первом ряду, напротив, молодого человека с горящими глазами и черными, как вороново крыло, волосами.

Теперь Лиса дернула Ника за руку, а тот повел плечом — отстань!..

— Как он смотрел на меня! — продолжала тетя Вера. — Как смотрел!..

— Ну, ну? — поторопил Сандро. — Его звали Александр...

— Аггеевич, — быстро подсказал Ник.

— Александр Аггеевич Милютин?

Тетя Вера кивнула.

— По-моему, так. Или Александр Александрович! Я тогда совершенно, совершенно забыла, зачем пришла на показ! Я забыла обо всем на свете!.. Хотя Зайцев подошел ко мне, сам Зайцев! Когда все закончилось! Девчонки потом говорили, что это первый и единственный случай, когда он сам подошел и пригласил меня в свой модельный дом! Слава Зайцев сказал: «Девушка, вы не хотите стать демонстратором?» Тогда это так называлось — демонстратор одежды. Так вот: «Девушка, если вы согласитесь, я принимаю вас в штат с сегодняшнего дня, идите в отдел кадров и оформляйтесь! Мы поедем с показами в Берлин, в Белград, в Брно, вы покорите своей красотой все эти города!»

— И вы сразу все поняли, что он говорит, Зайцев? — с интересом спросила Лиса. — Нет, серьезно! Я вот никогда не могу Зайцева понять! Он бабушке шил. И приезжал. И меня сажали на диван, чтобы я не мешала, потому что с дивана я слезть не могла. Он все время что-то говорил, а я никогда не могла разобрать. Я думала, он иностранец.

Тут все уставились на Лису, словно неожиданно обнаружили, что среди них инопланетянин, и этот инопланетянин почему-то произносит речи на человеческом языке!..

— А пото-ом, — продолжала Лиса, — мы уже к нему в ателье ездили. Ну, это бабушка так называла — ателье. В дом моделей на самом деле!.. И опять он все говорил, говорил, и я ничего не понимала, а бабушка надо мной смеялась.

— Твоей бабушке шил Зайцев? — вдруг удивился Сандро.

— Ну, не только Зайцев, — протянула Лиса. — Еще Ральф, ну, который Лорен и Франко Москино тоже, но их я понимала сразу!..

— Какая чушь, — сказал Слава, не модельер, а сын тети Веры. — Какая убогая чушь! Мама, не обращай внимания! Люди этого поколения не умеют выражать свои мысли и часто лгут. Даже статистика такая есть!

— Чего это я лгу?! — возмутилась Лиса.

— Надо же, — вмешалась Наталья Александровна, глаза у нее были веселые, — странно, но я ничего этого не помню, Верочка! Никаких твоих... приключений, да еще в Доме моделей!..

— У меня не было никаких приключений, Ната! У меня была одна большая любовь, и она окончилась трагически! Трагически! — Вера повела рукой, отметая возражения. — Слава, сынок, прости меня, но твоего отца я любила не так, как... того, единственного!..

— Я понимаю, мама.

— Фамилия вашего кавалера была Милютин? Точно? — продолжал приставать Сандро.

— Да, да, но я потом узнала его фамилию, когда мы начали встречаться, он был для меня просто Сашей! И он не кавалер! Он был предназначен мне судьбой! Боже мой, неужели его убили?!

— При чем тут мы с братом? — сам у себя спросил Ник. — Как мы можем быть связаны с кавалером нашей тети?..

— Почему ты не вышла за него замуж, мама? — тихо спросил Слава и присел перед Вериным креслом на корточки. — Что случилось?..

Тетя всхлипнула.

— Мне не разрешили. Родители запретили мне даже думать об этом!..

— Почему?

— Он должен был работать за границей. А мой папа был коммунист и считал, что за границей меня ждет гибель. Моя мама к тому времени уже умерла, и папа надо мной трепетал, просто трепетал! Помнишь, Ната? Если даже не застрелят милитаристы — тогда кругом были милитаристы, и в Советском Союзе их все боялись, — я попаду в лапы буржуазных развратников. Так папа считал.

Вера всхлипнула еще горестней. Слава торопливо вытащил откуда-то из недр брюк носовой платок и подал ей. Она утерла глаза.

— Ната, ты же должна помнить!

— Я помню, — согласилась Наталья Александровна как-то так, что понятно стало, что ничего она не помнит.

— Папа не разрешил, запретил! И Саше пришлось от меня отказаться.

Лиса вздохнула и возвела к потолку глаза. В середине потолка была красивая розетка с лепными лепестками, а в середине розетки красивая люстра с серебряными листьями.

— А я бы все равно вышла замуж, — объявила Лиса, рассматривая розетку. — Даже если бы мне все запретили — и папа, и мама, и бабушка...

— Замолчи сейчас же, — тихо и грозно сказал Ник ей на ухо. — Тебя никто не спрашивает.

— Мы так ничего и не узнали, — заметила Наталья Александровна. — Ты говорила бы толком, Вера!.. Что было дальше? С тем твоим Милютиным? Он уехал, и все? Ты больше никогда его не видела?..

Вера покачала головой. Слезы стояли у нее в глазах.

— Наше расставание было ужасным! Саша ничего не хотел слышать... про милитаристов и буржуазный разврат!.. Он не понимал, почему я не могу уехать с ним! Его направляли в Бухарест, кажется, или в Будапешт! Он звонил мне по сто раз в день, я рыдала у телефона и не отвечала, а когда брала трубку, только повторяла, что никогда не смогу пойти против воли родителей!.. Он мне писал! Он написал мне несколько мешков писем!.. Я перечитывала их каждую минуту!.. Потом о письмах узнал папа, и их стали перехватывать. Но я все равно читала те, что уже получила!..

— Перехватывать письма? — переспросил Ник. — Кажется, кардинал Мазарини перехватывал письма королевы Анны... И строил ей козни.

— Интриговал, — подсказал Сандро.

— Как можно перехватывать письма? — поинтересовалась Лиса недоверчиво. — Дублировать на другой мейл, что ли? Или как?..

— Замолчите! — вдруг крикнул Слава, и они в изумлении на него уставились.

У него был красное и гневное лицо.

— Замолчите сейчас же! — повторил он и дернул подбородком. — Вы все!.. Мама... исповедуется! Никто этого не знал, даже я!.. А вы!..

— Славик, не надо, — тихо и устало сказала тетя Вера.

— Ну, ты же не обижаешься, Верочка, — бодро заявила Наталья Александровна. — Они молодые, их не слишком интересует, кто и как был в нас влюблен сорок лет назад.

— Как раз интересует, — заспешил Ник. — Нас интересует этот человек, Александр Аггеевич Милютин! Извините, тетя Вера!.. У вас сохранились те старые письма?

— Зачем они тебе? — Тетя опять вытерла глаза. — В них все не так, как сейчас. Там слезы, любовь, горе двух разделенных душ, нежный шепот...

Сандро дернул шеей и махнул еще стакан компота.

— Нико, я забыл. Мы должны ехать, доставка сегодня, а я даже Маргариту не предупредил. Слышь, брат?..

— Тетя, я бы посмотрел письма, если можно, — умоляюще сказал Ник. — И только с вашего разрешения!.. Только то, что вы сочтете нужным показать!.. А? Можно, тетя?

Вера заколебалась, посмотрела на сына, который все еще был взъерошен и румян от недавнего гнева, и вдруг согласилась.

— Ну, разумеется, мальчики, если вам надо... Я покажу... Но что там может быть... Переписка влюбленных детей...

Там может быть обратный адрес, подумал Ник, и хоть какие-нибудь сведения о Милютине, если он *на самом деле тот Милютин*!.. Мы ведь так ничего и не узнали, кроме того, что он работал в МИДе и ходил к Зайцеву на показы!..

В Москву возвращались в полном молчании. Сандро сидел, уткнувшись в телефон, Лиса спала, Ник думал.

... К тете придется ехать завтра. Лучше, конечно, поехать прямо сейчас, но уже совсем поздно, и Сандро, поймав Ника на террасе, прошипел, что в машину он их не возьмет и домой не повезет — ни тетю, ни брата Славу.

— Я ее чуть не убил, слушай! — сказал он, сверкнул очами и сделал движение рукой на манер дедушки Дадиани. — За то, что она сказала по телефону про маму!..

— Ладно, проехали, — перебил Ник. — Воля твоя и машина твоя.

...Значит, к тете завтра. Это дело небыстрое и непростое. Тетя наверняка вновь начнет рассказывать, какой она была красавицей и как трагическая любовь отразилась на ее жизни, и придется слушать, куда ж деваться!.. Еще нужно, чтобы Сандро свозил ту девушку из Подколокольного переулка, Авдотью Андреевну, к капитану Мишакову и чтобы капитан зафиксировал, что Виктор Павлович Селезнев в квартире номер семь не проживает, видеть Сандро в ночь убийства никак не мог и вообще подозрителен!..

... Нужно позвонить в Новосибирск и узнать, что у них не так, от аспиранта Олега толку мало, их всех сейчас так плохо, мало, топорно учат!.. Какая там может рваться производная, в какой части эксперимента?.. И Михаил Наумович! С ним тоже нужно переговорить. Старик не летит в Бразилию — путь слишком долгий, пересадки, ожидания, длинные переходы, — но ему же интересно!..

...Что эта странная девчушка Лиса — нужно выяснить, как ее зовут на самом деле! — делает в их компании? Как вышло, что она провела с ними почти полдня?.. Кто она такая? Нужно спросить у Сандро, хотя безалаберный брат вряд ли знает. Приходит какое-то чучело, торчит перед глазами, и ладно, значит, так нужно!..

Вдруг с переднего сиденья обернулся брат.

— Нико, переночуешь у меня?

— Зачем?!

— Ночь уже давно. Пока ты проездишь, утро настанет!..

— Я могу отвезти, — негромко вмешался Данияр. — В два счета!..

Сандро пожал плечами и опять уткнулся в телефон.

...Не хотите, как хотите! Не стану же я вам объяснять, что у меня был какой-то невозможный, длинный, дурацкий день! Что у меня бессонница — я много лет сплю, только если запиваю снотворное водкой!.. Психиатр утверждает, что такова плата за славу, но чего-то надоело платить, мне поспать хочется, вот так лечь и до самого утра спать, спать, а не получается.

Раньше получалось — когда был маленький, и у них с братом была общая комната, две кушетки, налево от двери и направо. И у окна два письменных столика, совсем маленьких, большие не помещались, но им хватало!.. Мама приходила их укладывать, укрывала, устраивала, целовала за ухом — щекотно, приятно, и от нее так дивно пахло!.. Она каждый вечер понемногу читала им вслух, и когда уходила, Сандро непременно досочинял историю и рассказывал ее Нико. Тот лежал, затаившись, и слушал. Это было так интересно, особенно потому, что назавтра оказывалось, что Сандро сочинил совсем не так, как было в продолжении, которое читала мама, но он и дальше сочинял, а Нико слушал!.. Вот бы и сейчас так. Приехать, завалиться на кровать, зная, что брат рядом и его можно окликнуть через открытую дверь. Еще можно чаю попить. Сандро так давно не пил чаю!.. В ресторанах и клубах он пил исключительно кофе, да и то странный — лавандовый ристретто или флэт-уайт, в общем, соответствующий требованиям сегодняшнего дня! Дома тоже не было никакого чаю. Кажется, Маргарита Степановна по простоте душевной все же где-то его держала, но Сандро не знал где. А Ник все время пьет чай, и требования сегодняшнего дня его нисколько не волнуют!..

Счастливый человек.

— Вы лучше девушку отвезите, Данияр, — сказал Ник негромко, — а я у Сандро останусь.

— Чего это меня возить? — пробормотала Лиса, не открывая глаз. — Я тоже останусь! Что я дура, по ночам кататься! Хотя прикольно...

От того, что брат согласился у него остаться, Сандро возликовал и сразу стал говорить, что Ник вполне может ехать к себе, это все просто так и никого ни к чему не обязывает.

— Заходить надо, как выходили, — предупредил водитель. — Или через калитку. Маргарита звонила, журналисты кругом дежурят.

— Ох, е-е-е, — протянул Сандро. — Бляха от сандалика! Как это я забыл про них?!

Они вылезли из машины почти на Третьем кольце под мостом, и Данияр поехал в гараж в одиночестве. Если засекут машину, кинутся за ней, а они как раз успеют проскочить. Калитка по ночному времени была, ясное дело, заперта, и братья неуклюже лезли через забор, а потом еще Лису перетаскивали!.. Она пищала, Ник тащил ее за воротник, Сандро подпихивал снизу под попу — подростковая комедия, одним словом!..

Но маневр удался, в лифт они загрузились вполне благополучно.

— Сейчас-то все ок, ночь-полночь, — сказал Сандро и подмигнул отражению спутников в лифтовом зеркале, — а днем тут у нас такие пробки бывают!

— Где пробки? — не понял Ник.

— Да прям здесь! Все хотят ехать, а лифтов половина не работает!.. Очереди стоят, как при советской власти за колбасой! И все ругаются, матерятся, а сами такие нарядные, кто с работы, кто с тренировки, кто откуда, в общем!.. Барышни на шпильках, матроны в бриллиантах, папики в английских костюмах, охранники при них! А что поделаешь-то? Пехом на моей памяти на сороковой этаж еще никто не пер!.. Особенно на шпильках!

Лиса захихикала.

Дверь в квартиру знаменитого рэпера была приоткрыта, за дверью темно.

— Е-е-е, — вдруг заголосил Сандро, словно что-то вспомнив, и схватился за бритую башку. — Доставка, е!.. Я опять забыл, блин! Сегодня тоник должен приехать! А я забыл!.. И Маргарите не сказал!..

— Какой тоник? — раздражаясь, спросил Ник.

— Английский! Самый дорогой! Ну е, ну, джин разбавлять, ты че, не вкуриваешь?! А я забыл про них! Теперь еще полтора месяца будут везти, они такие капризные!..

— Кто?!

— Доставка эта!..

Сандро распахнул дверь, ворвался в квартиру, и в эту секунду Ник вдруг понял, что заходить нельзя, никак нельзя, опасно!..

— Стой! — заорал он и кинулся за братом. — Стой, Сандро!..

Изнутри послышался шум, словно упало что-то тяжелое, возня и мат.

— Свет! — продолжал надрываться Ник. — Как свет включить?!

Лампочки зажглись словно сами по себе, засветился на стене портрет знаменитого рэпера ПападоnʼtOzza, выложенный цветной мозаикой, по периметру засветилась барная стойка — синим больничным светом.

На полу лицом вниз лежал Сандро и не двигался. Рядом на четвереньках стоял еще один Сандро и раскачивался из стороны в сторону.

Ник в одно мгновение взмок с головы до ног.

Лиса взвизгнула у него за спиной.

— Тихо! — гаркнул Ник. — Сандро?

И подошел. Тот, что стоял на четвереньках, поднял голову, Ник помог ему встать на ноги.

— Я упал, — сказал Сандро растерянно и оглянулся на лежащего. — Я споткнулся тут обо что-то...

Все втроем они смотрели на второго Сандро, лежащего лицом вниз на мозаичном портрете рэпера ПападоnʼtOzza.

— Это кто? — шепотом спросила Лиса наконец. — Ребята, кто это?..

Лежащий был в одежде Сандро — камуфляжных штанах и серой толстовке. Капюшон был вымазан чем-то темным, кажется, липким.

— И почему он... лежит? — продолжала Лиса. — Он что, заснул здесь?..

Братья Галицкие переглянулись. Человек на полу не двигался.

— Звони Глебову, — сказал Ник. — Пусть приезжает.

— Погоди ты! Давай его... перевернем.

Вдвоем они перевалили лежащего на спину, и первое, что Ник увидел, была нелепо выпяченная, словно приклеенная к лицу борода.

— Сиплый, — вскрикнула Лиса, подбежала и присела. — Сиплый, ты чего лег-то здесь? Вставай! Вставай, Сиплый!..

Ник оттащил ее от тела, подвел к барной стойке и приказал:

— Стой здесь тихо.

— Это же Сиплый, — сказала Лиса жалобно. Глаза у нее были белые, и лоб и щеки словно из гипса.

Они еще немного посмотрели на лежащего.

— Почему он в твоей одежде?

Сандро махнул рукой.

— Он же здесь ночует! И шмотки мои таскает.

— У него есть ключи?

— Какие ключи? От квартиры, что ли? Да пес его знает, может, и есть! Хотя нет, стой! Маргарита у всех ключи отобрала, у кого были!.. Точно!

— У меня тоже, — пропищала Лиса.

— Она сказала, что пугается, когда в квартиру то и дело кто-то лезет, а она даже не знает, кто!..

Они помолчали.

— Сегодня он должен был у тебя ночевать? — продолжал Ник.

— Я не знаю! — заорал Сандро. — Я в каталажке сидел! Кто тут ночевал, а кто нет, мне в каталажке один хрен!..

— Когда мы приехали за машиной, он был здесь.

— И я была! — снова тявкнула Лиса.

Тут они оба на нее заорали:

— Заткнись!

И она заплакала — сразу навзрыд, изо всех сил, словно наверстывая упущенное.

— Звони Глебову, — устало выговорил Ник. — Звони, Сандро. А я в полицию...

— Да что ж это за твою мать, — так же устало и без выражения сказал Сандро.

— Сиплого жа-алко, — проикала Лиса. — Как жа-алко!.. Он хороший, добрый!..

Ник зачем-то подошел и погладил ее по голове. Голова странно поехала и осталась у него в руке. Ник уставился на рыжую паклю.

— Что ты меня трогаешь?! — завизжала Лиса и вырвала у него паклю. — Что тебе нужно?! Я на тебя в суд подам за сексуальные домогательства!.. Отойди от меня!..

Ник отошел. Она кое-как приладила парик на голову, потом сорвала, швырнула на пол и опять залилась слезами.

— Павлуш, — говорил Сандро в телефон, — это я, да. Слушай, приезжай прямо сейчас. Да не, нормально все со мной! Да не, трезвый я! Труп у меня... в квартире. Я приехал, а он... лежит. Да не, свой, не посторонний! Сиплый. Помнишь Сиплого?.. Да не, вы знакомы!..

Бедный Сиплый, подумал Ник на манер Лисы. Еще в обед все было в порядке — жив, здоров, чесал живот, должно быть, планы строил!.. В Питер на Версус собирался. Звуковика дожидался — к Сандро должен был приехать какой-то звуковик!..

Тянуть дальше было никак нельзя, и Ник, преодолевая себя, набрал номер отделения. Этот номер он уже знал наизусть!..

Первым примчался Глебов. Вид у него был неважный.

Он мельком глянул на тело, длинно присвистнул, спросил, вызвали полицию или нет.

— Вызвали, — отозвался Ник хмуро.

— Козлы, — энергично похвалил Глебов. — Сколько раз повторять — сначала я, а потом все остальное! Выходит, времени у нас нет, они сейчас приедут. Вопрос ко всем: вы его прикончили?

— Не-ет! — завопила Лиса, а братья Галицкие отрицательно покачали головами.

— Мы вернулись из Луцино и нашли его, — сказал Сандро. — Это Сиплый, он здесь все время тусует. Сам из Рязани, не наездишься, так он у меня живет. Он рэпер, только такой... андеграундный.

— Клевый чувак, — горестно вставила Лиса. — Добрый.

— Кто открыл дверь?

— Никто. Открыто было.

— Кто вас привез? Данияр?

Братья синхронно кивнули.

— Он вас привез и уехал? В квартиру не поднимался?

Они так же синхронно покачали головами.

Глебов подумал немного. Взглянул на тело, подошел, присел на корточки и посмотрел.

— Его ударили по голове. Сзади. Проломили череп. Чем? — И стал оглядываться.

Братья тоже заоглядывались и двинули по комнате в разные стороны. Лиса постояла и тоже пошла куда-то.

— Только ничего не трогать! — громко предупредил Глебов. — С пола не поднимать!..

— Я нашла, — сказала Лиса из-за поворота барной стойки. Голос у нее дрожал. — Посмотрите.

Глебов моментально подскочил.

За поворотом валялась бронзовая фигура примерно в половину человеческого роста. Фигура походила на поющего человека с микрофоном — весьма условно.

— Это Хурма, — непонятно пояснил Сандро. — Ну, так форум хипхоповский называется, и этого чувачеллу так же назвали. В честь форума! Это награда. Я в прошлом году получил.

И потянулся рукой — на бронзовом микрофоне темнели потеки, хотелось стереть.

— Не трогать, я сказал! — рявкнул Глебов. — Значит, так. Ник, забирай девчонку и уезжайте. Быстро и аккуратно. Знаешь, как выйти, чтобы на журналистов не нарваться?

— Я никуда не поеду.

— Ты обалдел, что ли?!

— Я не брошу Сандро одного.

— Пошел в жопу! — взбеленился Глебов. — Некогда сейчас в бирюльки играть!.. Я остаюсь, ты понял?! Я!.. Если вы тут будете болтаться, мы до завтрашнего вечера не разберемся! Вы свидетели, имеете полное право полицию не ждать, вас потом повесткой вызовут или сами к вам заглянут! Если вы только что из Луцино и ехали все вместе, к Сандро тоже не должно быть вопросов! Этого, — он подбородком показал на мертвого Сиплого, — убили не пятнадцать минут назад. Ник, давай, давай, убирайся отсюда! И вы, фрекен! Или как вас? Мамзель?

— Он дело говорит, Ник.

— Я всегда говорю дело, — процедил Глебов.

Ник посмотрел на брата.

— Вечно с тобой... истории, — выговорил он сквозь зубы. — Как ты мне надоел!..

Крепко взял Лису под руку и вывел из квартиры.

В полном молчании они прошли по всем переходам, вновь перелезли через забор — в обратную сторону, — и зашагали по темным тротуарам к шоссе.

— Жалко Сиплого, — наконец сказала Лиса. Ник ничего не ответил, и они опять замолчали.

Ехали на перекладных — сначала на какой-то чумной полуночной маршрутке, где гремела восточная музыка и певец пел тонким, надрывным голосом, потом на случайном троллейбусе. В троллейбусе не было ни души, и они покачивались на задней площадке далеко друг от друга, сумрачно глядя в ночные окна. Потом все же вызвали такси, которое долго не ехало, и Лиса совсем замерзла, хлюпала носом и терла друг о друга ладошки. Потом машина все же приехала, в ней тянулась тягучая восточная музыка и тонким голосом пел певец.

— А почему мы сразу не поехали на такси? — спросила Лиса, стуча зубами, когда они уселись.

Ник не стал отвечать. Не поехали и... не поехали!.. Ему нужно было как-то двигаться, что-то делать, идти, пересаживаться с транспорта на транспорт, занимать голову очень важными соображениями, как попасть домой среди ночи. Если бы голова у него была свободна, он бы надумал невесть что!..

...И Сандро! Он все же бросил брата одного, хоть и с адвокатом Глебовым, но он, Ник, старший, и должен за все отвечать, в том числе и за глупого младшего брата! А он все проворонил. Переложил на Глебова. Ничего не смог.

Лишь у дверей собственного дома он спохватился, что притащил девушку с собой!..

Он отпирал замок, она сопела у него за плечом.

— Где ты живешь? — запоздало и ненужно спросил Ник.

— Там, — и Лиса махнула рукой.

— В Рязани? — зачем-то уточнил Ник.

— Нет, не в Рязани.

— Я провожу тебя домой, — произнес Ник неуверенно. При мысли, что придется еще куда-то ехать, его затошнило.

— Я не поеду домой, — сказала Лиса устало. — У тебя есть запасная кровать?

Ник посмотрел на нее.

— Ну ничего, — пробормотала она. — Тогда я на полу...

Они вошли и на ощупь, не зажигая света, стали стаскивать башмаки.

Ник прошел вперед, вдруг вспомнил, как Сандро споткнулся о труп Сиплого, ринулся и включил свет. Лиса зажмурилась.

Ник огляделся. Все на своих местах, все как обычно, и нет никакого трупа!..

— Может, чаю хочешь? — Он зашаркал на кухню и включил чайник.

— Я умыться хочу.

— Ванная там. Полотенце в шкафу с правой стороны. Найдешь.

— Найду, — согласилась Лиса.

Она сидела в ванной долго. Он успел заварить чаю и поменять постельное белье. Он сам ляжет в кабинете на диване, накроется пледом и стелить ничего не будет, сил нет никаких.

Лиса появилась, когда он допивал свой чай.

— Налить тебе?

Она кивнула. Все белое с нее смылось, вместо странных одежд она нацепила старый махровый мамин халат — должно быть, в шкафу нашла!.. Без одежд и рыжего парика на голове она была похожа на обыкновенную девушку.

— У меня волосы редкие, — зачем-то сказала она и показала на свою голову. — Приходится парик носить.

Ник посмотрел — волосы как волосы.

— Как тебя зовут на самом деле? — и поставил перед ней чашку.

Она не стала брать ее в руки, нагнулась и отхлебнула.

— Можешь звать меня Джунипер.

Ник скосил на нее глаза поверх своей кружки и вздохнул. Как это сформулировал то ли троюродный, то ли четвероюродный брат Слава?.. Люди нового поколения не умеют выражать свои мысли и часто лгут. Даже статистика такая есть!

— Почему Джунипер?

— Да ладно, — сказала Лиса. — Не притворяйся!

Ник вздохнул еще горше.

— Ты что, не знаешь?! — поразилась его собеседница. — Да это все знают, и все на нее подписаны!

— На кого?

— На лису Джунипер.

— Может, бутерброд? — сам у себя спросил Ник. — Хлеба нет...

— Ну, в интернете!.. Лиса Джунипер!.. Ты не видел! У нее свой блог и миллион подписчиков! Или даже два или три!.. Ой, она такая смешная и всякие штуки смешные делает! Тявкает! И спит как прикольно! Вот так лапу вытянет и спит!

И она показала, как лиса Джунипер в интернете вытягивает лапу, когда спит.

— Ее спасли из лисьего питомника. Там лис выращивают на шубы и воротники, — продолжала девушка вдохновенно. — А ее спасли! Чудом! И она теперь прекрасно живет, у нее там друг есть, пес, зовут Мус. И хозяйка хорошая! Она ее любит.

— Кто кого любит? — уточнил Ник неизвестно зачем.

— Хозяйка любит Джунипер, — пояснила ему Лиса, как неразумному. — И я решила, что тоже буду Джунипер или уж Лисой!..

— Из тебя должны были набить чучело? Но ты чудом спаслась?

— Че ты говоришь ерунду-то?!

— Как тебя зовут?

— А че, тебе не нравится Джунипер? Да я тебе сейчас покажу, ты ее полюбишь!

И она начала с энтузиазмом копаться в телефоне. Ник допил чай и ополоснул свою кружку.

— Пойду я полежу, — сказал он. — Сил нет.

— Подожди! — умоляюще попросила Лиса Джунипер. — Ну, посмотри же! Я уже нашла!..

Ник придвинул стул и сел рядом с ней.

В телефоне действительно были фотографии какой-то лисы. Против воли Ник улыбнулся.

— Ну вот, ну вот, — заспешила девица, следившая за его лицом, — я же говорю! Когда совсем туго приходится, посмотришь на них — и веселее!.. Сейчас еще видео!.. Ты знаешь, у Джунипер случилась любовь к Мусу, это собака. И она так к нему пристает, а он на нее внимания не обращает!

— Собака, — сказал Ник, которому стало смешно.

— Собака! — согласилась девица. — Нет, ну, то есть он и вправду собака! Смотри, смотри! Видишь, как она к нему ластится?

Ник смотрел и улыбался. Лиса играет с собакой. Ничего особенного. Но он улыбался, а когда лиса стала как-то уж совсем смешно прыгать на диване, засмеялся, взял у девицы из рук телефон и заново запустил ролик.

— Клевая, да? И вообще история хорошая, да? — приставала к нему Лиса, глаза у нее блестели. — Ну, как ее спасли, и как она теперь отлично живет, и у нее друзья — две собаки, там еще вторая есть, и дополнительная лиса, они ее недавно взяли, по имени Фиг! Им весело вместе!.. А вот смотри, здесь она на мышь охотится!..

— Пора спать, — спохватился Ник. — Утро скоро. Нас наверняка в отделение потащат. В покое не оставят.

— Я тебе ссылку кину, — пообещала девица. — И у тебя тоже будет лиса Джунипер.

— Как тебя зовут?

Девица вздохнула.

— Юля, — буркнула она. — Не, ну чего хорошего-то?! Юля какая-то! Такое тупое имя!

— Джунипер, конечно, круче, — согласился Ник. — Иди спать, Юль. Правда.

— Ты ведь тоже ни фига не Ник! И Сандро не Сандро!

— Я Николай, а он Александр, — согласился Ник. — Тут дело не в нас, а в наших грузинских корнях. В Грузии это обычные имена — Нико, Сандро. Но, если хочешь, можешь звать меня Коля. Или Колян.

— Я не хочу.

— Пойдем, я тебя провожу.

Он довел ее до спальни, зажег свет и подтолкнул к кровати.

— Ложись. Если утром я приду за рубашкой, не пугайся.

— Да никого я не боюсь!..

Ник закрыл за собой дверь в кабинет, постоял, прислушиваясь — в квартире было тихо, — и рухнул на диван.

Нужно умыться, почистить зубы, принять душ, проверить, заперта ли дверь... Мама всегда сердится, когда сыновья заваливаются в постель, не умывшись. Нужно подумать, что делать завтра, кому звонить, куда бежать... какая смешная эта Джунипер... хорошо, когда ты предназначен на шубу и ничего нельзя изменить, и вдруг все меняется, ты остаешься жить, да еще в такой славной компании... утром завтракать нечем, хлеба нет, и яйца, кажется, тоже кончились...

Он заснул, словно провалился в мягкую черноту — без сновидений и тревоги.

Ему казалось, что спал он всего ничего, когда рядом началось какое-то шевеление, послышался шорох, тонкий голос говорил что-то, и все это ему мешало. Должно быть, лиса Джунипер из интернета как-то пробралась в его квартиру и устраивается на ночлег.

— Подвинься, — сказала лиса. — Я не могу, я боюсь там одна. А ты тут спишь, как свинья!

...Еще и свинья откуда-то, подумал Ник, двигаясь на диване, чтобы дать место лисе. Потом натянул на всех — на себя, лису Джунипер и неизвестную свинью — плед, перевернул подушку прохладной стороной и опять заснул.

Ему приснилось, что на него кто-то пристально смотрит. Ник решил не обращать внимания, потом ему стало неловко, и он проснулся. Солнце лилось в распахнутую створку окна, растекалось по стенам и дивану, на котором он лежал, заливало книжные полки, и Ник подумал сонно — надо же, какие пыльные стекла, помыть бы.

— Доброе утро, Николай Михайлович.

— Доброе утро, — пробормотал Ник, собираясь зевнуть. Вытаращил глаза и подскочил на диване.

В дверях кабинета стояла Ирина из международного отдела и улыбалась напряженной улыбкой.

— Что такое?! — выпалил Ник и помотал головой.

— У вас открыто, — проинформировала Ирина, старательно продолжая улыбаться. — Я позвонила, а потом зашла. Доброе утро еще раз!

— Доброе.

Ник стал выбираться с дивана, и тут под пледом обнаружилась Лиса — не та, что из интернета, а самая настоящая.

— М-м-м, — замычала она, когда Ник стал тянуть плед, и скорчила рожу, не открывая глаз. — Я не хочу-у-у... Я дальше спать буду-у-у...

— Прошу прощения, что нарушила ваш интим, — не сдержалась Ирина. — А я по делу, Николай Михайлович!

Лиса открыла глаза и сказала с тревогой:

— Ник, здесь кто-то разговаривает! Ты слышишь?

— Это я разговариваю, — сообщил Ник, перелезая через нее. — Со своей коллегой.

...Будут теперь на работе пересуды!.. Ух, какие будут растабары!.. В «чайную комнату» не войдешь — все будут затихать и пялиться. Провались оно к чертовой матери!..

Лиса повернулась и увидела Ирину из международного отдела.

— Здрасти, — сказала Лиса бодро. — Это вы коллега, да?

Ирина улыбнулась еще приветливей и заметила:

— Надо же, никогда не предполагала, что Николай Михайлович любитель малолетних девочек!

— Чего это я малолетняя, никакая я не малолетняя, — обиделась Лиса. — Мне двадцать два года!..

Ник выпутался наконец из пледа. У него горели щеки и лоб — от стыда.

— Пойдемте, Ирина. Какое у вас дело?

— Я заехала за вашим заграничным паспортом, — быстро и сердито заговорила Ирина, у которой рухнули все жизненные планы.

Двое бесхозных детей так и останутся бесхозными!.. Оказывается, наш скромняга и трудяга Николай Михайлович водит к себе домой сомнительных малолеток! В том, что *эта* сомнительна, не было никаких сомнений! Худая, как палка, глаза какие-то белесые, на носу веснушки, короткие волосы в разные стороны — должно быть, от ночных утех с нашим скромнягой и трудягой так растрепались! Господи, почему жизнь так несправедлива?! Ну, он же взрослый мужик, во всех отношениях приличный, из хорошей семьи — на дне рождения вот в этой самой квартире Ирина видела и мамашу, и знаменитого братца, и они произвели на нее приятное впечатление! Почему таких, порядочных и умных, тянет на шлюх и проституток?! Вот в этой, конкретной, он что нашел?! У нее даже тела нету, одна худоба, костяшки и голяшки!..

— Зачем вам мой паспорт? — не понял Ник, но все же полез в ящик стола и стал там шуровать.

Лиса потягивалась на диване, потом зевнула во всю пасть, показав острые белые зубы, поднялась и потащилась прочь. Плед волочился за ней по паркету.

— Ни-ик, — издалека крикнула она. — Я займу ванную?

— Давай! — крикнул он в ответ и стал заглядывать в ящик — паспорт не находился! — Послушайте, Ирина, зачем вам мой паспорт?!

— Вы летите в Бразилию, — отчеканила она. — Международный отдел получает визы, все как всегда.

— Да, но в Бразилию не нужны визы! Мы это уже обсуждали!

Ник перестал копаться в ящике и посмотрел на Ирину. Она с трудом задышала, словно он чем-то оскорбил ее, залилась краской и выбежала из квартиры.

Ник ничего не понял.

Он выглянул на лестничную площадку — Ирины и след простыл, — постоял, пожал плечами, вернулся и запер дверь.

Он на самом деле ничего не понял, а мысль про двух бесхозных детей и рухнувшие планы *не могла* прийти ему в голову!

Как следует почесав эту самую голову — от неловкости, от странности сегодняшнего утра, от того, что проснулся рядом с девушкой, чего не было давным-давно, и ощущение близкого женского тела, легкого дыхания, каких-то очень интимных прикосновений теперь мешало ему жить, — Ник сварил кофе в турке и заглянул в холодильник. Молока нет, яиц тоже. Ничего нет! Тут взгляд его наткнулся на бумажный пакет. И... как это он забыл?!

На минувшей неделе, покуда Николай Галицкий еще был свободен, счастлив, не обременен наследством, убийством и Лисой, вернулся из отпуска Михаил Наумович. По советской привычке отдыхать старик любил исключительно в Юрмале, и только весной, пока еще нет «толп» и в холодное море никто не лезет. Михаил Наумович всю жизнь практиковал купания в ледяной воде и считал это залогом здоровья. Он всегда привозил Нику «гостинцы», и на этот раз привез тоже, а Ник поставил их в холодильник и забыл!..

Он выволок пакет, открыл, и — конечно же, конечно! — там оказалось то самое, что когда-то так любил аспирант Галицкий и по сей день любит, хоть уже давным-давно не аспирант! В пакете была балтийская килька — четыре плоских увесистых баночки, — разного посола; черный хлеб — Ник понюхал, и даже через пленку, даже после холодильника хлебом пахло прекрасно, тмином, немного кислым тестом, запеченной до черноты коркой! Еще там были кусок сыра, довольно приличный, и коробочка рижских шпрот, и какое-то шоколадное ассорти с Домским собором на крышке!..

Ай да Михаил Наумович!.. Вот спасибо вам!..

— Ты чего такой радостный?

В дверях появилась Лиса. Ник вдруг позабыл, как ее зовут на самом деле, лезла в голову эта Джунипер!..

— Я нашел еду! — сказал Ник. — Представляешь?!

Она подошла и сунула нос в пакет. От нее тоже хорошо пахло — шампунем и зубной пастой, влажные волосы заложены за уши.

— Я этого ничего не ем, — упавшим голосом сказала она. — Я только то, что выросло, а потом само упало, чтобы не срывать, потому что когда срываешь, убиваешь.

— Не хочешь, не ешь, — пробормотал Ник.

Он рассердился. Ему так хотелось ее угостить, а она ест только то, что упало!..

— И сыр не ешь? — уточнил он на всякий случай. — Смотри, какой сыр!

Она посмотрела не на сыр, а на него и заметила:

— Ты похож на древнего человека. На картинке такой был, в учебнике за шестой класс. Не хватает копья.

— Почему на древнего человека?

— Лохматый, — коротко пояснила Лиса.

— Да ну тебя.

Он недолго подумал, что сначала — в душ или завтракать, — и решил, что завтракать, пока кофе горячий!..

Ник разлил кофе, выложил на доску хлеб, открыл кильку и толстыми кусками накромсал сыр.

— Э-эх! — выговорил он, любуясь на все это великолепие, подцепил вилкой распластанную, без единой косточки, пряную, холодную кильку, устроил ее на черный хлеб, вздохнул и откусил.

И застонал.

— Ты че, специально?.. — наблюдая за ним, осведомилась Лиса. — Я тоже есть хочу! Я еще вчера хотела!

— Ешь, — коротко сказал Ник и подцепил еще кильечки. — И пей.

Она отхлебнула кофе, косясь на него.

— А эта тетя Мотя, которая приходила, твоя наложница, да?

Ник засмеялся. Хорошее настроение вдруг вернулось!

— Не дерзи взрослым. Это у тебя от голода.

— Ничего не от голода! И я не дерзю. Не держу! Как это сказать?..

Ник пожал плечами.

— Не знаю, я вообще грузин! Ну, хоть хлеба поешь! Хлеб тебе можно?

Девчонка взяла кусок, посолила и стала энергично жевать.

— Хлеб вкусный! А чего это в нем? Катышки такие?

Ник посмотрел:

— Сама ты катышки! Это тмин.

— Что такое тмин?

Ник взял кильку из второй банки — другого посола! — разложил на хлебе, понюхал, зажмурился от удовольствия, поднялся из-за стола и стал варить вторую турку кофе.

— Ты почему такая серая? — спросил он, насыпая зерна в кофемолку. — Или вас на самом деле теперь ничему не учат и вы можете только в социальных сетях зависать?

Лиса брякнула свою чашку на блюдце, возмущенно заговорила, но понять ничего было нельзя — Ник включил кофемолку, она загудела и завизжала.

Он отпустил кнопку, визг прекратился, открыл крышку и заглянул, чтобы проверить, смололся ли кофе.

— ...между прочим! — продолжала возмущаться Лиса. — А там вообще с телефоном нельзя, и с компьютером нельзя! Все забирают! И я не серая, ишь, какой умный выискался, можно подумать...

Ник опять включил кофемолку. Моторчик завизжал.

Лиса беззвучно возмущалась и размахивала руками.

Ник перестал молоть кофе, сел на стул и захохотал. Девица заткнулась и уставилась на него.

Он прямо по-настоящему хохотал, показывая крепкие белые зубы, она и предположить не могла, что он может так смеяться — от всей души, с удовольствием!!.. Все время их знакомства — а это уже прилично, дня два! — он был мрачен, серьезен, озабочен. Сандро по сравнению с ним просто весельчак и зажигалка!.. Она понимала, что смеются над ней, но это было не обидно, а, пожалуй, забавно. Так забавно, что она тоже неуверенно засмеялась вместе с ним.

— Что ты ржешь? — спросила она, когда он перестал хохотать. — Вот что ты ржешь?

Ник и сам не мог бы объяснить, что его так развеселило. Просто у него было хорошее настроение, даже несмотря на Ирину из международного отдела и сплетни, которые сейчас начнутся на работе. Или уже начались, если она успела доехать и добраться до «чайной комнаты»!.. Должно быть, это от того, что ночь он провел... не один, и несмотря на то, что он просто спал, как бревно, а спать как бревно он вполне мог бы и один! Но давно забытое, а, может, упущенное в ранней молодости предвкушение близких чудес, волшебных перемен, романтических историй волновало и радовало его.

— И ты сам тоже серый! Ты же ничего не знал про лису Джунипер!..

Ник добавил ей кофе.

— Видишь ли, — сказал он проникновенно, — если бы я про нее вообще никогда не узнал, это ничего бы не изменило в моей жизни.

— Да?!

— Но есть вещи, знать которые необходимо, понимаешь? Почему самолет летает, а не ездит по земле. Кто такой Федор Достоевский или Андрей Рублев. Что Стамбул и Константинополь — один и тот же город.

— Как — один? Где Стамбул, а где Константинополь!

Ник откусил от бутерброда с килькой другого посола.

— И где? — спросил он с набитым ртом.

Девица смотрела на него в явном затруднении.

— А в каком заведении ты, так сказать, училась? Или учишься еще?

— Не, я все, я закончила, — быстро проговорила она. — Парижскую бизнес-школу. Я теперь могу любым бизнесом управлять.

— М-м-м, — промычал Ник сочувственно. — И каким ты управляешь?

— Да ладно, че ты привязался-то?.. Я в универ поступила сначала здесь, в Москве. А потом мне там так ску-у-учно стало, ужас! И я поняла, что никаких реальных знаний наш универ не дает! И уж тогда поступила в бизнес-школу.

— Каких реальных знаний тебе не хватало в универе?

Девица вдруг выхватила у него из рук остаток бутерброда с килькой, в мгновение ока проглотила, кажется, даже не жуя, и уставилась на него. Ник моментально сделал еще один и протянул ей. Она вцепилась в него зубами и стала рукой показывать, чтобы он готовил следующий. Ник выложил на хлеб аж три пласта кильки и держал бутерброды наготове, глядя с интересом. Девица кое-как дожевала, с трудом сглотнула и принялась за новый.

— Тебе плохо не станет? — спросил Ник осторожно. — Если ты до этого питалась только утренней росой и проростками бобовых?

— Пошел ты!..

Вот как есть лиса Джунипер из интернета! Вот просто одно лицо!..

... Или одна морда?..

— Так, — сказал Ник и встал. Мысль о лисе из интернета почему-то его напугала. Кажется, дело серьезней, чем он предполагал. — Мне нужно звонить Глебову и собираться. Дать тебе денег на такси?

Девица проглотила остатки хлеба с килькой, придвинула к себе банку и заглянула — там оставалось еще довольно много.

— Денег мне не надо, у меня своих полно, — сказала она, нацеливаясь вилкой в банку. — И вообще я с тобой.

— Куда со мной?! В отделение? Или в мой институт?!

— А че такое? Мне нельзя в твой институт, потому что я не знаю, кто такой Андрей Рублев? Туда таких не пускают?

Ник вдруг озадачился. Почему, действительно, ей нельзя поехать с ним? Наверняка можно! Или... нельзя?..

Ну, разумеется, нельзя! Он должен отправить ребенка домой и всерьез заняться своими делами — наконец-то!.. Дела ждать не могут, и они... плохи.

— В общем, это не обсуждается, — сказал он. — Ты едешь домой, а я по делам. Доедай, допивай и собирайся.

Он вышел из душа через пятнадцать минут, совершенно уверенный, что девицы и след простыл. Но она по-прежнему сидела на кухне, только переоделась. Теперь на ней был не мамин старенький халат до пола, а вчерашние одежды, из-за которых она казалась совсем плоской и какой-то ненатуральной, словно вырезанная из фанеры фигура в магазине бытовой техники.

— А где мой парик, не помнишь?

Вытирая голову, Ник прошел мимо нее в спальню, распахнул створку гардероба и наугад вытащил рубашку.

— Ты че, один живешь? — спросила Лиса с порога.

Повернувшись к ней спиной, Ник содрал футболку, в которой вышел из ванной ради приличия, чтобы не ходить при ней голым, и надел рубашку.

— А тетя Мотя, которая утром заявилась? Она тут не живет?

— Выйди, мне нужно джинсы надеть.

— Ты че, стесняешься?! Мы же спали вместе!

Ник посмотрел на нее.

— Мы спали на одном диване, — пояснил он тяжелым и строгим голосом. — А не вместе.

— Ну и выйду, подумаешь!..

Постель, на которой она спала, пока не перебралась к нему на диван, была вся смята и разворочена. Лампа на тумбочке сдвинута — у Ника она стояла совсем по-другому. Под лампой лежала книжка. Застегивая джинсы, Ник подошел и посмотрел — «Бесы», произведение Ф. М. Достоевского.

...Где-то он видел этих «Бесов» недавно! В каком-то совсем неподходящем месте! И еще удивлялся, что кто-то читает Достоевского! Выходит, читала Лиса Джунипер? Не та, которая из интернета, а та, которая провела ночь с ним, но не с ним!..

Он открыл тумбочку, чтобы взять оттуда немного денег — у него всегда портилось настроение, когда деньги приходилось *брать* из тумбочки, а не *класть* туда, и сейчас испортилось немного. С той стороны у кровати валялся рыжий ком — тот самый парик. Ник, оглянувшись на дверь, поддал его ногой, и парик бесшумно проследовал под кровать.

Проделав это, он позвонил Глебову, который сонным голосом сказал, что их промариновали в участке почти до утра, но отпустили, потому что он, Глебов, молодец. Велел, как обычно, первым делом звонить ему, ни во что не ввязываться, ни на что не соглашаться, ничего не подписывать, самодеятельностью на заниматься.

— Павел, мне нужно ехать сейчас в отделение?

— Они тебя звали? — окрысился Глебов в трубке. — Требовали? Повесткой приглашали?

Ник молчал.

— Вот и сиди тихо! А когда вызовут, первым делом звони мне! Ничего не делай, только ничего не делай сам!..

Ник нажал отбой и подумал немного. Если брат и его адвокат вернулись только под утро, значит, Сандро сейчас спит. Неизвестно, где именно он спит — вряд ли дома!.. Вчера на полу своего дома он нашел труп мертвого друга, а незадолго до этого просил Ника остаться ночевать, чего не было с детства. Не так уж беспечно и легко живет младший братец, как ему хочется продемонстрировать окружающим!.. Звонить сейчас — без толку и свинство. Значит, самое время поехать на работу, узнать, что там с экспериментом в Новосибирске. Ехать страшно — там Ирина, которая сегодня утром застукала его в... неподобающем виде.

Впрочем, наплевать на Ирину. Эксперимент гораздо важнее.

Он вышел из спальни. Лиса мыкалась у входной двери, туда-сюда перекладывала свою сумчонку и портфель Ника, видимо, искала парик.

— Я так не пойду, — заскулила она, завидев хозяина дома. — Мне нельзя, я лысая!..

— У меня есть шарф, — предложил Ник. — Он правда шерстяной, но ты можешь намотать его на голову.

— Пошел в жопу!..

Ник сунул ноги в кроссовки и постучал себя по карманам, проверяя ключи от машины. Елки-палки, какая машина?! Машина ночевала на работе, ведь из института его увез грозный майор Мишаков!.. Придется вызывать такси — для девицы, а он сам поедет на метро, так в сто раз быстрее.

Он почти вытолкал хнычущую Лису из квартиры, сунул ей в руки сумчонку и как следует, осмысленно запер дверь. Вчера ведь он ее так и не запер!..

На лестнице — он всегда бегал исключительно по лестнице, лифтом не пользовался, — Лиса стала приставать, куда они едут.

Ник сказал, что едет на работу, а она домой. Он уже вызвал такси.

У подъезда действительно стояла зеленая машина, из салона неслась тягучая, как нуга, восточная музыка, и певец пел тонким надрывным голосом. Все как положено.

— Ну, пока, — Ник распахнул заднюю дверь. — Увидимся.

— Не, не пока. — Девица схватила его цепкой лисьей лапой за запястье. — Я одна не поеду. Я их боюсь, таксистов!..

— Что за глупости?

— Давай я тебя завезу на работу, раз уж ты хочешь от меня избавиться, а потом поеду... по своим делам. Ник, ну, пожа-а-алуйста! Ну, Ни-ик!.. Или я Сандро позвоню, пусть он меня забирает!

Ник коротко вздохнул и полез в машину с другой стороны.

— Ленинский проспект, — сказал он в спину водителю. — Сандро звонить не смей, поняла? Он сам тебе позвонит, когда... когда сможет.

— Да ты че, он мне никогда не звонит!.. Сдалась я ему!.. А можно мне с тобой на работу? Я там посижу тихо, в телефоне!..

— Нельзя.

— Ник, ну почему нельзя! Я тихо! Я не буду мешать!.. А потом мы вместе поедем к Сандро!..

— Нельзя.

— Да я же тебе говорю, мешать не буду!.. Ну правда!..

Водитель быстро оглянулся и окинул их обоих цепким взглядом. Ник насторожился. Лиса продолжала скулить.

Зеленая машина выкатилась на Третье транспортное кольцо, загруженное по самые края, стала в очередь желающих попасть хоть куда-нибудь, водитель повернулся на этот раз всем телом, молниеносно выхватил фотоаппарат и принялся залпами, как пулеметными очередями, их фотографировать.

Ник вытаращил глаза. Лиса разинула рот.

— Вы девушка рэпера ПапаDon'tozza? — сквозь зубы спрашивал водитель, поливая их пулеметным огнем. — А вы его брат? Вы провели ночь вместе? Вам известно, что вчера в его квартире был обнаружен труп Юрия Сипова, известного как рэпер Сиплый? Его убил ПапаDon'tozz? Они же конкуренты! Сиплый в прошлом баттле с Джонибоем набрал 28 миллионов просмотров! Говорят, он собирался вызвать ПапаDon'tozza на дуэль, это правда?

Водитель стал на своем сиденье на колени, и теперь фотоаппарат заходился стрекотанием прямо у Ника перед носом.

— Вы с братом делите одну девушку на двоих? Девушка, как вас зовут? Вы давно в отношениях с обоими братьями?

— Прошу прощения, — едва выговорил Ник.

— Сколько вы хотите за интервью? Кому вы готовы его дать? Где сейчас ПapaDon'tozz? Ночью его увез в неизвестном направлении адвокат! Правда, что это не первое убийство? Что в первый раз его задержали за убийство богатого родственника, но полиции не удалось собрать улики, чтобы оставить его в тюрьме? Или это все хорошо продуманная акция, чтобы привлечь зрителей из маргинальных кругов?

Водитель все сыпал и сыпал вопросами — он хорошо подготовился, а Ник вовсе к этому был не готов, но бешенство, сухое, холодное, словно расчетливое, уже накатило на него. Он весь превратился в бешенство, с головы до ног.

— Интервью... — промямлил он, отстраняя ладонью фотоаппарат. — Какое интервью? Мы ничего не знаем...

— О ваших отношениях! Вот с девушкой! — возликовал водитель. Дело пошло, клиент клюнул, заговорил! — Или это переодетый юноша? Как давно вы вместе? ПapaDon'tozz знает, что его девушка или молодой человек спит с его братом? Кто еще знает? Вы были знакомы с Сиплым?

Лиса взяла Ника за руку. Ник взглянул на нее. Она посмотрела ему в глаза и слегка кивнула, словно показала на что-то. Удивительно, непостижимо, но он ее понял. Он все понял, словно она сказала словами.

Должно быть, лисы обладают телепатическими способностями!..

— Интервью, — повторил Ник и весь подобрался.

— Я бы дала, — протявкала Лиса. — А что? Одним все, а другим ничего, что ли?!

Стремительно двинулась вперед, ловко ввинтила тонкую, как спичка, руку между водительским креслом и дверью, нажала на кнопку. Заднее стекло со сто-

роны Ника поехало вниз. Ник рванул на себя фотоаппарат — водитель сразу не отпустил, ткнулся носом
в обивку кресла. Ник рванул еще раз, и фотоаппарат
оказался у него в руке. Лиса уже выскочила из салона и приплясывала рядом с распахнутой дверью среди
ревущего, воющего, чадящего автомобильного стада на
Третьем транспортном кольце. Со всех сторон бешено
сигналили. Ник кинул ей фотоаппарат, и она тут же за-
пулила его под колеса какого-то грузовичка.

— Давай! — сквозь грохот и вой прокричала она.

Но Ник не мог так это оставить! Ухватив водителя за шею, он еще пару раз ткнул его носом в обивку,
а потом съездил в ухо — легко, замахнуться было негде, — выбрался наружу, и они с Лисой, лавируя между машинами, побежали обратно к мосту, который они
только что миновали.

Со всех сторон сигналили и матерились в открытые
окна. Ник за руку притянул Лису так, чтобы она оказалась у него за спиной.

— Здесь должна быть лестница! — крикнул он. —
Так положено!

Лестница действительно была — узкая, бетонная,
они скатились по ней, перебежали мостовую и выскочили на набережную.

Ник обеими руками взялся за гранитный парапет
и уставился на воду. Лиса сопела у него за плечом.

— Правда в этом году очень теплая весна? — наконец спросила она бодро. — Я себе купила плащ и еще
ни разу не надела, представляешь?

Ник оглянулся.

— Ты хорошо соображаешь.

Лиса удивилась.

— Ты же говорил, что я дура!..

Он притянул ее к себе, обнял и погладил по голове — в порыве нежной благодарности. Она была вся

худая, горячая, словно температурная, мягкие волосы скользили и растекались между пальцами.

— Хорошо, что мы ему в ухо дали, правда?

— Плохо, что нас вычислили и так ловко провели! Я же такси вызывал! Вот как это возможно?! Почему приехал не таксист, а папарацци?

— Да какая тебе разница? И я думаю, что никуда он не ехал, а просто стоял и караулил, когда мы выйдем!.. Мы вышли, и тут — бац! — такси. Ну, мы сели и поехали!..

Ник вздохнул и отпустил ее.

— Ну, все, — сказал он скорее себе, чем девице. — Мне пора на работу, а тебе... домой.

— Давай опять такси ловить! — живо предложила она. — Или на метро поедем? Правда, я не знаю, где тут метро.

Ник огляделся по сторонам, сообразил, где метро, и сказал, что посадит ее в такси, а сам уж как-нибудь.

— Я с тобой как-нибудь, — тут же заявила она. — Не, ну че ты? Я тебя провожу, а потом домой потихоньку поеду. Че, так тоже нельзя?..

И Ник покорился. Хочется ей провожать — пусть провожает!.. Только никаких иллюзий на его счет, у него к ней могут быть только отеческие чувства. Двадцать два года, это немыслимо!..

Всю дорогу он очень старался держаться от нее подальше, и ему это удавалось!.. Он пристроил ее в угол переполненного вагона, а сам стал так, чтобы ее не очень толкали, но так, чтобы расстояние между ними сохранялось. Это было непросто — народу слишком много, кроме того, Лиса привлекала внимание, и Ник занервничал, когда заметил всеобщее оживление.

На нее смотрели, оглядывались, какой-то юнец чуть не упал, выходя из вагона, а девица фыркнула, пожала плечами и энергично заговорила на ухо подруге, и та тоже стала пялиться, вытягивая шею.

...Что происходит?

Лиса попыталась взять его за руку, он через секунду деликатно вытащил пальцы у нее из ладони. Тогда она взялась за поручень и больше до Ника не дотрагивалась, смотрела в темное окно, покачиваясь в такт движению поезда.

Ник голову мог дать на отсечение, что в это самое окно с ее отражением старался заглянуть весь вагон!..

Когда поезд подкатывал к станции «Ленинский проспект», молодой мужчина с портфелем и в бородке, очень активно вытягивавший шею, спросил у Ника:

— Я извиняюсь, это кто?

— Кто? — в свою очередь спросил Ник у мужчины в бородке.

— Это же Демидова, да?

— Я не знаю, — признался Ник.

Поезд взвыл, наддал и выскочил из темноты тоннеля к освещенной платформе. Ник вытащил Лису из угла и поволок за собой.

— Почему они все так на тебя смотрели?

— Купи мне чупа-чупс.

— Где я тебе куплю чупа-чупс?!

— Ну-у-у, в киоске.

Ник купил в киоске чупа-чупс, и девица немедленно сунула его в рот. Отвратительная привычка!

— Зачем ты их все время сосешь?

— Бросаю курить, — невнятно из-за леденца ответила Лиса. — Заменяю одну привычку другой.

— Давно?

— Лет пять.

— Может, лучше снова начать курить?.. Заменить привычку сосать чупа-чупсы на сигареты?..

От метро до проходной института было рукой подать. Сразу за перекрестком начинался сплошной забор, а за ним сады, аллеи и — в отдалении — очертания гигантского кирпичного здания с колоннами странной формы, самая большая аэродинамическая труба в Европе!..

— Вот, — сказал Ник фальшиво. — Вот здесь я работаю.

Лиса, сосредоточенно сосавшая леденец, посмотрела.

— Прям в саду?..

— Нет, там глубже есть корпуса.

— А я думала, в саду!.. Лежишь на травке и формулы сочиняешь, такая красота!.

— Такси вызвать? Или сама?

Она пожала плечами. Он рассердился.

— Ну, как хочешь. Все, давай, пока!

— Пока! — тявкнула Лиса.

Он побежал в проходную. Она посмотрела ему вслед, еще раз пожала плечами — на всякий случай, — и медленно пошла вдоль стоянки, заставленной машинами.

Сандро Галицкий долго смотрелся в зеркало, уговаривая себя, что ничего не случилось.

...Сиплого жалко. У него мама такая... хорошая. В прошлом году были на баттле в Рязани, Сиплый их познакомил. Отца нет, конечно. Отцы у всех ровесников поумирали или их вовсе не было. Кажется, у Сиплого как раз вовсе не было!..

Ужасно все время чувствовать себя подозреваемым, а Мишаков горло готов ему перервать — уверен, что в обеих смертях виноват рэпер PapaDon'tozz. И брат его тоже виноват!..

Никто не виноват — ни он сам, ни брат, но кто-то проделывает все эти... штуки. И ему, Сандро, придется разбираться. Конечно, лучше бы Ник разобрался! Нику все равно делать нечего, протирает штаны в своем научном институте!..

...Никуша, проверь у Сандрика домашнюю работу. Коля, скажи родителям, что Саша в этой четверти получил по химии три двойки подряд, а исправлять и не думает. Николай, зайди к завучу, он отобрал у твоего брата дневник за то, что тот курил в уборной, и отнеси отцу. Без подписи отца в школу лучше не возвращайтесь!..

Так было всегда, и это очень... удобно. Куда удобней, чем заниматься жизненной скучищей самостоятельно!.. Ну, он, Сандро, забывчивый, рассеянный, стихи пишет, за девушками ухаживает, ну, не может он химию сдавать и дневник заполнять!.. И во взрослой жизни точно так же. Счета, паспорта, билеты, квитанции, оформления недвижимости, автомобилей и прочая ерунда Сандро не интересовали. Всегда были специальные люди, которые всем этим как-то занимались, уж как именно, Сандро никогда не думал. Самое главное — жить интересно и на полную катушку, а разве можно жить на полную катушку в очереди за страховым полисом, например?..

С наследством и убийством Милютина получилось так, что заниматься этим придется самому или по привычке переложить все на брата.

Но это же... нехорошо?..

Сандро посмотрел на себя в зеркало.

Там отразилась бритая голова и лицо — вполне хорошее. Ухоженное, довольно худое — лицо должно быть худым, как и все остальное, — слегка загорелое, узнаваемое и любимое миллионами поклонников.

— Про миллионы это уж ты загнул, — сказал Сандро своему отражению, но отражение уверенно подтвердило — именно миллионы!..

ПараDon'tozz посмотрел так и сяк. Ну, небрит немного, это ему идет, кроме того, модно! Под глазами синяки, вполне укладывающиеся в концепцию. Концепция сейчас такая, что он гонимый. Его преследуют власти, кстати сказать, совершенно по-свински, незаконно, и вообще тридцать седьмой год вернулся! В Европе бы за такое дело суд с полиции миллионы стряс — неустойки, моральный вред, всякое такое!

Может, в правозащитники податься? А что? Рэп-культура как раз для таких, как он, Сандро, то есть преследуемых и угнетенных! Вон Тупака в мелкий винегрет покрошили из автоматов за то, что он правду говорил!..

— Ну, ты даешь, — сказал Сандро своему отражению в зеркале.

Нужно собираться и что-то делать. Не очень понятно, что именно, но... нужно.

Сандро походил по роскошному номеру. В отель «Марриотт» его под утро привез Глебов, оформил номер на себя, даже со своей карточки заплатил! Завтрак велел заказать в комнату и в тот момент, когда принесут, закрыться в ванной.

Завтракать Сандро не хотелось.

Он позвонил Маргарите, велел сегодня на работу не приходить, и делать опять стало нечего.

Про Авдотью Андреевну и ее обещание съездить с ним в отделение он вспомнил не сразу. А вспомнивши, возликовал!.. Ну, конечно!.. Сейчас он напросится к ней, а там как пойдет, может, в отделение, а может... еще куда-нибудь. Можно в парк или в ресторан, в клубешник какой-нибудь!..

Кажется, она удивилась, услышав в трубке его голос, и некоторое время пришлось убеждать ее в том, что это действительно он.

— Ну хорошо, — согласилась она, когда он в пятнадцатый раз сказал, что сейчас заедет. — Вы один или с братом?

Сандро не понял, при чем тут брат. Разумеется, он приедет один. Ему очень нужно.

— Це два аш пять о аш, я поглощаю гуляш, — бормотал Сандро, напяливая толстовку, — смит-вессон заправлен в патронташ, он ощущает кураж, он будет бить наотмашь!..

Ударение в последнем слове получалось не туда, но так даже лучше!..

Он нацепил глебовские темные очки, накинул и скинул капюшон, притопнул ногой, сделал движение рукой, как положено настоящему рэперу.

Все хорошо и отлично, вот только Сиплого жалко!.. Чем он виноват, перед кем? За что его убили?..

ПараDon'tozz выскочил на улицу, зыркнул по сторонам — журналистов не было видно, — и нырнул в длинный отельный лимузин, поджидавший его у подъезда. Лимузин он догадался заказать, как только Авдотья Андреевна согласилась на свидание, не тащиться же на тачке или в метро!..

Тут он вспомнил, что брат вчера забрал с собой Лису — смешная деваха, — и куда она теперь делась, непонятно. Сандро не знал ни ее телефона, ни адреса и вообще представления не имел, кто она такая и как попала в его дом. Вроде Сиплый привел, а может, и не он!.. Тут Сандро быстро уговорил себя, что за постороннюю деваху он уж точно не отвечает. Найдется, никуда не денется. Лишь бы в полицию не загребли! Наговорит там чего-нибудь... ненужного. Лишнего чего-нибудь. Сандро частенько позволял себе лишнего!..

В тихом и чистом Подколокольном переулке пахло липами и дождем, пролившимся под утро. Сандро с удовольствием вдохнул свежий воздух, велел водителю ждать, с еще большим удовольствием сказал в домофон, что он в седьмую квартиру, там его ждут, и взбежал на третий этаж.

— Вы! — удивилась открывшая ему Авдотья Андреевна. — Я почему-то думала, что это все шутки.

— Никакие не шутки! — поклялся Сандро, улыбаясь своей дивной улыбкой. — Это на самом деле я.

Она была в узких джинсах, короткой футболке, вся такая фигуристая, аппетитная, так бы и укусил за бочок!..

— Я сейчас, — сказала она и куда-то скрылась, а вернулась уже в пиджаке и стала обуваться.

Сандро, не ожидавший такого поворота, рассчитывавший на флирт, кофе, разговоры, посмотрел на ее ноги, а потом перевел взгляд на лицо.

— Что? — спросила Авдотья Андреевна и мельком глянула на себя в зеркало, словно проверяя, все ли в порядке. — Паспорт я взяла — там написано, что в этой квартире живу я, а не какой-то там...

— Селезнев Виктор Павлович, — подсказал обескураженный Сандро. У него была превосходная память, и это очень помогало ему на рэперской почве.

— Вот, не Селезнев, а я!.. Поедем?..

— Подождите, — попросил Сандро серьезно. — Я хотел... с вами увидеться, понимаете?.. Не только ради Селезнева!

Она перестала обуваться.

— Давайте... поговорим? — предложил Сандро и улыбнулся дивной улыбкой.

— О чем? — строго спросила Авдотья Андреевна.

Но его нелегко было сбить с курса.

— Да вот хоть о Селезневе! Он же как-то оказался возле вашей квартиры! И майор, который шьет мне дело, уверен, что здесь живет Селезнев Виктор Павлович! Он же откуда-то это взял, майор!..

Она склонила голову набок и стала еще симпатичней. Сандро умилился.

— Я вам нужна для дела? — уточнила она. — Или для развлечений? Вам сейчас нечем заняться, и вы решили приударить за мной?

Александр Галицкий — не тот, который рэпер ПапаDon'tozz, а тот, который окончил философский факультет, после учился в Оксфорде, старался усердно читать Чосера, но любил все равно Шекспира, — внезапно покраснел как рак. Бритая башка пошла пятнами.

Да ну-у-у, сказал ему рэпер ПапаDon'tozz, ты че разнюнился, чувак?! Ты че, не знаешь правил? Телки, чики, мажорки — они все твои!.. Давай валяй, жми на газ, выйдет полный класс, когда груди атлас, ноги просто атас, е-у!.. Притворись ботаном, сыграй с ней в гляделки, вздохни нежно, прочти чего-нибудь позаковыристей из этого, как его, мать его, Шекспира или Бернса, и она твоя, вечером уже будешь ее трахать! Такие клюют на Бернса и на ботанов, вроде брата Ника!..

— Я решил... приударить, — признался Сандро Галицкий, решительно отстраняя рэпера ПапаDon'tozza. — Нет, помощь мне тоже нужна, это все правда, и про кутузку, и про Селезнева, но сегодня... решил. Хотя я еще вчера решил, даже брату сказал, а сегодня...

— И что брат? — поинтересовалась Авдотья. — Одобрил?

— Что? — не понял Сандро.

— Идею за мной приударить.

— А... я не знаю.

Они помолчали, стоя в полутемной передней, а потом Авдотья Андреевна стала медленно разуваться.

— История такая, — сказала она и посмотрела Сандро в лицо. — Вы мне не нравитесь. Вот совсем. Пожалуй, если бы не ваш брат, я бы вас вчера не пустила на порог. Нет, я вас сразу узнала, конечно, но мне не нравится то, что вы делаете. Совсем. Вообще. Никак.

Рэперу ПападDon'tozzy сто лет никто не говорил ничего подобного. Он был звездой, звездищей, величиной!.. Его везде хотели и встречали воплями, завываниями, рыданиями — от восторга. Рэпер ПападDon'tozz оскорбился.

— При чем тут мой брат? — спросил он злобно.

Авдотья Андреевна пожала плечами.

— Он производит впечатление нормального человека. Проходите. Я сварю вам кофе, поговорим и закроем тему.

Он пошел за ней, как на веревке, хотя самым лучшим было бы немедленно уйти прочь, да еще дверью бабахнуть так, чтобы посыпалась штукатурка, забыть и не вспоминать никогда. Такое унижение!..

— Вы что, слушаете рэп? — начал Сандро, когда они вошли в кухню. — Вы разбираетесь?

— Да ничего я не разбираюсь, — морщась, отвечала Авдотья. — В чем там разбираться-то?! Ну, складываете вы рифмы, кто их только не складывает!.. Хотите сложу? — Она подумала секунду с кофейной чашкой в руке. — Я ждала от него подарков, но когда миновали арку, нам навстречу попалась цыганка в пышном юбочном торжестве. Он подал ей сухую руку, и она нагадала разлуку, и скитанья, и вечную муку в светом тающем божестве.

Сандро Галицкий злобно смотрел на нее.

— Еще хотите? — спросила она. — Я могу! Край березовый, край осинный, след звериный на чистом снегу! Может, ты и скрежещешь сипло, но прожить без тебя не могу!..

— Сипло? — переспросил Сандро.

— Что тут мудреного, объясните мне, — продолжала наступать Авдотья Андреевна. — Где тут искусство? В чем прикол?.. От чего все визжат и валятся в экстазе?

— Помните группу «Ласковый май»?

— Не помню.

— Была такая в конце восьмидесятых. Они тоже пели всякую ерунду, да еще под фанеру, а собирали стадионы. Мало ли кто ерунду поет!.. На меня вы за что взъелись?!

Авдотья коротко и быстро вздохнула.

— Присядьте, что вы торчите, как столб!..

Сандро посторонился, но остался стоять — дедушка Дадиани учил, что сидеть в присутствии женщины можно только в двух случаях: если у тебя отнялись ноги или если она угощает тебя обедом!.. Не все женщины стоили того, чтобы стоять в их присутствии, пожалуй, большинство не стоило, но эта!..

Эта стоила.

— Я взъелась, как вы изволите выражаться, потому что вы образованный человек. Я прочитала вашу биографию!.. Честное слово!.. Университет, красный диплом, затем, кажется, еще и Кембридж...

— Оксфорд.

— Ну, Оксфорд. И потом — вы взрослый! Можно даже сказать — пожилой! Вам сколько?

— Тридцать пять.

— Все это такая стыдоба, — вдруг заключила Авдотья. — Ладно, подростки, недоумки!.. А вы!..

— Рэп — это голос улицы, — заявил Сандро. — Это самовыражение. Социальный протест.

— Ну конечно! — язвительно согласилась хозяйка. — Вы за что бьетесь-то, ПараDon'tozz? За свободу черных кварталов? За равноправие выходцев с Ямайки? И какой у вас может быть социальный протест?! Вы благополучный московский мальчик! Ну, сейчас уже дяденька, конечно!..

Они помолчали. Кофе едва слышно шипел в кованой турке, лопались пузырьки, и пахло изумительно.

Вот тебе и развлечение, уныло подумал Сандро. Хотел приударить за понравившейся девушкой, а нарвался на моралитэ!..

— А почему вы решили, — вздохнул он, помолчав, — что я должен перед вами оправдываться?..

— Боже сохрани, я ничего такого не решала! Вы спросили, почему вы мне не нравитесь, я объяснила. Вы сытый, благополучный, ухоженный, дорогостоящий лгун. Вы лжете вашей аудитории, лжете на телевидении. Я не люблю вранья.

— На телевидении глупо говорить правду, это не исповедальня. Артисты вообще все врут, — сообщил Сандро. — Лоуренс Оливье только прикидывался Гамлетом, а на самом деле он ведь никакой не Гамлет...

Тут она улыбнулась — образованный, черт возьми!.. — и предложила:

— Выпейте кофе.

Он уселся — чашка на столе позволяла сесть, — и сказал:

— Я собирался на вас жениться.

— Ничего не выйдет, — тут же ответила она.

...Ну, это мы еще посмотрим, подумал он, а вслух сказал:

— Отринем искусство! Ну его совсем. Займемся нашими криминальными делами. Вы со мной в отделение все же съездите? Чтобы меня не посадили обратно, хотя я понимаю, что такой расклад вас вполне устроит.

— Съезжу, — сказала Авдотья Андреевна.

Ей вдруг стало неловко за то, что она так на него напала. Ни рэп, ни рэпер ПараDon'tozz по-настоящему интересовать ее не могут!.. Да и в конце концов все имеют право на самовыражение, особенно в современном обществе, где это самое выражение стало основой бытия любого человеческого существа!.. Существо жаждет самовыражаться и самовыражается изо всех сил. Никого не волнуют глупости вроде образования, работы над собой, совершенствования и укрощения себя!.. Каждая особь уникальна, имеет право о своей уникальности не просто заявить, а прямо-таки крикнуть, плюнуть уникальностью в лицо остальному миру!.. Для самовыражения пригодно все, в том числе и физиологическое!.. Бородатая женщина, человек-собака, девушка, пришившая себе третью грудь — миллионы просмотров, фолловеров, поклонников, самые жаркие обсуждения! Дуэль ПараDon'tozza и Сиплого, драка депутатов, тесты ДНК, ради которых проводят эксгумацию умерших десятилетия назад знаменитостей, разводы звезд, кража друг у друга детей — миллионы просмотров, жаркие обсуждения, терабайты «мнений»! «А я считаю, она права, что подала на мужа в суд за сексуальные домогательства!» «А я считаю, что такие, как она, сами во всем виноваты, потому что шлюхи!» «А я считаю!..»

Авдотья Андреевна только что тоже позволила себе «высказать мнение», а кто она такая, чтобы судить о том, чего совсем не знает?!

Впрочем, не извиняться же теперь перед этим самоуверенным типом! Жениться он на ней собрался, видите ли!..

— Моя мама, — сказал Сандро, прихлебывая огненный кофе, — тоже ничего не понимает в рэпе. Но она не сердится, а... смеется.

— С чего вы взяли, что я сержусь?!

— Она говорит, что мы сборище великовозрастных охламонов, которые не хотят взрослеть. Что всем нашим протестам грош цена, потому что по сути протест единственный — мы протестуем против ответственности. Она говорит: именно поэтому ни один из вас до сих пор не женат!..

— Ваша мама, по всей видимости, умный человек.

— Исключительно! — воскликнул Сандро на манер дедушки Дадиани и улыбнулся дивной улыбкой. — Она узнала, что мы с Нико попали в переделку, но нисколько не запаниковала, представляете. Она сказала, что абсолютно в нас уверена.

Авдотья смотрела на него, и он несколько сбился с тона.

— Мне бы не хотелось ее подвести.

— Вот это я как раз понимаю, — согласилась хозяйка.

Они синхронно отпили кофе.

— А кто к вам приходит? — вдруг спросил Сандро светским тоном. — Нет, не в том смысле!.. Может, водопроводчик? Или дальний родственник? Может, сосед регулярно захаживает за солью? Селезнев Виктор Павлович откуда-то же взялся! И почему-то намеревался зайти именно в вашу квартиру!

— Я не знаю никакого Виктора Павловича, я же говорила! И никто ко мне не приходит!.. Нет, ну, приезжали недавно ребята из интернет-конторы, меняли роутер.

— На интернетчика он не похож.

— А на кого он похож?..

Сандро подумал немного.

— У вас есть старый плащ? Любой! Или пиджак?

Она подумала.

— Если только дедушкин.

— Тащите!

Ей стало любопытно, он голову мог дать на отсечение!..

...Не нравлюсь я тебе, да?.. Раздражает тебя моя известность на пустом месте? С таким как я — никогда и ни за что?

Авдотья принесла желтое сооружение с синей подкладкой и обшлагами. Оно плохо гнулось, торчало острыми углами.

— Вот. Что вы хотите делать?

Сандро взял плащ, оглядел со всех сторон, встряхнул и напялил. Он был ему коротковат. Авдотья смотрела с интересом. Сандро еще подвернул рукава, вытянул шею, повел ею из стороны в сторону, вытащил стул, уселся на самый край и заголосил дурашливым голосом, показывая на Авдотью скрюченным пальцем:

— Вот этот самый, товарищ майор, вот он и есть! Его я видел в ночь с двенадцатого на тринадцатое апреля, выглянувши из своей кватиры, привлеченный подозрительными шумными звуками!

Рот у Авдотьи чуть-чуть приоткрылся.

— Какую хотите бумагу подпишу, он это, я еще подумал, на артиста похож из телевидения, а он вон что! Он по ночам безобидных граждан соседей зверски избивает!...

— Прекратите, — попросила Авдотья. Сандро показалось, что она напугана. — Сейчас же!..

Он быстро встал со стула и скинул плащ.

— Что такое? — на всякий случай спросил он.

Хозяйка достала из холодильника пузатую зеленую бутылочку, отвинтила крышку и принялась пить прямо из горлышка.

— Хотите? — спросила она, отдышавшись. — Минеральной воды? Там еще бутылка есть.

— Что случилось?

Она еще немного попила, снова перевела дыхание и сказала:

— Ничего не случилось. Просто я знаю человека, которого вы показали.

Сандро, не ожидавший ничего подобного, вытащил у нее из рук бутылку, допил, икнул и спросил:

— Как... знаете?

— Если он именно такой, как вы показали...

— Именно такой.

— ... то это наш полотер дядя Витася.

И они уставились друг на друга.

— Ну да, — словно сама себе сказала Авдотья. — Это он и есть. И говорит похоже, и рукой похоже делает, и пальцы у него артритные! Послушайте, вы... артист, что ли?

— Вы давно его знаете, этого дядю?

Она пожала плечами.

— Да всю жизнь! Он мне по наследству достался от дедушки с бабушкой. Да он во всех квартирах полы натирает, где паркет сохранился!.. Такие паркеты, как в этом доме, чистить непросто...

Сандро пытался из разрозненных деталей сложить картину.

Значит, Ник в свой первый приход сюда застал у дверей квартиры номер семь, вот этой самой, полотера. Полотер почему-то сказал ему, что живет здесь, а не приходит натирать полы, после чего позвонил в полицию и набрехал, что видел Сандро в ночь убийства.

...Нелепица какая-то. Просто полная и окончательная нелепица!..

— Как его фамилия, вашего полотера?

Авдотья посмотрела на Сандро.

— Я не знаю, — призналась она. — Я помню его с детства. Он всегда приходил перед праздниками — Новый год, Пасха, Троица и Покров. Так бабушка говорила, а дед говорил — к Первомаю, ко дню пролетарской революции!.. Мне и в голову не приходило спрашивать его фамилию...

— А где он живет?

Она пожала плечами.

— Хорошо, телефон. У вас наверняка есть его телефон! — настаивал Сандро.

Авдотья подумала, вышла и вернулась со старинной записной книжкой, пухлой и немного засаленной, и стала ее листать.

— Здесь у бабушки записаны все номера — портних, маникюрш, магазинов. Вот «Ковры» на Ленинском. Вот сторож из садоводства «Наука». Так, полотер, полотер... Вот он! Дядя Витася и номер!..

— Дядя Витася, — пробормотал Сандро.

Номер был городской, не мобильный. Очевидно, дядя Витася жил по старинке.

— Как вы его вызываете?

Авдотья пришла в раздражение.

— Звоню вот по этому номеру!.. Если забываю, он сам мне звонит!

— Когда в последний раз звонил?

— Да не помню я, что вы привязались?

— Я не привязался, — сказал Сандро. — Может, у него есть еще мобильный номер? И он записан в вашем телефоне?

Она отрицательно покачала головой, но потом все же взяла телефон, лежавший на полке, и пролистала записи.

— Нет, нет. Я всегда беру бабушкину книжку и набираю! А когда он сам звонит, определяется какой-то номер, я разговариваю, но номер не сохраняю.

Сандро никогда не отвечал на звонки с неизвестных номеров и мельком удивился, зачем же Авдотья отвечает, а вдруг звонят журналисты или какие-нибудь сумасшедшие поклонники, или, наоборот, хейтеры?..[1]

— И Милютину он тоже натирал паркет?

— Ну да.

— Так может, он его и прикончил?!

Авдотья посмотрела на него, кажется, с отвращением.

---

[1] Х е й т е р ы — недоброжелатели, ненавистники (*сленг*).

— Что вы несете, ей-богу!.. Дядя Витася ходит в этот дом десятилетиями! И вдруг — бац! — дай, думает, убью хозяина квартиры, посмотрю, что из этого выйдет!..

— А зачем он меня подставил?

— Меня это не касается, — отрезала она.

ПараDon'tozz открыл было рот, чтоб обматерить девчонку как следует, чтобы не смела так с ним разговаривать, но Сандро Галицкий заткнул ему пасть.

— Можно? — И он взял со стола пухлую записную книжку.

На линованной странице выцветшими фиолетовыми чернилами было старательно записано «Пароходство», в скобках «московское» и номер, затем «Промтовары», в скобках «на Лесной» и тоже номер, потом «Полотер», в скобках «дядя Витася», ну, и номер, разумеется.

Сандро подумал немного. Если он позвонит и этот самый дядя возьмет трубку, что он ему скажет? Вызовет сюда? Сандро покосился на Авдотью. Кем бы ни был этот человек, он опасен, ведет какую-то игру, и вызывать его сюда не стоит! Да и тот может заподозрить неладное, мало ли что взбредет ему в голову!..

И Сандро позвонил Глебову.

Он продиктовал ему номер и спросил, реально ли по номеру установить адрес. Глебов сердито ответил, что реально, и поинтересовался, чем именно в данную минуту занят его драгоценный клиент.

Сандро понял, что сейчас последует выволочка, а выволочки ему уже надоели.

— Павел, найди адрес и пришли мне на мобилу, — велел он. — Я тебе потом все объясню.

— Ты где, лишенец? — спросил Глебов. — Ты что, уехал из отеля?!

— Я в Подколокольном переулке, — быстро ответил Сандро. — Давай, я жду!

И нажал кнопку, пока адвокат набирал в грудь воздух.

Сандро аккуратно вернул на стол пухлую записную книжку с фиолетовыми записями и сказал Авдотье:

— Вчера вечером в моей квартире был убит мой... друг. Мы приехали из Луцино от мамы и нашли его. — Обеими руками он крепко потер бритую голову. Волосы отросли за эти дни и кололись. — Он был одет в мои шмотки. Он иногда подолгу у меня живет и носит мою одежду. И я все время думаю, что должны были убить меня.

Авдотья Андреевна смотрела на него, не отрываясь.

— Дело не в том, что я боюсь, — продолжал Сандро. — Дело в том, что мне стыдно. Я его подвел. Он погиб, понимаете?.. Он погиб только потому, что я влип в какую-то историю! Его убили по ошибке. А у него мама в Рязани.

Он еще потер голову.

— И вот что мне теперь делать?

Авдотья сделала движение, словно собираясь взять его за руку.

— Вы как будто сюжет фильма рассказываете, — произнесла она тихо. — В жизни так не бывает.

— Вот именно, — согласился Сандро. — И если мы с братом не разберемся в этой истории, никто не разберется!.. А у нас тоже мама.

— Я уже пообещала вам помочь, — сердито сказала Авдотья. Ей было жалко Сандро и того неизвестного парня, убитого вчера по ошибке, и от жалости она сердилась. Она всегда сердилась от жалости!.. — Что еще от меня требуется?..

— Ничего, — Сандро улыбнулся. — Ничего не требуется, если вы все еще не решили выйти за меня замуж. Если решили, потребуется подвенечное платье и много всего!

— Не решила, — так же сердито отказалась Авдотья. — Да что с вами такое?! У вас в доме человека убили, вы землю должны рыть, чтобы разобраться, а вы болтаете всякие глупости!..

— Я не болтаю глупости. — Его телефон тренькнул, пришло сообщение от Глебова, он стал читать. — Я посвящаю вас в свои планы.

— Дурак, — пробормотала Авдотья сквозь зубы.

Он не расслышал.

— Адрес есть! Пожалуй, я съезжу.

Он допил из чашки холодный кофе и поднялся.

— Я вам позвоню, если можно. Завтра можно?

— Я занята до вечера.

— Тогда послезавтра.

— Что вы будете делать, если по этом адресу, — она кивнула на телефон, — действительно живет дядя Витася?

Сандро пожал плечами.

— Не знаю, я еще не придумал.

— О-очень хорошо, — похвалила Авдотья Андреевна. — Отлично! Вы большой молодец!..

Она тоже поднялась, наставила на него палец и сказала грозно:

— Я поеду с вами. Только не выдумывайте никакой ерунды!.. Вы тут ни при чем, и ваша слава ни при чем, я просто помогаю разобраться в ситуации. Если это действительно он, я скажу ему, что мне нужно привести в порядок паркет. А вы будете наблюдать из укрытия, как в детективах!..

— А откуда у вас взялся адрес? Если он это спросит?

— Из записной книжки, — сказала Авдотья с невыносимым превосходством. — Полотер уж точно не знает, что записано в книжке моей бабушки!.. Вы на машине?

— На машине, — признался Сандро. — Но она вам не понравится.

— А что с ней такое? — заинтересовалась Авдотья и даже перестала натягивать кроссовку.

— Она... лимузин, — объяснил Сандро. — Внутри шофер в фуражке.

— Ну, вы даете, — проговорила Авдотья Андреевна презрительно. — Голос улиц! Социальный протест!.. Все чуваки друг другу братья, так?

Сандро помалкивал.

— Поехали, — распорядилась Авдотья.

— Можно я буду называть вас Дуней?

— Нет, — отрезала она.

Ник Галицкий запихивал в портфель бумаги и плечом держал телефонную трубку на витом желтом шнуре. В трубке басовито и солидно гудело.

Замечено, между прочим, что в старых телефонных аппаратах какой-то солидный, просторный, словно многообещающий гудок!.. После такого гудка следует говорить нечто важное, а не просто... болтать ерунду.

— Тетя Вера, — очень серьезно заговорил Ник после солидного гудка, — здравствуйте. Можно мне к вам сейчас заехать? Я выезжаю с работы. Ну, через час, наверное, может быть, через полтора. Помните, мы говорили про письма?..

Тетя Вера долго отнекивалась, говорила, что плохо себя чувствует, что после дождя у нее голова трещит, в общем, не до него. Но в конце концов кое-как согласилась.

Ник добавил в портфель еще бумаг. Это была распечатка файла, присланного из Новосибирска. Где-то там, внутри этого файла, кроется ошибка, и Ник должен ее найти. Он знал, что заниматься ему скорее всего будет некогда, но бумаги в портфеле успокаивали, в них была настоящая правда настоящей жизни — не сиюминутной, мутной и криминальной, а его личной, нормальной, всегдашней жизни, которую он любил!

Ник вышел из кабинета, как всегда, по вечерам, оставив обе двери нараспашку.

Секретарша отделения Марина Ивановна с чайником и чашками в руках застыла перед телевизором, словно превращенная в соляной столб. Из чашки торчала желтая мочалка — видимо, секретарша собиралась посуду помыть, но по дороге на нее напал столбняк.

— ...знаменитый рэпер, оказавшийся втянутым в череду криминальных происшествий, — тревожным голосом говорила молодая ведущая. — Несколько дней назад он был задержан, но отпущен под подписку о невыезде. Точно не известно, но возможно, что ПапаDon'tozz подозревается в причастности к убийству. Вчера в его квартире вновь побывали следователи.

Теперь и Ник замер — камера показывала квартиру Сандро, знакомые стены, стойки и портреты, и самого брата, и его адвоката! Тело на полу не показывали, оно было словно замазано чем-то, очевидно, так полагалось по телевизионным правилам.

— Юрий Сипов, известный под именем Сиплый, восходящая звезда хип-хопа, был найден мертвым в квартире ПапаDon'tozza. По слухам они дружили, но были соперниками и конкурентами в области так популярных сегодня рэп-баттлов. Прессе пока не сообщали, что именно произошло вчера вечером — несчастный случай или умышленное убийство, известно только, что после нескольких часов в отделении полиции ПапаDon'tozz был вновь отпущен на свободу. О дальнейшем развитии событий мы будем сообщать нашим телезрителям по мере поступления информации.

Марина Ивановна все стояла неподвижно, хотя ведущая перешла к другим ужасным событиям.

Ник подошел и взял секретаршу за плечо.

— Господи, помилуй! — вскрикнула та, уронив чашки. Они глухо стукнулись о ковер, покатились, но не разбились.

Ник поднял чашки и сунул в одну из них вывалившуюся мочалку.

— Коля, — дрожащим голосом сказала Марина Ивановна. — Это что такое делается, а?.. Что там твой брат натворил? Ты в курсе?

— Ничего не натворил, — ответил Ник. — Я в курсе.

— Да вон ведь что говорят-то! И показывают его!

— Мало ли что говорят, — сквозь зубы пробормотал Ник. — Сандро никого не убивал, я вам клянусь! Мы вчера весь день были вместе! И с нами полно других людей, свидетелей!

Марина Ивановна поглубже затолкала мочалку в чашку.

— Конечно, — сказала она мочалке, — ради родного брата чего только не придумаешь... А ты уже уезжаешь, Коля?

— Я ничего не придумываю. Я говорю правду.

Секретарша посмотрела на него с сочувствием.

Сегодня в институте про него только и разговору!.. И какого разговору!.. Умом не осознаешь, в голову не вместишь!.. Утром приехала Ирочка из международного отдела, мимо кабинета пулей пролетела, даже головы не повернула, чтобы поздороваться!.. Марину Ивановну аж изумление взяло. А часа через полтора прибежала Виктория Степановна из бухгалтерии, и вон что оказалось!.. Оказалось, что Ирочка утром поехала к Коле — говорит, что по делам, хотя знаем мы, какие у нее там дела, весь институт знает!.. Они уж вон сколько времени вместе спят, только не женится он на ней, и все тут! Хотя девка хорошая — и умная, и красивая, и карьерная, и стервозности в ней немного! Детей, правда, двое, но что дети?.. Детей небось бабка с дедкой растят, так и вырастят, а у них, у молодых, свой ребеночек должен быть, общий. Ну, утром она к нему, стало быть, приехала. А та-а-ам!.. На этом месте рассказчица Виктория Степановна схватилась за пухлую щеку, а Марина Ивановна замерла от ужасного, но сладостного предчувствия. А та-а-ам наш Николай Михайлович, начальник отделения, член профсоюза и человек с виду положительный, предается оргии с... проституткой!.. С самой натуральной проституткой! Ира ее как следует разглядела!.. Совсем молоденькая, а уже, видать, испорченная вконец! И где он такую лахудру подобрал только!.. В общем, застала она их. Ну, конечно, проститутку Ирочка с лестницы спустила, а Николаю Михайловичу рожу расцарапала и сцену закатила, только что толку теперь сцены закатывать, что было, то было, своими глазами ведь видела безобразие-то!.. И что дальше будет, неизвестно. И как теперь они, тоже непонятно. После заявился сам — на вид как всегда, ну, хмурый немножко. На роже никаких следов не заметно, может, замаскировал чем-то? Его брат с утра до ночи торчит в телевизоре, должно быть, у него полно всяких средств маскировки-то!.. Но сколько Марина Ивановна ни вглядывалась — и вплотную подходила с бумагами, издалека тоже смотрела, так ничего и не высмотрела. В «чайной комнате» никто чай не пил, только обсуждали!.. Михаил Наумович плюнул да ушел к себе. Зато Аркадий Бучеров объяснил, что посредством этого самого рэпа, или как он там зовется, происходит зомбирование населения западными врагами! Николай Михайлович давно зомбирован и вроде как отчета себе не отдает!.. Но Марина Ивановна сомневалась. Все они, мужики, одним миром мазаны, ни один отчета себе не отдает!.. Все, видать, зомбированные от рождения, и рэп тут ни при чем. Но чтобы до такого дошло — с проституткой выкрутасничать, — это уж ни в какие ворота!.. А потом «Новости» начались, оказалось, что у братца-то рыло еще похуже в пуху!.. Виктория Степановна опять прибегала, рассказывала, после обеда Марина Ивановна у себя в приемной телевизор включила, едва дождалась криминальной сводки!.. Тут все и показали!.. Дыма-то без огня не бывает, нечисто там у них, у братьев Галицких, во что-то они вляпались, и проститутка эта неспроста!..

— Что вы на меня так смотрите? — неприязненно спросил Ник секретаршу.

Она спохватилась:

— Езжай, езжай, Коля. До завтра!

Ник кивнул и вышел в коридор.

Возле женского туалета толпились сотрудницы, с той стороны неслось нестройное, тревожное гудение — все на его счет.

Он прошел мимо, не поворачивая головы, только шея под рубахой вспотела.

— До свидания, Николай Михайлович! — пискнули оттуда.

— До свидания, — проскрежетал Ник.

По территории он почти бежал, лишь бы никого не встретить! Прошел дождь, сильно похолодало, как бывает только весной, он мерз и все ускорял и ускорял шаг. Нужно было утром хоть пиджак захватить, но утром было так тепло, что ему и в голову не пришло!..

Он миновал проходную, выскочил на стоянку и стал вспоминать, где именно оставил машину. Ему казалось, что он заезжал на эту стоянку год или два назад — столько всего случилось в последнее время.

— Как ты долго там торчал, за забором, — раздался рядом с ним недовольный голос, — что ты там делаешь, на своей работе? Спишь?

Не веря своим ушам, Ник повернулся.

И не поверил своим глазам.

Хорошо бы, конечно, глаза и уши его обманывали, но они не обманывали.

Лиса, вся какая-то скрюченная, с красным носом приплясывала прямо перед ним.

Ник совсем не знал, что сказать, и поэтому спросил:

— Почему ты скачешь?

— Я греюсь.

— Ты что, не уехала домой?!

Она покрутила головой.

— Открывай скорей точилу, холодно мне!..

Ник спохватился, открыл машину и запустил двигатель. Лиса сразу же включила печку и припала мокрым холодным носом к отопительной решетке. Воздух бил ей прямо в лицо, разлетались легкие волосы.

— Сейчас поток, — проинформировал Ник, — уличной температуры. Он не нагреется, пока не нагреется двигатель.

— Все равно здесь теплее, — стуча зубами, выговорила Лиса.

— Почему ты домой не поехала?!

— Я решила тебя ждать.

— Зачем?!

— Зачем, зачем!.. Затем.

...Сначала было еще ничего, хотя сторож из будки чем дальше, тем подозрительней на нее поглядывал, а потом вышел и уставился. Она ушла со стоянки на лавочку, но оттуда плоховато было видно ворота проходной, Ник мог выскочить и пробежать, а она его не заметит! Тогда она стала ходить по тротуару туда-сюда. Ходила-ходила, ноги устали ужасно!.. С детства у нее было плоскостопие, и от долгой ходьбы в стопе что-то случалось, словно все мышцы перекручивались и запутывались. Подошва постепенно начинала гореть и наливаться болью, ноги становились неподъемными, каменными, каждый шаг давался с усилием. Она вернулась было на лавочку, но тут вдруг налетел дождь. Он упал с неба без всякого разгона — зашумел, полил!.. Поблизости не было ни магазинов, ни кафе, чтобы можно укрыться, и Лиса забилась под железную крышу какого-то давно закрытого шиномонтажа. Крыша почти не спасала, и она вымокла, а потом промерзла, потому что как-то сразу сильно похолодало. Белые джинсы снизу были все заляпаны грязью, белая курточка совсем промокла, хоть выжимай, и под футболкой по спине словно вода струилась! А Ник все не выходил!.. Она решила бегать, чтобы немного согреться, но тяжелые плоскостопные ноги бегать отказывались. В этот момент она почти отчаялась. Вот если он не выйдет через десять минут, уеду, сказала она себе. Десять минут прошли, она назначила еще десять. И потом самые последние десять! Ну, невыносимо было — холодно, голодно, ногам больно! И в эти последние десять минут Ник вышел. Она так обрадовалась, что чуть было не бросилась его обнимать. Но сдержалась. Она же не дура какая-нибудь, чтобы самой, первой, бросаться на шею мужчине!..

Ник включил подогрев сиденья, поставил печку на тридцать градусов, постучал кулаком по торпедо.

— А в дождь ты где была?

— Вон там, — она показала подбородком. — Под той железкой.

— То есть ты вся мокрая.

Она кивнула.

— Значит, я тебя сейчас же везу домой.

Она замотала головой.

Ник заподозрил неладное.

— Ты мне можешь объяснить, в чем дело? — спросил он серьезно. — Почему ты тут торчишь весь день, почему не поехала домой? Или ты бездомная?

— Я сдомная, то есть с домом, — сказала Лиса. — Только я не хочу домой. И не поеду. И не приставай ко мне.

— Юля, — угрожающе сказал Ник, и она уставилась на него в изумлении. — Я взрослый человек. Пока ты со мной, я за тебя отвечаю. Объясни мне, что происходит. Почему ты меня караулишь. У тебя что, денег нет?

— Полно, — заверила его Лиса-Юля. — Нет, правда полно! Показать?

Ник неожиданно велел показать. Она полезла в сумчонку, пальцы у нее сильно тряслись от холода, и достала кошелек. Ник заглянул. В кошельке были купюры — солидная пачечка, пара банковских карт, множество магазинных карточек.

— Деньги есть, — констатировал Ник. — Почему ты не взяла такси и не уехала?

— Я хотела с тобой, — проскулила Лиса.

— Да что ты будешь делать, а?!

— Правда! — продолжала скулить она. — Ну, Ни-ик! Ты же ничего не понимаешь! Ты не понимаешь! Просто я хочу с тобой!.. Можно мне с тобой?..

Он молчал.

Она стянула кроссовки, по-обезьяньи задрала ногу и сунула ее в решетку отопителя. И зажмурилась от счастья:

— У-у-у, как тепло, как хорошо...

Ник потянулся и пощупал ее обувку. Ну, конечно, все мокрое! В багажнике у него был плед, он его подстилал, когда возил... волкодава Сеню на прививки. Плед немного вонял и был весь в шерсти.

Ник вышел из машины — Лиса встревоженно проводила его глазами, перестав растирать ногу, — достал плед, несколько раз хорошенько его встряхнул, совершенно бесполезно, сел на место и сунул его ей.

— На. Он хотя бы сухой.

Лиса моментально обмоталась собачьим пледом.

— И есть хочется, — протявкала она жалобно. — Страшно хочется есть, ты понимаешь!.. Раньше я как-то никогда не хотела есть и вообще удивлялась, как это люди хотят!.. Ну вот как это? Тут что-нибудь проглотила, там откусила, и нормально же! А сейчас просто ужас, как хочу!..

— У тебя же есть деньги, — сказал Ник, — пошла бы куда-нибудь да поела.

— Куда пошла! Я бы тебя упустила.

Нет, он ничего не понимал. Совсем ничего.

Он сел на водительское место, всерьез раздумывая, что теперь делать. Вышвырнуть ее из машины он не может — жалко. Везти к тете — бред. Куда девать потом — тоже загадка. Опять везти к себе?! От этой мысли Нику стало... нехорошо. Второй раз спать с ней в братско-сестринских объятиях?!

— Юля, — начал Ник, рассердившись из-за братско-сестринских объятий, но она живо перебила:

— Не называй ты меня этим именем дебильным! Я Лиса. Лиса Джунипер!..

И ловко задрала вторую ногу. Теперь она сидела, как йог-эксцентрик во время представления бродячего цирка.

— Тебя не ждут дома?

— Не-а.

— Ты поссорилась с родителями?

— Не-а.

— Тебя будут искать, ты что, не понимаешь?!

— Не-а! В смысле, понимаю, что не будут. Поедем уже, а?

— К моей тете? — осведомился Ник. — Поедем?

— А... в которую все были влюблены, и Слава Зайцев бился, чтобы она выступала у него на подиуме? Поедем, она прикольная!

Ник почесал переносицу. Вот что теперь делать, а?.. Позвонить Сандро, велеть, чтобы забирал девчонку?.. Сказать, что он, Ник, не знает, куда ее девать?!

Он тронул машину и стал не торопясь выбираться со стоянки. И вправду нужно уезжать. Сейчас окончится рабочий день, сотрудники и коллеги валом повалят по домам, а тут он в машине с Лисой!..

— Что мы знаем о лисе? — сам у себя спросил Ник. — Ничего, и то не все.

Девчонка покатилась со смеху.

— Это ты сам сочинил?

— Это не я сочинил.

— А тетя правда прикольная. — Лиса, совершенно успокоившись, что ее не вышвырнут из машины, уселась поудобнее, подоткнула пованивающий плед и стала энергично растирать стопу. — Как ты думаешь, она даст нам поесть?

— Это вряд ли, — честно сказал Ник. — Она не по этой части.

— А по какой?

Ник пожал плечами:

— Она любит... разговоры. Исключительно про нее саму. Любит, чтобы за ней все ухаживали. Не только сын, но и племянники, то есть мы. И сестра, то есть наша мама, — тут он улыбнулся. — Мы с Сандро ухаживаем плохо, и тетка всегда устраивает нам проработки.

— Ваша мама — первый сорт! — одобрила Лиса. — Главное, красивая. Я не знала, что старые могут быть красивыми, думала, старые все уродины.

Ник взглянул на нее и понял, что девчонка таким образом сказала комплимент, а вовсе не оскорбила!.. Ему стало смешно.

— А твоя бабушка? — спросил он. — Ты же рассказывала про бабушку! Она тоже уродина?

— Она давно умерла. А в молодости была красивоой! Невозможно! В нее все влюблялись.

— Как в нашу тетю.

— Да не, в бабушку по серьезке!.. Я тоже в молодости хотела быть красивой, а потом стало ясно, что ничего не выйдет, и я расхотела.

Ник включил поворотник, встраиваясь в поток. Он улыбался и не хотел, чтобы Лиса это заметила.

— Но я не расстроилась, — продолжала та бодро. Держа ноги на весу, она попеременно совала то одну, то другую в решетку, из которой несло теплом. — Из-за того, что некрасивая!.. Сейчас быть красивой — пошлость. Сейчас нужно быть уродиной!.. И тогда на тебя все обратят внимание!

Ник хрюкнул. Пока еще ему удавалось не засмеяться, но держался он из последних сил.

— Не, а что? — продолжала рассуждать его удивительная спутница. — Ведь самое главное, чтобы модно!.. Взять, к примеру, уши. Если они огромные, как у летучей мыши, — это хорошо, их можно еще больше оттопырить, и это будет твоя фишка. Или грудь. Раньше считалось, если ее нет, это значит плохо! А сейчас себе титьки пришивают только официантки и старухи из телевизора! — Лиса фыркнула. — Ты телевизор смотришь? Я как-то посмотрела, чесслово! Ток-шоу показывали, то есть говорильное представление! Так там на диванах сплошь старухи высажены с пришитыми титьками! Представляешь?! Я прям от смеха чуть не умерла! Ей лет сорок уже, а у нее во-от такенная грудь и еще губы!.. Старым кажется, что это модно! Что на них будут клевать!..

— А что? — спросил Ник, морщась и почесывая нос. — Не клюют?

— Не-а, — отозвалась Лиса. — Ну, в тусовке не клюют, продвинутые! А че там хозяевам рынка стройматериалов нравится, это я не в курсе. Может, как раз старухи с титьками. Ник, купи мне чупа-чупс!

— Нет.

— Ну, ла-адно тебе, ну че такое, а?.. Я шмотки покупаю в... в общем, в одном креативном месте. Там хозяйка о-очень продвинутая, все понимает в моде, дружит с Гошей Рыбачевским, а он клевый!.. Ну, все считают, что клевый!.. Так она сказала, что чупа-чупс — моя фишка.

— Нет.

— Ник, ну что ты заладил — нет, нет!.. Еще про Константинополь мне расскажи!..

— Я сейчас звонил тете Вере по телефону, — сказал Ник. — У нас в отделении до сих пор сохранились старые советские аппараты. Тяжелые, желтые такие. Шнуры витые. В них очень важный и красивый гудок, как пароходный. И я вспомнил. — Он мельком посмотрел на свою спутницу, она слушала с интересом. — Лев Толстой спрашивал, зачем нужен телефон. Ему объяснили, что нужен для того, чтобы говорить. Лев ничего не понял. И спросил: «Чтобы говорить — что?»

— Это ты к чему? К тому, что я необразованная?..

— Сейчас совершенно неважно, что говорить, — продолжал Ник. — Ты просто звонишь и говоришь, надо, не надо. А Лев Толстой считал, что говорить нужно... осмысленно.

Лиса подумала немного.

— Если все время осмысленно говорить, тогда придется молчать, — заявила она наконец. — И ждать, когда в голову придет мысль!.. А если вообще никогда не придет, так всю жизнь и молчать?!

Все-таки Ник засмеялся. Лиса Джунипер молодец. Если бы не она и ее умные разговоры — в духе рекомендаций Льва Толстого, — он бы сейчас по кругу думал об одном и том же. Об убитом парне, о Сандро, о майоре Мишакове, о неизвестном наследстве, о журналистах, которые, возможно, караулят возле дома!..

О том, что он так ничего и не придумал, чтобы выручить из беды брата и как-то самому спастись, и нужно думать быстрее, время уходит!..

Тетина многоэтажка всегда нагоняла на Ника тоску зеленую. С самого детства, когда братьев возили в гости. Они еще только сворачивали с дороги к длинной изогнутой домине, а тоска уже подступала.

— Как ты думаешь, — спросил Ник у Лисы, сворачивая с дороги к изогнутой домине, — почему тоска — зеленая?

— А какая? — заинтересовалась она. — Ну давай придумаем! Вот лиловая — точно не тоска. Лиловое настроение — это когда хочется пармских фиалок и чтобы прислал их кто-то незнакомый. Лежишь в сумерках и думаешь, кто бы мог прислать вот это лиловое настроение. Или серая! Серое — это когда на улице дождь, листья летят, лужи такие сморщенные, и тогда надеваешь теплый свитер, кроссовки, идешь в кафе, сидишь и смотришь на осень. А синяя...

— Какая ты романтичная девушка, — перебил Ник. Они уже приехали. — Пиши романы, у тебя получится.

— Я как раз собиралась, — тявкнула Лиса радостно. — Только не знаю, с чего начать.

— Начни с пармских фиалок, — буркнул Ник. — Дело сразу пойдет.

— Че, правда?..

В подъезде стояла лужа, должно быть, дождем налило, сильно пахло мочой, кошачьей и человеческой, отсыревшие стены были все залеплены объявлениями о купле-продаже «недвижимости», а также о ремонтах лоджий и санузлов. Лужу было никак не обойти, Ник шагнул прямо в середину. Ботинок моментально дал течь.

Вот так всегда. Почему получается, что у тети все время сыро, мрачно, вонь и тоска зеленая? Никакого другого цвета тоске они с Лисой пока не придумали.

Маленькие братья Галицкие к тете тащились неохотно. Приходилось подолгу сидеть за столом, тетя настаивала, что «без разрешения взрослых из-за стола вставать нельзя». Вот и приходилось сидеть, созерцая свеклу под майонезом, костистую селедку с луком колечками, чернослив, фаршированный грецким орехом, и рыбу под маринадом — ничего этого есть они, маленькие, не могли, а тетя настаивала. Как следует повозив по тарелкам и свеклу, и рыбу, они все же выходили на свободу, но словно под подписку о невыезде. Можно было сидеть на диване. А больше ничего нельзя. Во второй комнате у тети Веры была вечная свалка, невозможно пройти, и непонятно, как там жил брат Слава!.. А еще тетя непременно заставляла обоих братьев играть на пианино!.. Сандро это дело любил, но не любил тетю и с ходу начинал капризничать, а Ник не любил и пианино тоже, набычивался и отказывался наотрез. Несколько раз после гостевания у тети они даже ссорились с родителями. Родители определенными и раздраженными голосами говорили, что в гостях следует выполнять все прихоти хозяев, если тетя хочет, чтоб они играли, значит, должны сесть и играть!..

Совсем по-другому бывало у дедушки в Тбилиси!.. Весело, вкусно, солнечно, свободно!.. Дедушка внуков обожал, считал самыми лучшими детьми в природе, и когда Сандро играл на специально для него купленном немецком пианино, дедушка едва удерживался — то от счастливых слез, то от желания пуститься в пляс!.. Вот это жизнь!..

— Я буду разговаривать, — предупредил Ник Лису раздраженным голосом, — а ты молчи. Ни слова не произноси.

— Че это я должна молчать?..

Лифт затрясся, задребезжала отломанная наполовину стенная панель, и из последних сил поехал.

— А почему молчать? — шепотом спросила Лиса.

Лифт остановился. Ник подтолкнул Лису вперед и нажал привычную с детства холодную кнопку звонка. Звонок был заляпан зеленой масляной краской, это тоже помнилось с детства.

Резкий звук ударил словно на площадке. Лиса дернулась всем телом.

— Чего это у них? Не внутри, а снаружи звонит, что ли?..

Ник нажал еще раз.

— Дверь открыта! — тявкнула Лиса. — Смотри, Ник!..

Он толкнул коричневую створку.

— Тетя Вера! — позвал он и прислушался. — Это я, Коля!..

Ничего его не взволновало, ничего он не заподозрил. Должно быть, в мозгу была проложена четкая демаркационная линия: все, что связано с нами, не может иметь к тете Вере никакого отношения!..

— Тетя, у вас дверь открыта!

Ник вошел и сразу стал снимать ботинки, за ним осторожно вдвинулась Лиса.

— Сюда нельзя в обуви, — сказал Ник. — Снимай.

— Ник, — прошептала Лиса испуганно. — Тут что-то случилось. Я слышу.

— Что случилось?!..

И он пошел по коридору. Одна комната была по правую руку, вторая в торце. В коридоре стояли стулья, а на стульях лежали вещи.

— Тетя Вера!..

В большой комнате, той самой, где некогда накрывали стол с селедкой и свеклой под майонезом и где следовало музицировать, Ник обнаружил...

— Я же тебе говорила!.. — протявкала из-за спины Лиса, и у него немного просветлело в голове.

Тетя Вера лежала на полу. Руки у нее были связаны за спиной, и вся она прикручена к стулу. Рот завязан тряпкой.

От ужаса Ник взмок с головы до ног.

— Она умерла? — спросил он у Лисы, словно та могла знать.

В это время Вера захрипела и зашевелилась.

— Давай ее поднимем, быстро!..

Вдвоем они кое-как поставили стул на ножки — голова у тети свесилась и поникла. Лиса проворно развязывала тряпку, закрывавшую рот и нос.

— Принеси нож из кухни, — велел ей Ник. — Тетя Вера! Тетя Вера, вы... живы? Вы можете говорить?..

Лиса вернулась и стала совать ему нож, весь сальный и в крошках, и он еще разозлился из-за этого сального ножа и перчаток! Почему-то лапка Лисы, державшая нож, оказалась в тонкой кружевной перчатке с раструбом, сильно запачканной. Зачем она нацепила перчатки, идиотка?!

Ник разрезал веревки, швырнул нож и стал тащить тетю под мышки.

Вера стонала, и Ник сообразил, что одному ему ее не поднять.

— Тетя! — Он встал на колени, пытаясь заглянуть ей в лицо. — Что случилось?!..

— Воды, — прохрипела она. — Дай воды!..

Лиса помчалась и принесла воды — целый стакан. Ник дал Вере попить. Голова у нее моталась, словно она не в силах была ее держать, и Лиса придержала ей голову.

— Давай попробуем отнести ее на диван.

Вдвоем кое-как они доволокли Веру до дивана, она с трудом переставляла ноги, но шла.

— Звони в «Скорую», — распорядился Ник. — Тетечка, потерпите, сейчас вам помогут!.. Дышите глубоко, просто дышите.

— Нет, — прохрипела тетя, — никаких «Скорых». На кухне мои капли, принеси их мне. На столе в обувной коробке лекарства.

Ник пропустил мимо ушей про «Скорую», побежал на кухню и принес обувную коробку, в которой были наставлены пузырьки и навалены блистеры и картонки.

— Какие капли, тетя?..

— Что тут такое?! — раздалось от двери. — Мама? Коля, что ты делаешь?!

Тетин сын Слава в безмерном удивлении стоял на пороге, переводил взгляд со стула, обмотанного остатками бельевой веревки, на Ника и странную девушку.

— Славочка! — прорыдала тетя Вера. — Меня убили!..

Слава швырнул на пол сумку и бросился вперед.

— Мама! Кто? Они?!

— Меня почти убили, Славочка!.. Почти совсем, сыночек!..

Слава взвыл и бросился на Ника с кулаками. Тот не сразу понял, что именно тот намерен делать, и сообразил только, когда Слава неловким движением заехал ему в ухо и собирался заехать еще раз.

— Постой, постой, — пробормотал Ник и перехватил Славину руку. — Я тут ни при чем. Я пытаюсь помочь!..

Слава не слушал. Он брыкался, вырывался и намеревался его ударить.

— Славочка, сынок!.. Сынок, остановись!..

— Отстань от Ника! — протявкала Лиса. — Отстань, кому сказала, а то укушу!..

— Мама, я сейчас! — тонко прокричал Слава. — Не волнуйся!..

И взвизгнул. Схватился за предплечье и заскулил. И стал оглядываться по сторонам.

— Я сказала — укушу! — тяжело дыша, произнесла Лиса. И укусила!..

— Славочка, сыночек!...

— Ти-ха! — гаркнул Ник, который никак не мог придумать, как остановить представление. — Все по местам!..

Удивительное дело, но это подействовало!... Лиса отбежала к столу и замерла. Тетя перестала кричать. Слава перестал скулить и брыкаться.

— Тетя, вам лучше? — осведомился Ник.

— Лучше, — согласилась Вера с сомнением.

— Слава, мы пришли, и... тетя Вера была привязана к стулу. Мы ее отвязали.

— А привязали не мы! — вступила Лиса, Ник на нее шикнул.

— Мама, — плачущим голосом проговорил Слава, все придерживая укушенную руку. — Что здесь случилось?

— Ты что, сильно его укусила? — мрачно спросил Ник у Лисы. — Может, йодом помазать?

— Не, я так. Средне. Я сильней могу.

— Я ждала Колю, — начала тетя Вера. — Письма приготовила. Он хотел посмотреть мои старые письма. Потом позвонили в дверь. Я знала, что это Коля пришел, и открыла. А больше ничего не помню... Ничего, Славочка...

Слава перевел взгляд на Ника:

— Что ты тут делал?!

— Слава, дверь была открыта. Тетя на полу, привязана к стулу. Я ее отвязал и посадил на диван. В этот момент ты вошел.

— Нужно «Скорую» вызвать, — вякнула Лиса. — Может, сердечный приступ случиться. Очень просто.

— Никаких «Скорых»! — возразила тетя Вера. — Славочка, ты же знаешь, что я ненавижу врачей!

— Мама ненавидит врачей, — механически повторил тот.

— Да зачем их любить? — удивилась Лиса. — Они давление померят, укол сделают и уедут.

— Никаких врачей! — повысила голос тетя.

— Все из-за тебя, — сквозь зубы выговорил Слава, глядя на Ника. — Всегда все из-за тебя!.. Тебе наплевать на всех, кроме себя самого и твоего недоумка-брата!..

Ник промолчал.

Если бы он нашел свою маму на полу, привязанной к стулу, а тут как раз подвернулся бы кто-то, кого можно было обвинить, он, должно быть, убил бы.

— Вы ничего не помните? — спросил Ник тетю Веру. — И никого?

— Никого, — торжественно ответила она. — Я только открыла дверь, и... все.

— А письма?

— Письма? — удивилась тетя. — Ах, да!.. Письма были на столе. Стопочка такая. Я даже думала, что успею почитать немного до твоего прихода, вспомнить молодость, и удивилась, что ты так рано, Коля.

Ник посмотрел. На столе не было никаких писем.

... Дело плохо, подумал он с тоской. Выходит, неизвестный или неизвестные приходили за старыми письмами!.. Зачем? Что в них могло быть?.. Почему именно сейчас понадобилось их красть?.. Именно сегодня? Неведомый преступник *знал*, что Ник собирается их посмотреть, и решил *не допустить* этого? Выходит, вокруг целый заговор, преступная сеть, не больше не меньше!..

— Тетя Вера, — протянул Ник умоляюще. — Посмотрите внимательно, пожалуйста!.. Может, какие-нибудь вещи пропали? Слав, посмотри!

Мать и сын начали оглядываться по сторонам.

— Нет, — велел Ник. — Не так. Нужно на самом деле посмотреть, что пропало!.. Может, драгоценности или сбережения!

167

— Какие у нас сбережения, Коля, — сказала тетя Вера с вымученной улыбкой. — Я вышла замуж не так удачно, как твоя мать!.. У нас все на виду. Все, что есть.

— А че, поперли только письма? — вдруг удивилась Лиса. — Во дела-то!..

Слава полез в книжный шкаф и теперь выдвигал книги, одну за другой.

— Вот эта очень редкая, — сказал он, показывая Нику том. — И ценная! Она на месте.

Ник мельком глянул на него и продолжил приставать к Вере:

— Тетя, посмотрите, пожалуйста! И в той комнате тоже! Давайте я помогу вам встать!

— Да все как будто на месте...

— Ник, прекрати допрос! — велел Слава. — Мама только что пережила нападение!..

— А в полицию? — подала голос Лиса. — Мы же вызовем полицию?

Тетя Вера оглянулась, глаза у нее стали злые.

— Нет, я не могу понять, кто это! — заговорила она своим обычным голосом. — Коля, кто это? Зачем ты таскаешь за собой посторонних, да еще по семейным делам? Девушка, вы кто? Как вам не стыдно таскаться за моим племянником?

— Нисколечко мне не стыдно, — объявила Лиса. — Вот ни малюсечки не стыдно!

Кажется, она едва удержалась, чтобы не показать тете язык.

Ник схватил Лису за лапу и вытащил в прихожую.

— Ты можешь помолчать хоть немного? — прошипел он ей в лицо. — Ты можешь не лезть?

— А че это я лезу, я не лезу!

— Вот и постой тут.

И вернулся в комнату.

Лиса постояла, прислушиваясь и вытягивая шею, потом тихим неслышным шагом, давшимся ей с трудом, отправилась в комнату, тоже заваленную барахлом, как и коридор. Вышла оттуда, постояла немного, открыла следующую дверь. В проеме замаячил унитаз. Лиса цепким взглядом охватила туалет и зашла в ванную, где пробыла некоторое время. Она очень старалась не шуметь.

Ник переминался с ноги на ногу рядом с диваном, не представляя, что должен делать, Слава сидел рядом с матерью и укрывал ей ноги пледом.

— Коля, — попросила тетя. — Согрей чаю!

На кухне, заставленной грязной посудой и неаппетитными кастрюлями, Ник разыскал чайник, потрогал его, удивился и поставил на газ.

...Кому ни с того ни с сего могли понадобиться старые тетины любовные письма? Или они *на самом деле* имеют отношение к делу и могли пролить свет на историю с завещанием?..

Да ну, так не бывает!..

— Тетя, — спросил Ник, вернувшись в комнату, — а сколько их было, этих писем?.. Вы говорили — мешки!

— Очень много, — согласилась тетя Вера. — А нашла я... десятка два, должно быть.

— Вы не посмотрели обратный адрес?

— Какой обратный адрес?..

— На конверте обязательно должен быть обратный адрес! Так было положено! Я помню, когда дедушка присылал из Тбилиси письма, там стояло: Грузия, Тбилиси, проспект Руставели и так далее. Письма были в конвертах?..

Тетя переглянулась с сыном.

— Нет, адрес я не помню, — сказала она твердо.

— А где он жил, ваш кавалер Александр Милютин?

— Понятия не имею! — фыркнула тетя. — Ты что, думаешь, в наше время было принято посещать молодых людей на дому? Или таскаться за ними напропалую?

Вдруг истерично затрезвонил звонок, бабахнула дверь, заговорили громкие голоса, затопали ноги, что-то запищала Лиса, в комнату ввалился майор Мишаков и с ним еще какие-то люди.

Ник сел на ближайший стул и взялся за голову обеими руками.

— Ба, знакомые все лица! — возликовал Мишаков, завидев Ника. — Ну, чего теперь-то мы делаем?! Старушек грабим?!

— Это моя тетя, — пробормотал Ник. — И я не грабил...

— А по достоверным сведениям — грабеж и причинение тяжких телесных!.. — продолжал веселиться майор. — Ну, чем тебе тетя-то не угодила? На твое наследство, что ль, претензии имеет?

— Я ни к кому не имею никаких претензий, — твердо заявила Вера. — Я даже в полицию не собиралась обращаться! Правда, Слава, сынок?

— Ну, добрые люди без вас обратились! Павлуша? Где лейтенант, мать его?

— Прошу вас в присутствии моей матери не выражаться, — тихо, но твердо сказал Слава.

— Я не выражаюсь, — отмахнулся Мишаков. — Ты еще не слыхал, как я выражаюсь! Лейтенант, веди протокол!

Он выдвинул стул, крепко уселся на него, уперся ладонью в колено и вопросил зычно:

— Ну, мамаша, излагайте! Что тут приключилось и как это вышло, что ваш родной племянник на вас напал?.. — Тут он обернулся в сторону коридора и крикнул: — Лейтенант, мать твою двадцать!.. Забери у задержанного мобилу, как пить дать сейчас трезвонить начнет, а мне работать надо! Мне за него с адвокатом базарить надоело!..

И вновь обернулся к Нику.

— Сказал же, закрою, — изменив тон на ласковый, почти пропел майор, — так ведь и закрою, дурашка ты!.. Слушаю внимательно правдивый рассказ! Врать, как говорится, можно только там, где я не смогу проверить! Вы, мамаша, начинайте!..

Лиса, о которой все забыли, в прихожей прислушивалась, навострив уши. Затем подумала немного. Сняла с крючка связку ключей. Подобрала с пола Славины кроссовки, сунула ноги в свои и удалилась, аккуратно и неслышно прикрыв за собой дверь.

Авдотья Андреевна и Сандро Галицкий сидели в лимузине и помалкивали. По адресу, присланному Глебовым, — Фуркасовский переулок, дом такой-то, строение такое-то, дробь еще какая-то, — оказался то ли старинный каретный сарай, то ли пристройка к конному манежу.

Только они свернули с Мясницкой и покатили к Большой Лубянке, мир вокруг сразу изменился. Начались дома со львами и масками, с широкими подоконниками и полукруглыми лифтовыми клетками, нависающими над тротуаром так низко, что казалось, можно задеть головой.

— Здесь, должно быть, налево, — неуверенно сказал шофер в фуражке, которым Сандро запугивал Авдотью. — Навигатор не работает! Он вблизи Лубянки никогда не работает!..

— Секретный объект, — заметил Сандро. — Давайте налево!

Крохотный тупичок даже не имел названия. Здесь уж Москва совсем кончилась, и начался совершенно другой город — провинциальный, тихий, без машин и почти без людей. На перекладине старой голубятни сидели толстые розовые и фиолетовые птицы. На каменном заборе, растянувшись, лежал огромный рыжий кот. Одним глазом он наблюдал за голубями, а другой у него был прижмурен. В палисаднике мужичонка в носовом платке, завязанном на четыре угла, чтобы не напекло, энергично вскапывал грядки. За ним на круглом садовом столе дымил самовар и тетка вешала белье. Затем они миновали дворик, где четверо стариков играли, кажется, в домино, а две бабки, сидевшие неподалеку, лузгали семечки и что-то обсуждали. В этом дворе дорожки были обсажены рядками нарциссов, собиравшихся цвести. В будке дремал пыльный пес.

— Это что? — спросила у Сандро Авдотья Андреевна с подозрением. — Москва? Или где мы?..

Сандро покивал.

— Я знаю эту особенность Москвы. — Он говорил словно о любимой женщине. — Особенно в центре! Свернешь в переулок, и неизвестно, что там будет. Может, сверхмодный особняк. А может, церковка и грядки. Или избушка, а вокруг старые яблони. Или научный институт. Институт моего брата стоит как раз в яблоневом саду.

— Можно подумать, что вы гуляете по Москве!..

— Иногда, — признался Сандро. — По ночам.

— Приехали вроде, — сказал водитель. — Вот тот дом, если не ошибаюсь.

И показал то ли на каретный сарай, то ли на пристройку к манежу.

— Значит, оставайтесь в машине, — распорядилась Авдотья Андреевна. — А я пойду и найду дядю Витасю. Главное, не выходите! Вы должны просто посмотреть, чтобы удостовериться, он это или не он. Хорошо бы не он, конечно!..

— Можно я буду называть вас Дуней?

— Нет, — отрезала она и вышла из машины.

Огромная, тяжеленная, полированная, бронированная и шут знает еще какая дверь деликатно чмокнула, закрываясь.

Сандро решил считать до семи. Он досчитает до семи, а потом пойдет за ней.

К дому вела дорожка, политая дождем, истоптанная башмаками, жидкая грязь размолота. Должно быть, летом дорожка высыхает и становится пыльной, деревенской. Вокруг растут лопухи и подорожник. С двух сторон торчат каменные столбы, некогда, видимо, обозначавшие въезд во двор. Столбы были наполовину разобранные, наполовину обвалившиеся, едва державшиеся.

Сандро надоело считать, и он выбрался наружу. После дождя было свежо и прохладно, мама всегда говорит, что после весеннего дождя самый вкусный воздух, им нужно дышать «изо всех сил». Сандро задышал.

Авдотью не было видно, хотя садик, едва тронутый зеленой акварельной краской, казался насквозь прозрачным. Куда она могла деться?..

— Я развернусь? — спросил у него за спиной водитель, и Сандро, не оборачиваясь, кивнул и спохватился:

— Ты выезжай на Мясницкую, брат. Мы туда выйдем!

Вдруг полотер на самом деле тот самый Виктор Павлович Селезнев, нехорошо, если он обнаружит у себя под носом лимузин и Сандро!..

Хотя что в этом нехорошего?.. Какая разница, обнаружит или нет?

...Жаль, что я не родился сыщиком. Жаль, что я родился артистом!.. Авдотья артистов презирает, но когда я сыграл ей Селезнева, она сразу узнала в нем полотера, значит, я талантливо сыграл, похоже!..

Ну, как всегда, отчетливо проговорил у него в голове голос Ника. Ничего тебя не интересует, кроме твоей обожаемой, уважаемой, узнаваемой персоны. Какой ты артист, хороший и плохой, что о тебе подумает Авдотья, как жаль, что ты не Шерлок Холмс — все это, безусловно, архиважно и сейчас самое время об этом задуматься.

Сандро оглянулся. Лимузин скрывался за углом, словно блестящий крокодил медленно утягивал хвост. Авдотьи по-прежнему не было видно.

Хлопнула дверь, из темных глубин дома-сарая кто-то показался. Сандро оглянулся по сторонам, заметался: скрыться было негде. Он перебежал на другую сторону тупика, перепрыгнул лужу, добежал до бревенчатого одноэтажного домика, закрытого на висячий замок, рванул на себя дверь. Замок хрустнул, дужка отвалилась, дверь поддалась. Сандро сиганул внутрь и затаился.

Старательно и брезгливо обходя размолотую грязь, вдоль дорожки не спеша продвигался... Виктор Павлович Селезнев, тот самый!..

Сандро облизал пересохшие губы.

Виктор Павлович был облачен в короткое легкое пальто, белая рубашка просматривалась, и галстук, черные брюки и начищенные ботинки.

Сандро, умевший видеть именно суть, главное, а не обрамление, тут вдруг усомнился.

... Он? Или нет?

Двойник Селезнева приблизился, и Сандро понял, что не ошибается — он самый, только в другом обличье.

В домике, где он прятался, сильно пахло плесенью и отсыревшей бумагой. У Сандро нестерпимо зачесалось в носу, как-то даже засвербело, и он громко, смачно чихнул.

Селезнев приостановился и оглянулся.

Сандро замер.

Тихо и безмятежно было в тупике, скакал вокруг лужи воробей, где-то неблизко орал одурелым весенним голосом жаждущий любви и страсти кот, а больше никого и ничего.

Селезнев постоял и двинулся дальше. Сандро на полусогнутых ногах перебежал от двери к пыльному окошку. Полотер еще раз оглянулся, скользнул безразличным взглядом по домику, по столбам, по луже и воробью и исчез за поворотом.

Сандро досчитал до семи, а может, до трех, выглянул из двери, огляделся, совсем как Селезнев, и побежал к дому-сараю. Под ногами чавкало и плескалось.

В доме был один вход с распахнутой настежь двустворчатой дверью. Дверь приперта палкой, чтобы не запиралась.

Сандро с разгону вбежал внутрь и стал оглядываться.

Налево и направо простирался коридор, озаренный единственной лампочкой, болтавшейся на шнуре как раз перед входной дверью. В коридоре наставлено и навалено всякое старье — велосипедные рамы, автомобильные шины, ведра, ломаные детские коляски. Залежи хлама терялись в темноте. Свет лампочки не доставал до конца коридора.

— Дуня, — позвал Сандро осторожно. — Авдотья Андреевна!..

Послышалось шевеление, и что-то загрохотало.

— Дуня!..

В темноте зашевелились, Сандро пошел на звук, и из-за старого платяного шкафа с оторванной дверцей выбралась девушка.

— Лучше бы к научному руководителю поехала, — заговорила она сердито. — Во что я ввязалась!..

— Я видел Селезнева. — Сандро подал ей руку.

— Я тоже видела, — буркнула она. — Только это какой-то другой Селезнев. Не наш полотер!..

— Наш, — уверенно сказал Сандро.

Она отряхивала пиджак, он стал ей помогать. Она оттолкнула его руку.

— Точно наш! — повторил Сандро. — Ты не умеешь видеть, а я умею! Я всю жизнь в университетском театре играл, нас там учили, как именно нужно видеть объект!..

— Артист, — констатировала Авдотья презрительно. — Он вышел во-он оттуда. Видишь, сколько тут дверей?..

Сандро оглянулся и посмотрел. Глаза уже привыкли к полумраку. Одна стена, вдоль которой навален хлам, была глухой. В противоположной действительно были двери.

— Как ты думаешь, что это? — спросила Авдотья шепотом. — Бомжатник?

— Бомжатников с телефонами не бывает, дорогая, — тоном дедушки Дадиани возразил Сандро. — А Глебов нашел адрес по номеру телефона. А номер телефона записан в книжке твоей бабушки!

— И что это означает?

— Что здесь с давних пор кто-то живет.

— Как здесь можно жить?..

Она потопала ногами, словно пытаясь стряхнуть пыль с кроссовок.

— Из какой именно двери он вышел?

Авдотья показала.

— Я услышала шаги и... не знаю. Решила спрятаться. И залезла за шкаф.

— Молодец, — похвалил Сандро. — Хорошо, что он тебя не видел. Мало ли.

— Лучше бы я на кафедру поехала, — повторила Авдотья чуть не плача. — У меня своих дел полно!..

Сандро подошел и аккуратно потянул дверь на себя.

— Что такое?! — зашипела Авдотья. — Ты хочешь к нему вломиться?

— Я не могу вломиться, — сказал Сандро. — Тут заперто. А то бы вломился совершенно точно.

...Ты че мельтешишь, чувачелло? Поду-умаешь, заперто! В тебе девяносто килограммов весу и почти два метра роста, плечиком надави, да и весь йогурт!.. Рэпер ПараDon'tozz не может в дверь войти, прикинь! Ему надо, а он не может!.. И че, так и будешь стоять, сопли жевать или все-таки заглянешь к этому полотеру-волонтеру, а? Он тебя в ментуру сдал, просто так, по приколу, а ты чего миндальничаешь?

Сандро потянул дверь сильнее. Она скрипнула и как-то напряглась.

— Вот что, — заговорила Авдотья во весь голос. — Если ты сейчас сломаешь эту дверь, я сама позвоню в полицию, ты понял?! Нет, ты понял? Тебе все можно, да? Потому что ты знаменитость и в институте на театре играл?!..

— В университете.

— Пошли отсюда, — скомандовала она. — Кто бы он ни был, этот Селезнев, мы не имеем права взламывать его дверь.

— А если он убил твоего соседа Милютина?

— А если не он? И если это вообще не он?! Просто похожий человек, и все!..

Сандро Галицкий понял, что ломать дверь не станет.

Если сломает, Авдотья Андреевна *никогда не согласится* родить ему троих сыновей. Очень просто. Дело принципа.

За руку он потянул Авдотью вдоль коридора, а потом на улицу. У крыльца они остановились — слишком ярко светило солнце, слишком свежим и острым был воздух после полутьмы и затхлости заброшенного дома.

— Как ты думаешь, что здесь было раньше? — спросила Авдотья, щурясь. Пятно на пиджаке, прямо спереди на животе, вызывало у нее острое беспокойство, и она вопросами отвлекала Сандро от пятна.

Он посмотрел вдоль длинной стены.

— Сто лет назад, должно быть, конюшни. А после революции какой-нибудь клуб.

— Почему клуб?

— С той стороны, где нет окон, наверняка был кинозал.

— Или секретная база КГБ. Тут Лубянка совсем близко!.. Я читала, что у них были специальные секретные базы. Людей забирали и привозили на базы, а не в основное здание. Создавали видимость, что арестованных меньше, чем на самом деле.

Сандро уже жалел, что не попал, хоть и незваным, в гости к полотеру. Ничего, он проводит Авдотью, вернется, и... и тогда посмотрим.

— У тебя на пиджаке пятно, — сказал он рассеянно. — Прямо вот тут.

Она резко отвернулась и стала изо всех сил тереть пиджак.

— Пойдем?..

Они выбрались из тупичка в переулок. Она думала о пятне. Он думал, что свалял дурака.

— И все-таки это не он, — задумчиво произнесла Авдотья, когда пятно ей надоело. Уж как есть, так и есть, ничего не поделаешь!.. — Кто-то похожий, но не он.

— Поглядим, — пробормотал Сандро тоже задумчиво.

— Хотя вполне возможно, что на работу он ходит в старом плаще, а гуляет по городу в новом пальто!.. Пожилые люди бережливые! Дед страшно гордится костюмом, ему бабушка его купила лет десять назад, а он все как новый!

Сандро не отвечал.

— Что ты задумал? — насторожилась Авдотья.

— А? Нет, ничего!..

— Как ты думаешь, где наша машина?

Сандро решил не признаваться, что услал водителя на Мясницкую, чтобы хоть немного пройтись с девушкой по весенним московским переулкам, как нормальный человек.

— Наверное, на Мясницкой? Тут два шага.

— Ты можешь меня не провожать, я как раз собиралась в книжный магазин зайти.

— Ну, конечно! — сказал Сандро. — Не провожать. Как же!.. Я только в книжный не могу, Дуня. Особенно сейчас.

— Поклонники автографами замучают? — спросила она язвительно.

— Давай в магазин в другой раз, ладно?

— Ты с охранниками приедешь?

Сандро сверху посмотрел на нее. Нужно придумать что-то такое, чтобы ей не удалось быстро от него отвязаться. Какой-то повод, нужду!.. Какая у Авдотьи может быть в нем нужда?..

— Что ты взъелась на меня?! — проговорил он, соображая. — Ну да, все меня знают, видишь, я с шофером езжу и хожу иногда с охранниками!.. И что? Я не человек, выходит?

— Человек, — согласилась Авдотья. — Но ты очень неудобный человек!.. Охранники, шоферы, мировая слава! Наверняка обожаешь себя в искусстве. Вон чуть в чужой дом не полез просто потому, что тебе туда надо!.. Твои желания закон, да? А это глупо. Мало ли что тебе в голову взбредет!..

— Мне надо, чтобы посторонние люди не обвиняли меня в том, чего я не совершал, — сквозь зубы процедил Сандро. — Особенно в убийстве! Да еще старика! Да еще из-за денег! У меня навалом своих, и я очень собой горжусь, что у меня получается их зарабатывать!.. А тебе деньги не нужны вовсе, я так понимаю?

— Нет, они всем нужны, — пожала плечами Авдотья, — но позориться ради них я не согласна.

— А я позорюсь?

— Ну, конечно!.. Придумал речовку позаковыристей — и готово!..

— Однако никто, кроме меня, что-то ничего такого не придумывает! То есть, может, многие стараются, но слушают почему-то меня одного. Почему так выходит? Ты себе такой вопрос не пробовала задавать?..

Авдотья неожиданно схватила его за руку:

— Смотри, вон он!.. Дядя Витася!

На перекрестке под светофором чинно стоял пенсионер в чистеньком пальто и немного заляпанных грязью ботинках. Он явно кого-то ждал, переходить улицу не спешил, посматривал по сторонам благожелательно.

Сандро затащил Авдотью за афишную тумбу.

— Не нужно, чтобы он нас видел.

— Почему?! Мы же придумали, что я приехала позвать его натирать полы. А теперь прячемся?!

Сандро и сам не знал почему. Здесь, посреди чистой ухоженной Мясницкой, был какой-то другой человек, не тот, что плаксивым голосом рассказывал майору Мишакову небылицы о нем, Сандро! И этот другой человек казался ему серьезней и опасней.

Сандро вдруг сообразил, на кого он похож!..

— Ты смотрела хоть один советский фильм? — зашептал он Авдотье на ухо.

— Что за вопрос?! Конечно, смотрела! Мама считает, что советская литература и кинематограф — необходимая часть образования, а дед страшно любит мультики, особенно сказки, и мы...

Сандро ее перебил.

— Твой дядя Витася — один в один вор в законе из советского детектива!.. «Следствие ведут знатоки»!

Она выглянула из-за тумбы и посмотрела.

— Не знаю, — сказала с сомнением. — И вообще, зачем мы тут торчим? Ну, мы поняли, что это он, дальше что? Давай я в книжный пойду, а ты по своим делам поедешь. Толпы поклонников страждут, а ты засел за тумбой!..

Дядя Витася на перекрестке оглянулся и заулыбался. Сандро попытался навскидку определить, кому из толпы он улыбается, и не определил.

Подошел молодой человек в кожаной куртке и черных джинсах, пенсионер заглянул ему в лицо, что-то сказал, похлопал по руке. Улицу они перешли вдвоем. Дядя Витася говорил, молодой человек слушал, склонив к нему ухо.

— Может, это его внук, — предположила Авдотья, но Сандро голову мог дать на отсечение, что эта парочка — деловые партнеры и разговор у них деловой.

Самым правильным — с точки зрения Сандро — было проследить за ними, а еще лучше подслушать, о чем говорят, но как это сделать? На лимузине, маячившем с аварийной сигнализацией неподалеку? Или пешком, закрываясь от встречных рукавом?..

— Как бы мне их подслушать? — под нос себе пробормотал Сандро.

Авдотья посмотрела на него иронически.

— Тебе кажется, что все люди на свете говорят исключительно о тебе и о твоих делах. А на самом деле они говорят, как правильно натирать старинный паркет! Дядя Витася учит этого парня своему делу!..

Они давно уже шли по улице на некотором расстоянии от старика и молодого человека, время от времени теряя их из виду и находя взглядом вновь. Прохожие, завидев ПапаDon'tozza, все чаще притормаживали и оборачивались.

Так дальше продолжаться не может, решил Сандро.

— Подожди меня, — решительно сказал он Авдотье. — Сядь здесь и жди.

И приткнул ее к столику уличного кафе. От неожиданности она плюхнулась на стул.

Сандро перебежал дорогу — ему засигналили, он не обратил внимания, — нырнул в какую-то арку на той стороне и пропал. Авдотья проводила его глазами и от неловкости пожала плечами.

— Что вы будете, девушка?

Она подняла глаза. Рядом с ней возник официант в коричневом переднике с нарисованной на животе чашкой кофе. Авдотья моментально вспомнила, что у нее на животе неприличное пятно, и поднялась.

— Ничего, спасибо.

— Ну, как хотите.

Она шла сначала не слишком быстро, а потом все ускоряя и ускоряя шаг. Ускорение подогревало и усиливало злость. Злилась она на себя, исключительно на себя!

Зачем она поехала невесть куда с этим недоумком ПараDon'tozzom?! Ведь знала, что ничего из этого не выйдет, ни при чем здесь дядя Витася! И вообще гнусная история с убийством старика-соседа уж к ней-то не может иметь никакого отношения! Почему она позволяет втягивать себя в какие-то беседы, погони, детективные расследования?! Или ей, как и всем остальным девицам на свете, сразу же ударяет в голову, когда за ними приударяет любая знаменитость!..

— Ударяет, когда приударяет, — пробормотала Авдотья злобно. — Чтоб ты провалился!

Сандро нагнал ее почти у магазина «Колониальных товаров», раньше называвшегося «Чай и кофе». Нагнал, взял за плечо, повернул и сразу понял, что она... в раздражении.

Подвенечное платье и трое детей — все мальчики! — опять подернулись дымкой неопределенности.

Зато он, пока бегал, придумал, как организовать следующую встречу!..

— Я их сфотографировал, — заговорил Сандро задушенным от спешки голосом. — Забежал по той стороне вперед и сфоткал.

— Молодец, — сквозь зубы похвалила Авдотья. — Можешь вставить в рамку и любоваться. До свидания, мне нужно домой.

— Я тебя подвезу.

— Не стоит.

Он вытащил главный козырь — собственно, единственный!

— Ты обещала съездить со мной в отделение.

— Прямо сейчас поедем?

— Дунь, давай договорим в машине, — слезно попросил Сандро, а рэпер ПараDon'tozz в это время усмехнулся поганой усмешкой.

Эк тебя разбирает, сказал рэпер, эк раскорячило-то тебя, братиш!..

— Люди смотрят, — продолжал Сандро, — а я ведь правда под следствием.

Авдотья остановилась, и тотчас же рядом с ней причалил лимузин. Должно быть, водитель все время неотступно ехал за Сандро! Как в плохом кино.

— Поедем, — повторил рэпер настойчиво. — Сейчас толпа соберется, серьезно тебе говорю. Будет только хуже. А я не отстану, ты ж понимаешь!

О да! Это она уже поняла — он не отстанет!

Авдотья быстро села в машину, он плюхнулся рядом, лимузин поехал. На тротуаре остались любопытные, собравшиеся, пока они дискутировали.

— Как можно так жить? — спросила Авдотья. — Когда шагу не ступить, голову не повернуть, в книжный не зайти! Все только ради денег?

— Денег и славы! — провозгласил Сандро. — А сейчас не мешай мне, я должен отправить Глебову фотки.

— Зачем?

— А вдруг тот парень преступник и находится в федеральном розыске?

Авдотья помолчала, глядя в окно, а потом спросила серьезно:

— Ты что, ненормальный? Вот на самом деле!..

— Я не хочу в тюрьму, — тоже серьезно ответил Сандро Галицкий. — И мне не все равно, кто убил того старика и Сиплого. Их же кто-то убил! Так что спасибо тебе. Ты мне помогаешь разобраться.

— Пожалуйста.

И она стала смотреть в окно. Сандро взглянул раз, другой, потом поцеловал ей руку — она саркастически усмехнулась и опять уставилась в окно. Сандро аккуратно вытащил из ее сумки бумажник. Авдотья Андреевна не пошевелилась, продолжала смотреть в окно. Пришел черед Сандро саркастически усмехаться — они усмехнулись на пару с рэпером ПараDon'tozzом.

Он еще немного полюбовался ее затылком и углубился в свой телефон.

Вечером следующего дня майор Мишаков запер сейф, подергал для верности облезлую металлическую рукоять — заперто надежно, — выровнял на столе бумаги, полюбовался, как прекрасно они лежат, допил из кружки остатки чая, а заварку вывалил в фикус — в общем, навел полный и окончательный порядок. Снял со спинки стула китель, сморщился — китель весь провонял потом, — запер дверь и двинул домой.

— Павлуш, — крикнул он в распахнутую дверь отдела. Там шумел чайник, гремели стаканы и хохотали дознавательницы Соня и Таня, в общем, вовсю кипела работа. — Я уехал.

— До завтра, товарищ майор. Будьте здоровы, товарищ майор, — нестройным хором ответили из отдела.

Мишаков вышел на улицу, сдвинул на затылок фуражку, засвистел веселую мелодию и зашагал к своей машине.

Вот интересное кино, думал он, шагая. Кино такое: ездить на машине стало невозможно. Ни по выходным, ни по праздникам, ни в дождь, ни в снег, ни зимой, ни летом. Полосы сузили, велосипедные дорожки проложили, односторонку где можно и где нельзя ввели. Ну, чтоб не пер народ на работу на машинах! Чего на них переть-то? В торговый центр — пожалуйста, но они все за МКАДом, а на работу зачем?! Каждый день видит майор одну и ту же картину маслом — машинка, по всему видать, кредитная, сидит в ней бледный бородатый юноша в наушниках, один или неземная красота с телефоном в правой руке и рулем в левой, тоже одна. Бывает еще очкастый чувак с плешью, явно по компьютерной части проходит или по продаже запчастей. Также бывает зачуханная тетка из бухгалтерии или отдела кадров. В каждой тачке по одному клиенту. И все стоят! Никто не едет — пробка!.. И вот вопросец у него, у Мишакова, — какого лешего никто не догадывается на общественном транспорте на работу ехать? Ну, на автомобиле красиво, конечно, лучше, чем на троллейбусе, но ради красоты можно просто так выйти на стоянку, посидеть в своей тачке, да и отправляться на автобусную остановку. Ну, чтобы ехать! Автобусы как раз едут. И метро едет. Давка там, духота, но ехать можно. И по новой железке можно добраться, там вообще красиво, еще не изгадили ничего, не успели. Мишаков как-то в воскресенье специально поехал кататься, два круга дал! Или тут дело тоньше? Не в том, что на работу надо, а в том, чтобы на собственном автомобиле? Работа — шут с ней, гори она синим пламенем, хоть к вечеру приезжай, все равно делать на ней нечего, а фишка в том, чтобы в собственной машине в пробке по четыре часа стоять. Ты стоишь, и вокруг стоят, зато все понимают — у чуваков собственные тачки имеются, не пропащие чуваки, а молодцы, ловко устроились в жизни!..

Размышляя таким образом, Мишаков подошел к своей машине, красиво разрисованной синими полосами, достал ключ и...

— Подождите секундочку, — пропищал позади него тонкий голос.

Он обернулся, поймал съехавшую фуражку и нахлобучил ее обратно.

Возле его машины телепалось странное существо — все белое, но как будто сильно запачканное. В руке у существа почему-то были... мужские ботинки.

Из дурки клиент сбежал, решил Мишаков. Не спеша вынул из кармана телефон, покрутил туда-сюда и нажал кнопку.

— Вы по делу? — ласково спросил он существо. — Если заявление писать, завтра приходите, завтра. Сегодня рабочий день закончился! — И в телефон, скороговоркой: — Павлуш, выгреби ко мне, я тут возле сквера обретаюсь.

— Не, мне не писать, — существо шмыгнуло носом. — Мне нужно с вами поговорить.

— А чего со мной говорить? — удивился Мишаков. — Я за день во как наговорился! По домам, по домам пора! Ты откуда взялся... взялась?

— Поговорить бы, — настаивало существо. — Вон хоть на лавочке!

Майор вздохнул и оглянулся. Павлуши покамест не было видно.

— О чем говорить-то станем?

— О вещественных доказательствах, — заявило существо.

Точно из дурки, подумал Мишаков с тоской. Вот не везет мне, ох, не везет.

— А чего доказывать будем? Инопланетяне напали или соседи секретный яд в вентиляцию пускают?

Существо надвинулось на него, он сделал шаг назад.

— Про инопланетян не знаю, — сказало оно задумчиво. — И про газ тоже. Мне бы поговорить с вами. Недолго.

Тут наконец подоспел Павлуша, слава те, господи!..

— Слушаю, товарищ майор!..

— Вот побеседуй с заявителем, Павлуш, — и Мишаков кивнул на существо. — А мне до дому надо.

Лейтенант взглянул и вытаращил глаза. Существо вздохнуло.

— Вы Демидова? — выпалил Павлуша.

Существо кивнуло, полезло в сумчонку, извлекло оттуда паспорт и сунуло в сторону Мишакова. Паспорт взял сперва Павлуша. Мишаков перехватил и стал изучать.

Демидова Юлия Павловна — девочка, выходит! — девяносто шестого года, — это сколько ей лет получается? — родилась в Москве, зарегистрирована в Москве, Кутузовский проспект, двадцать четыре, ого!..

— Пойдемте на лавочку, — повторила Демидова Юлия Павловна. — Посидим.

И решительно направилась по дорожке.

— Это кто?! — грозным шепотом спросил у Павлуши майор. — Что еще за Демидова?! Откуда взялась?..

— Как?! — поразился Павлуша. — Вы что, не в курсе, товарищ майор?!

Мишаков едва удержался, чтобы не смазать его по макушке смачным подзатыльником. Когда старшие по званию спрашивают, отвечать нужно четко, ясно, без запинки!

Демидова дошла до лавочки, уселась и, кажется, с облегчением вытянула ноги. На ногах у нее было нечто невообразимое — вроде кроссовки, но на какой-то дикой подошве, на вид по пуду весом каждая.

Майор и лейтенант уселись по разные стороны от нее.

— Автограф дадите? — не выдержал Павлуша, а Мишаков вытаращил глаза.

— Дам, — пообещала Демидова. — Значит, смотрите, офицеры. Вчера днем я была в той квартире с Николаем Михайловичем Галицким. Ну, в той самой, откуда вы его забрали!

— Да ерш твою дивизию! — взревел майор и вскочил. — Никаких терок за Галицкого, это ясно?! Надоели мне всяческие адвокаты!

— Во-первых, я свидетель, во-вторых, у меня улики, — и Демидова потрясла мужскими ботинками, которые до сих пор держала в руке.

— Класть я хотел на ваши улики! — проорал майор ей в лицо так близко, что ей пришлось слегка отвернуть голову. — И свидетели меня достали! Они только и делают, что врут, эти самые свидетели!

Лейтенант Павлуша отчего-то переменился в лице и стал дергать начальника за китель. Майор отмахнулся и продолжал еще громче:

— Насрать мне на улики, Галицкого я обещал закрыть, и закрою! Еще не хватает! Моль какая-то прилетела, и у ней, смотри ты, тоже улики!

— Не горячитесь, офицер, — проговорила Демидова отвратительным голосом. — Вы же меня не знаете, правильно я понимаю?

— И знать не хочу!.. Все, я домой поехал!.. Проводи девушку, товарищ лейтенант!.. И ботиночки, ботиночки свои не забудьте!

— Сергей Петрович, — заговорил Павлуша взволнованно. — Вы... того... погодите, правда. Не горячитесь.

Мишаков сорвал фуражку, стукнул ею о колено и выплюнул в воздух длинную заковыристую фиоритуру.

Павлуша закрыл глаза и закачался из стороны в сторону.

— У нее скорее всего есть диктофон, — простонал он.

— У меня скорее всего диктофон, — подтвердила Демидова. Полезла в сумчонку и вынула устройство. — Он пишет весь наш разговор.

— Да мне-то что за дело!..

— Товарищ майор! Не горячитесь, говорю же!.. — зашелся Павлуша.

— Она чего, этим диктофоном меня шантажировать решила, что ли?!

— Ну да, — согласилась Демидова. — Для чего он, собственно, мне и нужен, диктофон. Для шантажа.

Мишаков от такой наглости словно враз обессилел. Сейчас будет ей шантаж и угрозы, тле малолетней! А также разъяснения некоторых статей УК с развернутыми майорскими комментариями!

— Товарищ майор, Сергей Петрович, Демидова интервью берет, — зачастил Павлуша. — Самая модная тема на ютубе!..

— И чего?! — совсем уж зашелся Мишаков.

— Она у всех берет, — продолжал лейтенант так быстро, что на губе у него вскочил пузырь. — И все дают!.. Ну вот все, кого ни возьми, товарищ майор! И артисты, и политики, и бизнесмены! На той неделе вице-премьер был по этим, как их... по экономическим вопросам, что ли, а на этой наш министр будет...

— Какой, в узду, ваш министр?!

— Да наш, наш, — Павлуша тоже словно потерялся, тон у него сделался умоляющим, — министр МВД.

На всех сайтах реклама, смотрите, мол, как Демидова главного мента страны под орех разделает!..

Мишаков открыл было рот, чтобы кричать и материться дальше, но вдруг сообразил, что Павлуша вряд ли придумывает. Про убойные интервью какой-то макаки из интернета майор слышал, конечно, но смотреть никогда не смотрел, не до того ему было. В своих делах бы разобраться, куда там еще в интернет лезть!..

— И Бубенцов обещался быть, — продолжал Павлуша словно из омута, — ну, наш тоже.

Генерал Бубенцов был начальником ГУВД Москвы.

Мишаков постоял возле лавочки — чучело из интернета смотрело в сторону и признаков жизни не подавало, — опять содрал фуражку, вытер мокрый лоб и плюхнулся рядом.

— Тебе чего надо? — спросил он у чучела.

— Товарищ майор! Диктофон!.. — взревел Павлуша.

— А, мать вашу!.. Что вы от меня хотите, Юлия... как вас... Пална?

— Диктофон я на всякий случай выключать не буду, — протявкала Демидова. — Вот положу на лавочку, пусть себе лежит, пишет. А информация у меня следующая. Вчера вечером после восемнадцати тридцати я побывала в квартире тетки Николая и Александра Галицких. Приехала с Ником, то есть с Николаем Михайловичем Галицким, и застала следующую картину — его тетя была привязана к стулу и живописно лежала на полу. Рот у нее был завязан, руки-ноги тоже. Мы вдвоем тетю отвязали и посадили на диван. Вскоре прибыл ее сын. Кстати сказать, он тоже отчего-то решил, что на тетю напали именно мы, хотя это странно и неправдоподобно — у них в семье прекрасные отношения. Я знаю точно, потому что вхожа в их дом.

Мишаков вздохнул во всю грудь и изо всех сил почесал в затылке. Павлуша сделал умоляющее движение рукой.

— Тетя утверждала, что в ожидании племянника перебирала какие-то старые письма, когда позвонили в дверь, она открыла не глядя, больше ничего не помнит.

— Это я в курсе дела, — проревел Мишаков. — Только вас я почему-то в той квартире не видал!

— Как только вы появились, я ушла в ванную. Вы не обратили на меня внимания.

— Лейтенант, твою мать!

— Ванную я не проверял, — повинился Павлуша.

— Уволю к свиньям из органов, твою мать!..

— Диктофон, — напомнила Демидова.

Мишаков взялся за голову.

— Собственно, улик у меня всего две, — продолжала Демидова. — Первая и лучшая — башмаки.

И она аккуратно поставила их Мишакову на колени. Он спихнул. Башмаки полетели на гравий. Павлуша кинулся и подобрал.

— Они абсолютно сухие, — продолжала Демидова. — Аб-со-лют-но!

— И чего?!

— В подъезде лужа. Обойти ее никак нельзя. Попасть на лестницу можно только через лужу вброд.

Майор вдруг перестал раскачиваться и уставился в вечереющее небо.

— Лужа, — сказал он нормальным человеческим голосом. — Там, мать твою туда и сюда, правда была лужа. Мы все ноги промочили.

— И я, — поддакнул лейтенант.

— И я, — согласилась Демидова. — И Галицкий. Выходит, лужу миновал только Слава, тетин сын.

— Какой вывод? — спросил майор.

— Он не выходил на улицу, — моментально ответила Демидова. — Все время был в подъезде.

— Зачем ему это?

Демидова снова полезла в сумчонку.

— На это есть вторая улика. — И она достала два обрезка бельевой веревки.

Майор Мишаков против воли посмотрел на нее с уважением.

— Вот этот кусок я срезала со стула, к которому была привязана тетя Николая Михайловича. А этот из ванной. Я взяла его с антресолей. И просто для сведения — я все время была в перчатках.

Майор посмотрел на обрезки, лейтенант вытянул шею и тоже уставился.

— Ну и чего? Одинаковые, да.

— Одинаковые, — согласилась Демидова. — Но это нам ни о чем не говорит. Мало ли одинаковых веревок, мог бы сказать майор Мишаков. Они сейчас все одинаковые, все на рынке куплены и все в Китае сделаны. Кроме того, злоумышленники могли связать тетю ее собственной веревкой, если прибыли неподготовленными. Они немного пошарили по дому и нашли веревку, пока тетя была без сознания. Бред, конечно, но всякое бывает. Кстати, непонятно, что с ней сделалось. Видимых травм на ней не было.

— Ну?!

— Я заказала экспертизу и получила результаты, — продолжала Демидова как ни в чем не бывало. — Собственно, для этого я и уехала потихоньку, чтобы меня никто из ваших не задержал. Мне нужно было сдать веревку экспертам.

Майор с лейтенантом переглянулись.

— Какую... экспертизу? Каким экспертам? — спросил майор осторожно. — Где?..

— Не пугайтесь, — утешила Демидова. — Я заказывала ее не для суда и не для того, чтобы лишить вас погон. Я позвонила экспертам главка — в частном порядке. Мне все быстро сделали. — И зачем-то добавила: — За полтора часа.

— Ту-ру-ру-ру-ру, — протрубил майор. — Трам-пам-пам!.. — И осведомился: — Нашего главка?

Демидова кивнула.

— Вот заключение. Можете прочесть, а можете не читать. Суть в том, что на веревке остались только потожировые следы тети Галицкого и ее сына. Именно в тех местах, где непременно должны были остаться следы злоумышленников!.. Если таковые на самом деле прикручивали тетю к стулу!

— Выходит... — начал лейтенант Павлуша.

— Выходит, злоумышленники ее не прикручивали, — продолжала Демидова. Мельком она взглянула на Мишакова и добавила: — Это не для суда разговор, еще раз повторяю. И заключение не для суда. Это для вас лично.

— И что я теперь должен с этим делать?

— Мне все равно, — заявила Демидова равнодушно. — Только Галицкого освободите. Доказательств его вины у вас нет никаких. Я все время была с ним. Ботинки и веревку вместе с заключением я вам передала. Диктофон пишет.

И они помолчали — все трое.

— Н-да, — сказал наконец Мишаков. — Палтусевич какой-то получается.

Тут Демидова заинтересовалась:

— Кто такой Палтусевич?

— Это от слова «палтус», — поспешил объяснить Павлуша. — Мы так называем. Это значит, каша какая-то, да еще из рыбы.

— А...

И они опять замолчали.

Мишаков лихорадочно соображал.

Если макака в самом деле берет интервью у больших начальников и они ей дают, значит, макака вовсе непростая, а со связями, да еще с какими!.. Переть на нее, не разобравшись, — себе дороже. Не только погон лишишься, головы!.. И ловкая! Какие-то ботинки прихватила с места преступления, веревки отрезала, потом в главк помчалась! Там тоже кому попало на пустом месте никаких экспертиз никто проводить не станет — непростая она, ох, непростая!..

— Почему я должен верить, что это ботинки хозяина той квартиры, а не вашего папаши? — спросил Мишаков.

— Да не верьте, — разрешила Демидова. — Я же не опер и не прокурор! Доказательства собирать не моя задача. Моя задача, чтобы Галицкого выпустили.

— Дался он тебе! — пробормотал Мишаков. — Галицкий этот!

— Дался, — согласилась Демидова. — И зафиксируйте, офицер, мое благородство и верность долгу. Я просто так Бубенцову звонить не стала! Я весь день таскала с собой башмаки, даже в главк с ними ездила! И экспертизу попросила. И результатов дождалась.

— Благородство оценил, — хмуро сказал Мишаков. — Только предметы с места преступления изымают исключительно в присутствии понятых, под протокол и видеозапись. В противном случае это никакие не улики, а дерьмо собачье!.. Вот теперь скажет хозяин квартиры, что ботинки эти он первый раз в жизни видит, и чего я делать буду?

Демидова пожала плечами:

— Что хотите, то и делайте. Ищите другие улики.

— Да вы все мне работать мешаете! — снова заревел майор. — И ты, и Глебов, знаменитый адвокат, и Галицкий сам! Чего он везде лезет?!

— Он к тете поехал, — проинформировала Демидова. — Это что, запрещено законом? Вы бы озаботи-
лись вопросом, кто вас вызвал. Мы точно не вызывали.

— Соседи позвонили, — неуверенно сказал лейтенант Павлуша.

— Соседи в местное отделение позвонили бы, — пожала плечами Демидова. — А позвонили вам.

И они опять замолчали.

— Павлуш, сгоняй за пакетом, — распорядился Мишаков. — Башмаки эти теперь, конечно, ни к чему, но
мало ли, как дело повернется.

— Галицкого когда отпустите?

— А тебе прям сейчас надо?!

— Мне еще вчера надо было.

— Да пошли вы все!..

— Товарищ майор! Не горячитесь!..

— Давай, давай, дуй!..

Когда Павлуша отбежал, Мишаков спросил Демидову:

— У тебя журналистское расследование, что ли?

— Не-а, — отозвалась та. — Просто я Галицких
знаю... довольно хорошо. Никто там никого не убивал
и тетю к стулу не привязывал.

— Выходит, она сама себя привязала?

— Должно быть, на пару с сыном.

— Зачем?!

— Этого я не знаю.

Мишаков выдрал из майского куста сухой прутик
и стал чертить им на гравии.

— А ты-то? Как ты в это дело влезла?..

Демидова смотрела вдоль липовой аллеи, только
взявшейся зеленеть. Вся ее видимость альбиноса вдруг
куда-то делась, осталась серьезная и грустная девушка.

Майор Мишаков попал в самую точку.

Как она влезла?.. Как же это она влезла?.. Зачем согласилась на такую работу?.. Впрочем, сразу понятно было, что затевается крупная афера, а ей всегда были интересны именно аферисты!.. Но ведь она не знала об убийстве! Самое главное и трудное — как теперь выпутаться? Как выкрутиться ей самой? Ника она в любом случае выпутает, а сама?..

И что она сможет объяснить Галицким, когда они ее спросят? Как она скажет, что все их сегодняшние неприятности — из-за нее? И что после этого с ней будет?..

— Сейчас Галицкого освобождать поздно, — предупредил Мишаков. — В камере жизнь по расписанию! Ужин уже раздали, теперь здоровый сон без сновидений! На ночь глядя никто никого не освобождает!

Демидова пожала плечами.

Прибежал запыхавшийся Павлуша с желтым пакетом, по одному, аккуратно составил в него ботинки.

— Вот, — выпалил он, завязав пакет и протягивая Демидовой бумажку. — Автограф, а? Вы обещали!

Она взяла бумажку.

— А когда вы его отпустите? — спросила она у Мишакова.

Тот подумал немного.

— Ну, давай завтра, часиков в одиннадцать.

— Я подъеду, — проинформировала она. — С диктофоном. Что вы мне суете? Ах да, автограф!..

Девица начеркала что-то на бумажке и вернула Павлуше.

— А селфи?

Она подвинулась на скамейке, как бы приглашая его сесть рядом, Павлуша радостно плюхнулся, решительно обнял девицу за несуществующие плечи, выставил перед ними обоими телефон и нажал кнопку. При этом оба скроили фальшивые леденцовые улыбки.

Майор Мишаков хмыкнул и покрутил головой из стороны в сторону.

— Я пойду? — полувопросительно сказала девица. — Вам селфи не нужно, офицер?

— А по-твоему, братья не при делах, да? — ни с того ни с сего спросил майор.

— Не, ни при делах. Кто-то их подставляет.

— Кто?

Демидова пожала плечами.

— Ну, с тетей вообще комедия, — проговорила она, подумав. — Это точно ее собственная затея. Ее и Славы, сыночка.

— Зачем тете и сыночку это нужно?

— Тут я еще до конца не въехала, — словно пожаловалась Демидова. — Получается, что Слава замешан, и так по-крупному замешан, а он...

Майор внимательно слушал, чертил прутиком.

— А он слабак, — закончила она наконец.

— А этот твой ученый не слабак, что ли?

— Ник? — удивилась Демидова и снова задумалась.

— Но если завещание в пользу братьев, кому еще выгодно убивать завещателя? Вот ты мне скажи! Я сколько лет в сыске и точно знаю, что убивает всегда тот, кому от этого прок есть! Выгода, ерш твою дивизию. А кроме твоих Галицких убивать никому не выгодно!..

— Я еще подумаю, — пообещала Демидова.

Поднялась с лавочки, потянула за собой сумчонку и поволоклась по скверу, как-то странно переставляя ноги в пудовых кроссовках.

Майор и лейтенант смотрели ей вслед.

— Правда, что ль, знаменитость? — спросил майор, пихнув плечом лейтенанта.

— А чего вы не стали Галицкого выпускать? Какая разница, сейчас или завтра!..

Тут майор хмыкнул.

— И пусть она всухую выиграет, лахудра эта, да?! Нет уж, пусть ее ясный сокол до утра на шконке покемарит, не рассыплется!

— Да какой он ясный сокол? Он ей в отцы годится!

— Дурак ты, Павлушка.

— А вы правда Юлию Демидову не знаете? И шоу ее никогда не видали? Называется «Лисьи тропы»!

— Да не видел я никаких троп, твою мать!

— Я вам завтра покажу, Сергей Петрович! Она прямо их чихвостит, то министров, то артистов!.. Получается у нее! Главное, никто не отказывается, все в «Лисьи тропы» валят! Считается, кого она позвала и отчихвостила — тот крутой.

— Ни шута я не понимаю в современной жизни, — пожаловался Мишаков. — В этих ваших героях из интернета! Старый стал.

— Что вы, — фальшиво возмутился Павлуша. Он знал, что старикам всегда приятно, когда им говорят, что они молодые, — вы еще совсем... не того... ничего еще!.. Вот дед мой вообще в телефон въехать не может. Кнопки какие-то ищет! Я ему, главное, показываю, а он...

Майор Мишаков, которому недавно стукнуло сорок пять, и по этому поводу в отделе даже были залихватские гуляния, и в главке его поздравляли, и премию выписали, дослушивать историю про Павлушиного дедушку не стал.

Он поднялся с лавочки, потянулся, поморщился — в пояснице что-то хрустнуло и сдвинулось — махнул лейтенанту рукой и зашагал к своей машине.

... Ловко беломордая мармазетка его обвела!.. Майор в детстве состоял в юннатском кружке при Доме пионеров и знал, что есть порода обезьян с таким названием. Диктофон у нее был приготовлен, и с Бубенцовым васьвась, и с министром!.. Разумеется, майор и без нее знал, что действует не совсем законно и профессионально, но уж больно братья Галицкие его бесили!.. Особенно рэпер ПараDon'tozz, мать его так и эдак!.. И вот если бы его, майора, сию минуту вызвал тот же Бубенцов и спросил, кто завалил старика Милютина, Мишаков опять сказал бы — Галицкие завалили! Ну, некому больше! Как-то они хитро все придумали, обтяпали, обставили, что у них алиби, свидетели, люди с утра до ночи вокруг, но они это!.. Нет там никаких других выгодополучателей и быть не может!

А если облезлая беломордая мармазетка права, и эта вчерашняя тетя сама себя к стулу прикрутила, вернее прикрутил ее сынок малахольный? Тогда ведь совсем другой расклад вырисовывается! Ну, принципиально другой!.. И тогда выходит, что он, Мишаков, профессионал сыска и матерый опер, этот расклад проморгал, а мармазетка прочухала, что ли?..

Он вывернул баранку, выехал на шоссе, пуганул какого-то студента на «Хюндае», поддал газу, завизжал шинами на светофоре. Ничего не помогало.

Нужно начинать думать с какой-то совершенно другой стороны, а думать майор не слишком любил. Он любил действовать.

Утром следующего дня тютелька в тютельку к одиннадцати явилась Демидова, поскреблась к майору в кабинет, и сколько он ни вопил: «Я занят! Выйдите, занят я!.. В коридоре подождите, сказано же!..», вошла, села у стены, достала телефон и уставилась в него.

— Если вы за Галицким, обождите за дверью.

Она подняла альбиносные глаза:

— Я лучше здесь.

И опять уткнулась в телефон.

Майор решил не обращать на нее внимания и писать. Он писал как бешеный, не обращал внимания изо всех сил, упрел весь. Демидова даже глаз не подняла.

Старался майор, как выяснилось, когда он посмотрел на часы, целых двенадцать минут. Ну, а потом не вынес, вызвал Павлушу, который привел Галицкого, и вытолкал парочку взашей.

Едва сойдя с крылечка, Лиса сказала Нику:

— Купи мне чупа-чупс.

Он щурился и озирался по сторонам. Свобода после двух ночей в КПЗ казалась ему удивительной и неправдоподобной.

— Ты что, не ездила домой?

Лиса оглядела себя. На ней был все тот же грязный, некогда белый джинсовый костюм, в котором она вымокла, поджидая его возле института.

— Не-а.

— А где ты ночевала? У Сандро?

— Не-а. Я его не видела даже!

На самом деле две ночи она провела у подружки, и это было... плохое гостевание. Подружка все выпытывала что-то, и ладно бы по делу, а то всякую чушь — сколько тот зарабатывает, правда ли, что этот гей, скоро ли третьего назначат, а четвертого снимут! С точки зрения подружки, Лиса все это должна была знать, а она не знала!.. И вообще ее никто и ничто все эти дни не интересовало, кроме Ника Галицкого!.. Вчера вечером она изо всех сил ждала утра, а подружка ей мешала ждать. Потом навалили еще какие-то люди, все разлеглись по диванам с кальянами, принялись пускать дым и погрузились в телефоны. От дыма у Лисы очень быстро заболела голова. У нее всегда болела голова от запаха наркотика!.. Она ушла было в спальню и принялась за «Бесов» — сочинение Ф. М. Достоевского, — но тут нарисовался пацанчик, которому то ли телефон надоел, то ли дым в голову ударил, и стал Лису хватать и щупать. Ей это решительно не понравилось, и она смазала пацанчика по уху. Однако тот не угомонился, а наоборот, возбудился. Тогда Лиса хорошенько его отделала, да еще укусила во время потасовки, оставила завывать и кататься по покрывалу, а сама ушла в ванную и там заперлась. Тут ей стало так противно, что она неожиданно для себя заплакала горючими слезами. И, главное, деваться было некуда!.. И рассказать некому — Ника-то в тюрьму посадили! Ну, пусть не в тюрьму, пусть не посадили, и пусть она никогда в жизни ему ничего не рассказывала, но хотелось, чтоб он слушал, жалел ее, хмурился, а потом побежал бы и тоже навалял недоумку!.. Ей так хорошо было с Ником в его неухоженной старой квартире, так спокойно! И утром он ее кормил!..

Но этим дело не кончилось. В ванной она сидела довольно долго, а когда вышла, побитый пацанчик налетел на нее, стал таскать за волосы, выкрикивать угрозы, ударил плечом о дверь, еле их разняли. И подружка потом все уши ей прожужжала, мол, папаша побитого какая-то шишка, лучше бы Лиса ему отдалась, а не рожу расцарапала.

Все это тоже было мерзко, и хотелось, чтобы скорей наступило утро и все забылось.

Лиса частенько попадала во всякого рода истории и всегда казалась себе после них нечистой и в чем-то виноватой.

— Как ты узнала, что меня сегодня отпустят? — спросил Ник. — Слушай, мне нужно домой заехать, хоть душ принять, и на работу, у меня там...

— Знаю, знаю! — перебила Лиса. — У тебя в Новосибирске производная рвется! Я с тобой.

О том, откуда она узнала, что его отпустят, можно не рассказывать. Она виртуозно умеет путать следы и уводить собеседника от щекотливой темы.

— Куда со мной? — спросил Ник тоскливо. — Ну, куда?..

— Я в случае чего опять под забором погуляю, — пообещала Лиса бодро. — Купи мне чупа-чупс, а?..

Ник посмотрел на нее. Мордаха у нее была такой счастливой, словно она сама спасла его из застенков, где он просидел последние двадцать лет!.. Мордаха счастливая, легкие волосы заправлены за уши, нелепый костюм, делавший ее похожей на кузнечика-альбиноса, весь перепачкан. Ник взял ее за воротник, подтянул к себе и стал отряхивать.

— Как я куплю тебе чупа-чупс, — проговорил он, старательно ее отряхивая, — если у меня отобрали все деньги?

— И не вернули?!

Тут он сообразил, что и вправду вернули.

— Пошли, — велел Ник и перестал отряхивать. — Вон киоск.

Он купил чупа-чупс, который она моментально засунула в рот — щека оттопырилась. Позвонил брату Сандро — тот не взял трубку. Позвонил маме — набрехал, что ночевал две ночи на работе, а на территории института связи почти нет.

— Передавай привет, — шепеляво и слюняво выговорила Лиса.

— Мам, тебе привет от Лисы, — с разгону выпалил Ник.

Наталья Александровна нисколько не удивилась:

— От девушки, которая приезжала с вами? Спасибо, и ей передавай.

Ник нажал отбой и накинулся на спутницу:

— Вот что ты лезешь в разговор?!

— А че такого-то? Привет передала, подумаешь!

Так получилось, что до самого дома он ее прорабатывал — за все. За то, что караулит его везде, за то, что таскается следом, за грязный костюм и дебильный вид, за то, что укусила брата Славу да еще смылась в самый неподходящий момент.

Тут Ник остановил себя и сказал, что, пожалуй, смылась она правильно, иначе ее бы тоже загребли.

— Ты такой ужасный брюзга, — выговорила Лиса дрожащим голосом. Все же ему удалось ее задеть. — Ну, хочешь, я от тебя отстану и вообще.

— Что вообще?

— Навсегда. И ты меня больше никогда не увидишь!..

Ник после двух ночей на нарах чувствовал себя грязным и словно в чем-то виноватым. Он должен был выместить свое бессилие и вымещал его на Лисе. Он вовсе не собирался с ней ссориться, да еще... навсегда!.. Чушь какая — он больше никогда ее не увидит!

Он к ней привык.

Нет, нет, не так.

Он к ней привязался.

— Что я должен сказать? — осведомился он. — Не уходи, побудь со мною, пылает страсть в моей груди?

— А в твоей груди пылает?

— Юль, я очень устал. Если хочешь уехать, уезжай. Собственно, тебе давно пора домой. Я это уже сто раз повторял.

Она повернулась и пошла прочь. До подъезда его дома оставалось сто шагов.

Ник, не оглядываясь, двинул дальше.

Нет, все правильно. Вот сейчас все правильно. Девчонка поедет домой, он вернется на работу, потом разыщет Сандро, и они вдвоем все обдумают. Может быть, нужно организовать охрану маме, раз уж неизвестные добрались до тети Веры, и все из-за писем!..

Ник оглянулся.

Асфальтовая дорожка, огибая детскую площадку с разноцветными качелями-каруселями, выруливала к арке — в пятидесятые любили строить с арками и башенками! Ни на дорожке, ни на площадке, ни под аркой не было девицы-альбиноса, к которой Ник в последнее время... привязался и которую только что прогнал.

Нет, нет, он все правильно сделал!..

Ник еще раз оглянулся и постоял, высматривая ее, потом решительно повернул к подъезду.

Во дворе было много машин, даже его личное место занято. Когда-то жильцы, изнемогшие от притока автомобилей из соседних дворов, выбили у мэрии разрешение на шлагбаум, разметили стоянку и на каждом пятачке написали номер квартиры.

Так, а где может быть его собственная машина?.. Он некоторое время соображал, а потом вспомнил, что она осталась возле дома тети Веры. Да и шут с ней.

Ник вдруг всерьез устал, прямо вот здесь, на пороге собственного дома. В камере он не спал обе ночи, а накануне спать ему мешала Лиса — он улыбнулся воспоминанию. Предстоящий день, который только начинался, его пугал. Придется ехать на работу и там соображать, придется искать Сандро, придется возвращаться за машиной в ненавистный двор, и все это... в одиночку.

Ник открыл тяжелую дверь, обшитую досками «в елочку», похожими на паркет. Дверь помнила самого Иосифа Виссарионовича Сталина, который, рассказывали, приезжал, когда этот дом был построен, чтобы удостовериться, что «быт советских ученых налажен», пережила все ремонты и реконструкции, революции девяносто первого и девяносто третьего годов. Жители подъезда дверь любили и оберегали.

Как только Ник ее открыл, навстречу ему, как вспугнутые с помойки вороны, кинулись люди с микрофонами, камерами и телефонами в руках. От неожиданности ему показалось, что их очень много, целый подъезд!.. Зажегся желтый прицельный свет, ударил в лицо. Ник зажмурился.

— Николай, за что вас задержали? Это как-то связано с убийством, в котором подозревают ПараDon'tozza? Где он сам? Где скрывается ваш брат? — понеслось со всех сторон. Вопросы, словно камни, сыпались ему на голову, и он отступал под градом этих камней. — Почему агент рэпера не дает интервью? Когда будет созвана пресс-конференция? ПараDon'tozz сейчас в стране? Его объявили в международный розыск? Правда, что вашей спутницей стала Демидова? Уголовное дело заведено и на вас тоже?

Ник сообразил, что прорываться нужно вперед, к лестнице.

— Я ничего не знаю! — заорал он на весь подъезд, и журналисты немного расступились от его вопля. На первом этаже открылась и закрылась дверь, очевидно, выглянул кто-то из соседей. — Я не знаю, где мой брат! Он ни в чем не замешан!

— То есть он стал жертвой провокации? Его подставили? Его преследуют за его творчество? Он имеет отношение к либеральному движению? А вы сами?

Ник ринулся вверх по лестнице. Журналисты помчались за ним.

На втором этаже Ник нос к носу столкнулся с соседкой. Очень удивленная, в бархатном халате и с шавкой на руках, она стояла возле лифта.

— Здрасти, Роза Львовна, — пролаял Ник, пробегая мимо нее.

— Колечка! Кто это?!

— Свободная пресса! — с лестницы закричал Ник в ответ.

Ему оставалось преодолеть еще один пролет, открыть дверь, и — он спасен!

— Пресса?! — возопила снизу Роза Львовна. Шавка изо всех сил забрехала. — Кыш отсюда! Я сказала —

кыш! Здесь живут приличные люди!.. Я немедленно вызываю наряд, это хулиганство!..

Ник молниеносно открыл дверь и так же молниеносно запер ее за собой. Свободная пресса осталась с носом.

Ник прошел в ванную и попил немного воды из крана. Отдышался и попил еще. Скинул ботинки, пошвырял их в сторону передней и набрал номер Сандро.

— Ник, е, где ты пропал?!

— Пошел по твоим стопам. Ночевал две ночи в кутузке. — Ник сел в кресло и свесил голову между коленей, чтобы в ней не так стучало.

— Тебя забрали тоже, ешкин-матрешкин?!

— Уже выпустили.

— Тебя что, били? — Тон у брата изменился.

— Никто не бил. С чего ты взял?..

— У тебя голос какой-то... придушенный, е!..

Ник распрямился.

— У меня в подъезде полно журналистов, — проинформировал он. — Роза Львовна их гнала, но, по-моему, не выгнала. Они хотят знать, не подался ли ты в бега и не объявлен ли в международный розыск.

— Е!..

— На тетю Веру позавчера напали и связали. Из квартиры не забрали ничего, кроме старых писем.

— Подожди, брат, — попросил Сандро. — Не части. Я сейчас приеду.

— Нет. Нарвешься на журналюг.

— Класть я хотел на журналюг.

Ник кулаком постучал себя по голове. Шум в ней все не унимался.

— Сандро, дай мне телефон девушки, которая торчала у тебя в квартире, а потом с нами ездила в Луцино. Лиса которая.

— Нету у меня ее телефона и не было никогда, — сказал брат с изумлением. — А тебе он на кой ляд?

Ник помолчал.

— Где она живет?

— Ник, клянусь Шекспиром, я не знаю!.. Я даже не знаю, как ее зовут.

— Юля, — автоматически сказал Ник.

Сандро развеселился:

— Ну, Юля так Юля. А для меня она Лиса, и хрен с ней.

— Но она откуда-то взялась!

— Привел кто-то, но я не помню, Ник. То ли Сиплый, то ли нет. Она чего-то в интернете делает, блогерша, что ли, я не интересовался. Я музыкантов-интернетчиков знаю, а так... больше никого.

— Если она будет тебе звонить, — попросил Ник, — скажи, чтобы мне позвонила. И сохрани ее номер.

— Брат, я чего-то пропустил?

Ник не знал, пропустил или нет. Скорее всего пропустил.

— Не приезжай ко мне, — распорядился он. — Я вымоюсь, переоденусь и сам к тебе приеду. Ты где?

— В «Марриотте» на Петровке. У меня тоже новости есть. Я тебя того... развлеку по полной! Ты готовься.

— Меня с работы уволят, — пробормотал Ник. — Я ее бросил совсем.

— Тебя не уволят, — заявил Сандро убежденно. — Если уволят, кто станет заниматься такой хренью, как эта твоя аэродинамика? А без этой хрени самолеты не летают, прикинь! Все, гоу-гоу, я жду, брат! И не кисни, понял?..

Думая только о том, где он теперь будет искать Лису, Ник позвонил на работу, наврал секретарше Марине Ивановне, что болен. Марина Ивановна посочувствовала и велела немедленно вызвать врача — по Москве ходит какой-то страшенный весенний грипп.

— Ирочка о тебе беспокоится очень, — понизив голос, добавила она. — Вчера заходила, справлялась, и сегодня тоже... Очень беспокоится. Ты бы ей хоть позвонил.

Ник спросил, кто такая Ирочка, тут же сообразил, что сделал ужасную ошибку, и пообещал позвонить. Однако позвонил он не Ирочке, а Михаилу Наумовичу и ему сказал правду — у них с братом проблемы, и как из них выпутаться, они пока не знают. Ему нужны отгулы.

— Отгулов у тебя, должно быть, на год наберется, — задумчиво произнес старик. — Хорошо, я схожу к директору, он тебе задним числом подпишет сколько нужно.

— Спасибо, Михал Наумыч!..

— Только неприятности твои меня тревожат, — продолжал старик. — Их по телевизору все время показывают, неприятности эти. Брат твой охламонище и брандахлыст, ты будь-ка поосторожней, Коля.

Ник молчал.

— Обвинения в убийстве не шутка, а ты у нас особь горделивая и своенравная.

— Я?! — поразился Ник.

— Можешь дел наворотить. Так что меня держи в курсе, а себя в руках. Ты понял?

Ник сказал, что понял.

Он зашел на кухню, чтобы включить чайник, и моментально вспомнил, как они завтракали с Лисой — на столе две чашки, две вилки и доска, на которой они резали хлеб.

...Если девчонка «из интернета», как выразился брат, значит, искать ее нужно именно в интернете. Ничего, найдется!.. Все как-то друг друга находят. Вон у них на работе инженерша Зося нашла какого-то своего одноклассника, вступила в романтическую переписку с далекоидущими намерениями, а потом оказалось, что он тихо наркоманит где-то на Гоа и Зося ему нужна только в свободное от курения травы время, когда он не знает, чем бы еще заняться, и занимает себя Зосей.

...Ничего, ничего. Лису он найдет.

В ванной Ник думал о том, как станет ее искать, и еще немного о том, что Михаил Наумович назвал его горделивым и своенравным — Ник знал о себе, что смирный, невыдающийся и трусоватый. Ошибается его старый учитель! Или, может, он сам ошибается?.. Потом опять о Лисе, как она ждала его возле института, считай, целый день, до нитки промокла, но не ушла. В ее кроссовки, Ник видел в машине, были подложены специальные стельки, должно быть, у нее что-то с ногами, но ведь она не ушла!.. И ему стало стыдно и жалко ее.

Ник, купи мне чупа-чупс!..

Ничего, найдет как-нибудь!..

Он вышел из ванной, натянул на голое тело брюки от спортивного костюма, подаренного братом на какой-то праздник. Брат уверял, что это не просто костюм, а о-го-го какая вещь, «коллаб», что означает «коллаборацию брендов»!.. Ник сказал, что знает только французское коллаборационистское правительство времен Второй мировой войны, а больше ничего такого не знает, а Сандро сообщил, что «коллаб» — это когда две знаменитые марки одежды сговариваются и выпускают совместный продукт. Сандро, как человек светский, разбирался в брэндах, марках и прочей ерунде.

Охламонище и есть!..

Штаны были невероятной ширины, прихваченные у щиколоток, карманы ниже попы, но — нельзя не признать, — очень удобные. Ник редко их надевал, чтобы «не разболтаться». Он считал, что нужно постоянно держать себя в форме, не давать себе спуску, не растекаться по штанам или креслам! Но сейчас «держать себя» было невмоготу.

Ник пооткрывал дверцы шкафов и заглянул в холодильник. Ничего, кроме остатков сыра и хлеба. Еще коробка шоколадных конфет.

Зазвонил телефон, и Ник некоторое время соображал, что это за звук. Звонил домашний аппарат, которым в последнее время пользовались редко, почти никогда.

Звонила соседка Роза Львовна.

— Колечка, — проговорила она взволнованно. — Я сейчас к тебе зайду, открой дверь, пожалуйста. Ты мне нужен по срочному делу.

— Роза Львовна, одну минуту, я сам к вам спущусь! — закричал Ник, но телефон уже смолк.

У самой двери он сообразил, что не совсем одет, выхватил из гардероба первую попавшуюся сорочку, на ходу застегнул на две пуговицы и распахнул дверь.

За дверью кто-то стоял, и этот кто-то вихрем ворвался в квартиру. Ник от неожиданности сделал шаг назад, а неизвестный одним движением захлопнул дверь, прислонился к ней спиной и выдохнул с облегчением.

— Здорово, — сказал неизвестный голосом Лисы, которую он только что потерял навсегда и не знал, как найти. — Ты че, меня не узнаешь?..

Ник как во сне нашарил на комоде свои очки, нацепил на нос и посмотрел.

Точно она!.. Лиса.

Он так неожиданно сильно и горячо обрадовался, что схватил, прижал ее к себе и закружил. На ней были какие-то пышные тонкие одежды, которые мялись и закручивались вокруг нее, а в руках пакеты, и она их не выпускала. Кружить ее было страшно неудобно.

Ник вырвал пакеты, плюхнул их к стене, и им удалось обняться по-человечески. Под странными пышными одеждами она была очень тоненькой и очень горячей. Ник боялся что-нибудь в ней сломать.

Острые локти уперлись ему в плечи — больно! — она засунула обе руки ему в волосы и почесала голову.

С Ника упали очки.

— Слушай, как ты догадалась вернуться? — спросил он. — Я не знал, где тебя теперь искать.

— Ты отправил меня домой.

— Это я не подумав.

Они поцеловались. Потом еще раз и еще. Тут Ник перепугался, что дело зайдет слишком далеко, и стал было отступать, но Лиса не дала ему ни единого шанса. Она прыгнула на него, обхватила ногами, повисла, вцепилась.

Всем известно, что лисы — животные дикие!..

Ник засмеялся от ее напора, блаженно закрыл глаза, когда она стала целовать его в шею, и шарахнулся, когда она засунула руки за пояс коллаборационистских штанов и впилась ногтями в ягодицы.

— Ты что, с ума сошла? — выговорил он, отстранил ее от себя и посмотрел ей в лицо. Лицо было бледным, как бумага, только на скулах горели нездоровые розовые пятна. — Мы не будем этого делать. Мы не можем.

— Мы можем, — пробормотала она, близко рассматривая его губы. — Я совершенно точно знаю, что можем. Я сижу на тебе верхом!..

Чтобы оторвать ее от себя, Ник взял Лису за бока и поднял — она была легкой и подвижной, как небольшой зверек.

— Это идиотизм, — сказал Ник, глядя на нее снизу вверх.

— Согласна, — пропищала Лиса, ловко извернулась, скользнула и снова вцепилась в него руками и ногами, повисла. — Только идиоты рассуждают вместо того, чтобы... чтобы... когда можно...

Сорочка полетела на пол, Ник наступил на нее, и, кажется, на очки тоже!..

Только идиоты рассуждают, когда можно не рассуждать, не думать, не бояться. Когда можно взять все, что предлагается с такой неслыханной щедростью!..

Лиса оказалась очень щедрой.

Он же знал, что все будет — с той самой минуты, когда проснулся и почувствовал, как она завозилась под боком. Вроде бы у него были некие соображения, почему — нельзя, и это были серьезные и умные соображения, но в эту минуту он никак не мог вспомнить ни одного.

Тонкие складки ее немыслимого одеяния мешали ему, он разбрасывал их в стороны, чтобы добраться до нее, но ему не удавалось.

— Подожди, — пропищала Лиса.

— Что?

— Подожди, ты так не снимешь. Дай я сама!..

В одну секунду она выпуталась из платья и осталась в микроскопических трусиках, таком же лифчике и кроссовках на высоченной платформе.

Ник подхватил ее на руки, прижимая к себе, чувствуя тонкость кожи и хрупкость косточек, отнес на диван в кабинет — где они проснулись вместе, — и стал стягивать кроссовки. Лиса вдруг стала брыкаться и хихикать.

Он поднял голову. Щеки у него горели.

— Что?

— Щекотно, — призналась она. — Ужасно!

И опять стала с удовольствием брыкаться.

Эти ее взбрыкивания привели к тому, что у Ника кончилось терпение, совсем, окончательно.

Он придавил ее к дивану так, что она больше не брыкалась, и долго не отрывался от нее, трогая, двигая, узнавая и удивляясь узнанному. Она сначала затихла, потом задышала, потом закинула голову и руки, сдаваясь ему.

Ник чувствовал только, что все правильно — место, время, девушка. Он не заботился ни о ней, ни о себе. Все шло как-то само собой, и это тоже было правильно.

Он так соскучился по ней!..

Ее не было в его жизни, должно быть, с полчаса, но он соскучился давно, много лет назад. Он ничего не знал о ней, но все-таки догадывался, что есть — должно быть! — существо, которое во всем ему подойдет. Лиса подходила. Она упивалась им и всем, что он с ней делал.

Она скулила, пищала и требовала большего, настаивала и дразнила. Говорят, лисица дразнит охотника, когда понимает, что ему не догнать ее!..

— Подожди, — на этот раз попросил Ник. — Мне нужен... перерыв.

— Тебе нужна я, — в ухо ему проговорила Лиса.

Ему досталась говорящая лиса!..

Легкие белые волосы щекотали ему нос, он целовал волосы и щеки и вдруг с необыкновенной радостью увидел веснушки у нее на ухе!.. Это было такое открытие — веснушки на ухе!

Ник повернул ее голову и посмотрел на второе ухо, на нем тоже были веснушки.

Зубами он прихватил веснушки вместе с ухом, в голове у него зазвенело и подвинулось, он понял, что никакой перерыв ни от чего его не спасет.

Он закинул ее руки и прижал, чтобы она не трогала его, повернул, захватил!.. Очень близко он увидел ее светлые глаза, сосредоточенные и серьезные, и у него хватило сил посмотреть в них.

Что потом произошло — он не мог вспомнить. И сколько длилось, не мог. То ли несколько секунд, то ли несколько часов.

...Он так соскучился по ней!.. И ему казалось, она понимает, что он скучал давно, всю жизнь.

Он получил ее и вместе с ней великую, необъяснимую радость бытия. Он никогда так не наслаждался женщиной и собственным телом тоже. Все сошлось, совпало, соединилось!.. При этом он не думал ни о ней, ни о себе, по отдельности их в этот момент не существовало. Вселенская радость и взрыв сверхновой получился от их соединения, вот это он понимал и об этом помнил.

... Лиса так долго не шевелилась и почти не дышала, что он неожиданно перепугался, перекатился и схватил ее за плечо.

Она открыла странные светлые лисьи глаза и спросила лениво:

— Вам кого?

— Я тебя... — быстро произнес Ник, остановился и договорил совсем другое: — Раздавил, наверное?

Лиса опять закрыла глаза.

Так они лежали довольно долго. Он держал ее за кисть, вернее за лисью лапу.

— Я хотел тебя искать в интернете, — признался Ник наконец.

— Че меня искать-то? Я здесь.

— Я рад, — сказал он.

Она еще полежала, потом зашевелилась, задвигалась, перелегла щекой на его плечо, ногу закинула на живот и вся прижалась к нему.

Ник почувствовал тревогу. Все начиналось сначала.

— А я пошла в магаз, — сообщила Лиса. Она терлась о его грудь то одним, то другим ухом. Он помнил, что на ушах у нее веснушки. Тревожные признаки усиливались. — Купила там всякого. И пришла.

— Подожди, — сказал Ник, перехватил ее голову, поднял за подбородок и посмотрел в лицо. — Должна была прийти Роза Львовна! А не ты!

Тут он неожиданно захохотал.

Хорошо, что пришла Лиса, а не Роза Львовна! Вот удача!..

— В подъезде на меня напали журналюги, — продолжала Лиса. — На тебя тоже напали?

Она высвободила подбородок из его ладони и легонько укусила его в шею.

Что я буду делать, подумал Ник жалостливо. Как я стану жить? Заниматься с ней сексом по пять раз на дню? Ну, чтобы хоть немножко отпустило?..

Лиса забралась на него, вытянулась и поцеловала в губы.

— У тебя растерянный вид, — заметила она.

— Я растерян, — признался Ник.

— Ты соберись, — подбодрила Лиса.

Он собрался, и опять им стало не до разговоров.

Потом они как-то моментально заснули и одновременно проснулись.

— Я рад, что ты нашлась, — повторил Ник в десятый раз.

Он понимал, что придется встать, куда-то пойти и что-то там сделать. Он понимал, что план — пять раз в день, чтобы отпустило! — невыполним, по крайней мере сегодня. Он понимал, что его неприятности не кончились, больше того, ничего не изменилось, положение осталось точно таким же, как было сегодня утром, когда его выпустили из кутузки.

Точно таким же, но совершенно другим!..

— Нам нужно вставать, — сказал Ник. — Я обещал Сандро приехать.

— Я с тобой, — тут же отозвалась Лиса, и он ответил:

— Ну, разумеется. Я куплю тебе в ларьке чупа-чупс.

Он сходил в душ, нацепил «коллаборационистские» штаны и толстовку, на кухне собрал все заново — чайник, хлеб, сыр. Есть хотелось так, словно он три дня блуждал по тайге, питаясь одними кореньями.

Попадись ему сейчас коренья, он бы их тоже съел.

Лиса вышла из ванной и деловито спросила из коридора:

— Где мои пакеты? А, вот они!..

Она вошла в кухню — он отступил и вытаращил глаза, — и стала выкладывать из пакетов другие пакеты.

— Че ты вылупился? — спросила она, перестав выкладывать.

На ней было широченное платье немыслимого цвета, на первый взгляд Ник не смог определить, что это за цвет. Впрочем, на второй тоже не смог бы! Бледно-зеленое, пожалуй, почти в серебро. Оно плескалось вокруг нее, как морская волна вокруг белого камушка. Серебряный отсвет ложился на и без того бледное лицо.

— Где ты это взяла? — И он пощупал край тончайшей ткани, струившейся, как вода.

— Че? Платье? — Лиса перехватила его руку, поцеловала, оттолкнула и продолжила вытаскивать пакеты из пакетов. — Да тут, на Ленинском! Тут сроду никаких магазинов одежды не было, все «Ковры», «Фарфор» какой-то! А мне переодеться нужно хоть во что! Ну, я пошла в «Mothercare», это магазин для беременных клуш. — Тут Лиса скроила гримасу. — Ну, то есть для будущих мамочек. И купила. Там продается одежда!.. А что?

— Красиво, — сказал Ник.

Лиса оглядела себя.

— Да вроде ничего. Правда, я из него торчу как палка из стога сена.

— Очень красиво, — повторил Ник.

— Еще я купила нам поесть, — продолжала Лиса, кивая на пакеты. — Вот это тебе — чипсы из водорослей и чипсы креветочные. А для себя кейл-чипсы взяла, я их люблю. А ты любишь? Они из капусты.

Ник плюхнулся на стул.

— А это попить. Мне камбучу, а тебе сидр. Видишь, английский, с лисой! — Она потрясла у него перед носом темной бутылкой со странной этикеткой. — Ты же за рулем сегодня не поедешь?

Ник оглядел собственный стол, заваленный невесть чем. По словам девчонки — едой и питьем. И тут пришла ему в голову ужасная мысль о том, что разница в возрасте у них огромна, как черная дыра в пространстве. Пятнадцать лет — вечность.

Он никогда не станет покупать кейл-чипсы из капусты, а она никогда не согласится варить харчо!..

...А как же радость бытия, такая огромная, что не вмещалась ни в сердце, ни в голову? А план — по пять раз в день, желательно вообще не отпуская ее от себя? А смешные разговоры? А фотографии лисы Джунипер из интернета?

Это все... невозможно?..

Она выручила его. Она продолжала болтать, он волей-неволей стал слушать и отвлекся от черной дыры и невозможности.

— Открыть тебе сидр? — Она повыдвигала ящики, нашла открывалку и подцепила пробку. — Почему ты не ешь? А хочешь мои кейлы, а я съем твои водоросли?

Она уселась напротив. Волшебное платье из «магазина для клуш» разлилось вокруг нее переливающимся озерцом.

Она аппетитно захрустела и отхлебнула из бутылки.

— Ну во-от. Потом я к тебе пошла, но, думаю, наверняка тут журналюги засели! Захожу в подъезд, очки, конечно, нацепила темные. Ну, они смотрят на меня. Я раз-раз и забежала на второй этаж, думаю, раскусят! И позвонила в первую попавшуюся дверь. Открывает такой дивный бабус в халате! А на заднем плане бобик брешет!

Ник глотнул сидра и надорвал пачку с чипсами — то ли водоросли, то ли креветки.

— Я ей говорю, мне к Нику Галицкому надо попасть, но меня журналисты догонят, говорю, если я буду звонить, ждать, пока он откроет! Бабус и говорит: мы ему сейчас протелефонируем, он заранее откроет, и ты дуй!.. Так мы и поступили. Она тебе позвонила. Мы выждали время, я выбежала и проскочила! Журналисты внизу остались! Они думали, что я из той квартиры на втором этаже. Я же туда зашла, к дивному бабусу!..

— Да уж, — только и смог сказать Ник, хрустя чипсами.

— Роза Львовна жжет, — согласилась Лиса. — Слушай, я там свои труселя постирала и в ванной на батарею повесила, ничего?.. Труселя в магазине для беременных я купить не смогла.

Тут она вдруг покраснела так, что слезы навернулись на глаза.

Ник вскочил и обнял ее. Они немного постояли молча.

— Вернуться к тебе было трудно, — призналась Лиса наконец.

— Я понимаю, — согласился Ник.

— Но я рада, что вернулась, — договорила она.

— И я рад, — сказал он. — Только... понимаешь... Я все равно буду тебя пилить. Я зануда и прочее. Правда, мой научный руководитель почему-то считает меня своенравным и еще каким-то. А! Горделивым.

— Ты ужасно своенравный, — заявила Лиса. — Прав твой руководитель. И гордый. И мне надо с тобой поговорить.

— Давай поговорим.

— Нет, нет, — поспешно сказала Лиса. — Не сейчас, а так, вообще!.. Мы потом, ладно?

— Давай потом. — Нику показалось, что она немного огорчилась. — Ты поедешь со мной к Сандро?

— Вот ты только сразу не начинай, ладно? — Она отстранилась от него и выпалила единым духом: — Я сперла у твоей тети из квартиры ключи. И тогда убежала не потому, что я подлая, а потому, что мне нужно было утащить ботинки.

...Не могла же она рассказать все сразу! На самом деле *вряд ли она когда-нибудь ему расскажет всю правду*. Но некую версию, под которую можно было бы подогнать часть событий, она давно придумала.

— Смотри, — продолжала Лиса с излишним оживлением, — мне показалась странной эта история с кражей писем из тетиной квартиры.

— Зачем ты стащила у нее ключи?!

— Ты слушай, не перебивай! И ешь чипсы! А хочешь мои? Когда пришел Слава, я пощупала его ботинки. Ты меня как раз тогда вывел в коридор и велел там стоять, чтобы я не мешала. Ботинки были сухие, а в подъезде лужа. Обойти ее никак нельзя, выходит, он не с улицы пришел? Потом еще. В ванной у них точно такая же бельевая веревка, какой твоя тетя была привязана к стулу.

— И чайник, — вдруг вспомнил Ник. — Я ходил на кухню, тетя попросила поставить чайник, а оказалось, что он горячий. Я удивился. Я подумал, вряд ли налетчики пили чай или тетю Веру угощали. А если не пили и не угощали, получается, что с момента налета до нашего прихода прошло минут десять!

— Тру! — согласилась Лиса. — Ты варишь!.. И я подумала так. Инсценировка с привязыванием к стулу была нужна для того, чтобы объявить, что письма похищены.

Она была уверена, что не только за этим, но Нику о ее догадках знать не полагалось.

— А их никто не хитил! Не похищал! Как правильно?

— Не знаю, я грузин.

— Они или остались у твоей тети в квартире, или их никогда не было, и она все выдумывает.

Ник подумал немного.

— Согласен.

— У нас есть ключи.

Лиса помчалась в переднюю, вернулась с сумчонкой, выхватила оттуда связку и потрясла у Ника перед носом.

— Мы можем пойти и как следует у нее порыться. Вдруг мы найдем письма! Или не найдем! И тогда нужно будет придумывать другой путь.

Ник зачерпнул из пачки чипсов и захрустел.

Пожалуй, ничего. Есть можно. Не харчо, конечно, но можно есть, чтобы не умереть с голоду. Как коренья в тайге.

— Если нас там накроют, — сказал он, хрустя, — то посадят с гарантией и надолго.

— Мы пойдем, когда там никого не будет. Твоя тетя работает?

Ник кивнул.

— А ее сын?

— Он долго сидел без работы, я пытался его устроить, и Сандро пытался тоже, но у нас ничего не получалось. Слава, — Ник поискал слова, чтобы стало понятно, — выше этого, понимаешь?.. Он сразу начинает всех воспитывать и возвышать до себя — начальников, коллег. Он когда-то хорошо учился в универе. Они с Сандро ровесники. Только Сандро учился на философском факультете, а Слава на филологическом. Наш отец помогал ему поступить. Отец ректора просил сразу за обоих — за Сандро и за Славу.

— Ну и отлично, — удивленно сказала Лиса Джунипер. — Что ты так разволновался-то? Слава сейчас на работу ходит?

— Куда-то ходит.

— Значит, мы пойдем рыться к ним в квартиру, когда они с тетей оба отчалят на работу! Вот и все. И нас не заметут.

Ник еще немного похрустел чипсами — то ли из водорослей, то ли из креветок. Должно быть, у него совсем отшибло мозги, но он согласился ехать к тете и шарить в ее квартире в поисках писем.

— Только без Сандро, — добавил Ник многозначительно. — За ним журналисты следят.

— За тобой тоже следят, — отмахнулась беспечная Лиса. — Смотри, я еще купила нам две игры.

— Что ты купила?!

— Две игры, говорю же. На вечер. Ну, чтобы как-то расслабиться. Нам же нужно отдыхать!..

Ник смотрел на нее, даже хрустеть перестал.

— Вот это «Элиас», — она достала цветную коробку и выложила на стол перед Ником. — Здесь надо слова объяснять. На карточке написано шесть слов, их надо объяснить. Ну, ты поймешь, когда мы будем играть. А это «Имаджинариум». Вдвоем неинтересно, но если с Сандро и еще кого-нибудь четвертым взять — отлично!

Ник не сводил с нее глаз.

— Да тебе понравится, — подбодрила его Лиса. — Точно говорю. Ты нас всех сделаешь, ты же умный.

...Черная дыра, вновь подумал Ник. Пятнадцать лет — это черная дыра. Не удастся ни обойти, ни объехать, ни сделать вид, что ее не существует.

Говорят, пятидесятилетние мужики очень любят жениться на двадцатилетних. Он, Ник Галицкий, сам видел по телевизору!

Они давали интервью о своем новом счастье. Улыбались романтически. Рассказывали лирически. Объясняли патетически. Во время такого рода шоу Ник, как правило, готовил себе ужин и не очень слушал, но всегда выходило одно и то же — старая жена стара и тянет назад, в прошлое. Новая подруга молода, и с ней герой устремлен вперед, в будущее. Ник, как физик, никогда не мог как следует оценить будущее героя и проникнуться его чувствами!.. Ну ведь логично, что в пятьдесят будущее — это семьдесят, да и то, если повезет, и далее потихоньку-полегоньку сборы на тот свет. «Так и доехал до райских ворот, кончились рельсы!» Ни разу осчастливленные новым счастьем не рассказывали ни о кейл-чипсах на ужин, ни о камбуче, ни об «Имаджинариуме», в который следует играть по вечерам, «чтобы расслабиться»! А тридцать лет разницы — вдвое больше, чем пятнадцать!

Лиса с тревогой следила за его лицом.

— Нет, если ты не любишь играть, — сказала она, — мы не будем!..

— Не то что не люблю, — признался Ник. — Я даже не знаю, что это такое. Мы с родителями играли в лото. Нам с братом было лет по девять. С тех пор не играли.

— Сейчас все играют, — сообщила Лиса упавшим голосом. — Страшно модная штука. И потом!.. Живое общение! Вы же все помешаны на этом живом общении!..

— Мы — это кто?

— Старшее поколение! Вы считаете, что в интернете общаться нельзя, а можно только вживую!.. А вживую общаться иногда в сто раз хуже! Такая печалька!

— Печалька, — повторил Ник. — Хочешь кофе?.. А, я забыл, тебе нельзя! Его сорвали, а все, что сорвали, есть нельзя, потому что оно было убито.

— Иди ты! — тявкнула Лиса. — Иди ты к черту!..

...Ничего не выйдет, думал Николай Михайлович Галицкий. Ничего не соединится, не склеится, черная дыра не зарастет. Она будет только увеличиваться, это свойство всех черных дыр.

Впрочем, непонятно, на что он рассчитывал! И зачем нужно, чтобы дыра заросла?.. Ведь все отлично — девчонка прибежала к нему, кинулась в постель. Им там было весело, и этим можно пользоваться, девчонкой, постелью!.. Можно даже попробовать в «Имаджинариум» сыграть или в «Элиас»! Когда надоест, перестать играть и пользоваться девчонкой, только и всего. Очень просто.

Я, должно быть, влюбился, сказал себе Ник отчетливо, так, чтобы ни в одном слове не было ошибки. Я влюбился в нее. Я не влюблялся с институтских времен, а сейчас влюбился.

...Никого хуже невозможно было придумать, чем влюбиться, даже если специально придумывать. Как будто над ним кто-то подшутил.

Он обернулся к ней. Лиса сидела, понурившись. Тонкие руки, словно вывернутые не в ту сторону, сцеплены и брошены в складки невиданного платья. Цыплячья шейка подергивается. На ушах веснушки.

Э-эх!..

Он подошел к ней, обнял за голову и прижал к себе, к мягкой ткани толстовки из «коллаборационистского» костюма, подаренного Сандро.

— Не, ну че ты обозлился-то? — спросила Лиса невнятно из-за толстовки. — Не хочешь, не будем играть!..

— Тебя учили балету?

Тут она заинтересовалась, высвободилась и подняла к нему лицо:

— Откуда ты знаешь?

Ник присел перед ней на корточки, взял за руку и покачал ею из стороны в сторону.

— У тебя руки и ноги вывернуты.

— Заметно, да?

Он кивнул.

— Я в балетной школе при Большом театре училась, — похвасталась Лиса и пристроила подбородок ему на макушку. — А потом меня выгнали. Я репетировала, репетировала, все было хорошо. А потом стала расти, и у меня развилось плоскостопие. Говорят, казуистический случай. Так не бывает, но развилось! Может, нужно было лечить, кто его знает! Только я больше танцевать не смогла. Конец карьере.

— Почему тебя не лечили?

Она пожала плечами:

— Ну-у-у, это целая история, лечение! Хлопотно, а тогда хлопотать было некому. Мама с папой разводились, бабушка умерла. Меня посмотрели в ЦИТО, а потом еще разные спортивные врачи смотрели, но все без толку. Ольга Ольгердовна так переживала, мой педагог! Она думала, что из меня выйдет прима, отдельно со мной занималась.

— А ты? — спросил Ник. — Ты переживала?

— Что я тогда понимала?! Я переживала, что родители разводятся!.. Я так старалась их помирить, но они все равно развелись. И даже не заметили, что я школу бросила. Мама потом спрашивала, ты что, больше не учишься балету?! А папа вообще про этот балет забыл!..

— Сколько тебе было лет?

— Тринадцать.

Ник подумал, что из нее должна была получиться балерина. Не зря Ольга Ольгердовна переживала!..

Он поднял ее вместе со стулом, поцеловал, аккуратно поставил на место и распорядился:

— Поедем к Сандро. Не забудь «Имаджинариум», а то нам нечем будет себя занять вечером.

Знаменитый рэпер долго не отвечал на звонок. Девушка на ресепшене держала трубку на некотором расстоянии от уха, в трубке длинно гудело, девушка параллельно делала еще какое-то важное дело, да еще дополнительно улыбалась в сторону плотной толпы громкоголосых китайцев в одинаковых красных куртках, отчего китайцы напоминали скопище жуков-пожарников. На Ника и Лису дежурная не взглянула ни разу, но отчего-то было понятно, что ни жуки-пожарники, ни параллельное дело ее не интересуют, а интересуют исключительно Лиса и Ник.

В холле «Марриотта» — мрамор, колонны из яшмы, конторки красного дерева, белые лилии в высоких вазах, ливрейные лакеи навытяжку — Ник чувствовал себя скверно.

Он ничего этого не умел — зарабатывать большие деньги, с шиком их тратить в роскошных местах, расслабленно и по-хозяйски беседовать «с персоналом», отдавая распоряжения, принимать заботы как должное, потягивать из бокала и сверкать начищенным носом ботинка, закинув ногу на ногу!.. В подобных местах Ник делался мрачен, надут, бормотал себе под нос нечто неопределенное и неодобрительное, смотрел в пол и мечтал побыстрее освободиться!

Лиса казалась равнодушной. Она сначала смотрела на китайцев, потом они ей надоели, и она стала дергать Ника за руку.

— Отстань, — процедил он.

Беспутный братец все не отвечал!

— Нет, — покачала головой девушка и приготовилась положить трубку, и тут в ней гавкнуло:

— Да!!!

Дежурная от неожиданности чуть не уронила трубку, подхватила и прижала ее плечом.

— К вам ваш брат.

Видимо, Сандро что-то заревел в ответ, потому что девушка закивала, словно он мог ее видеть, и сказала, что гостей сейчас проводят.

— У нас в пентхаусе особый режим, — словно похвасталась она. — Можно пройти только в сопровождении.

В сопровождении так в сопровождении, один леший!.. Ник уже совершенно изнемог. Сопровождающий паренек — в ливрее, как положено, — то и дело стрелял глазами. Лиса ему понравилась, что ли!..

Их проводили до самых дверей, роскошных, полированных, с вензелями и кренделями, и пришлось долго звонить и стучать, прежде чем на пороге возник Сандро, замотанный по бедрам полотенчиком.

— Открыто, е!.. — заорал он. Вода текла с него, на ковре оставались мокрые следы. — Я ж сказал, чтобы не стучали!..

Сопровождающий испарился.

— Сандрик, привет, — пролаяла Лиса. — Ты плаваешь?

— Ой, е-е-е!.. Ты-то откуда?.. — И Сандро моментально скрылся в ванной, только мокрые следы остались.

— Проходи, — пригласила Ника Лиса, словно была здесь хозяйкой, и тот моментально вспомнил первый вечер в квартире брата, когда она приставала, чем он занимается, сосала чупа-чупс и казалась ему отвратительной!..

Ник прошел.

В номере было несколько комнат, должно быть, три или четыре. В самой большой Ника поразил стол — гигантский, овальный, с наборной крышкой. В центре букет сияющих белых лилий.

Зачем Сандро комната с таким столом? Спит он на нем, что ли?!

Лиса бросилась на диван, улеглась, подбив под голову гобеленовые подушки, и вытянула ноги — прямо в кроссовках. Ник терпеть не мог такого рода распущенности. Трудно, что ли, башмаки снять?

Он подошел, стянул с нее кроссовки и пошвырял на пол — по одному.

— Че такое? — удивилась Лиса.

— Американского кино насмотрелась? Они там все спят обутые!

— Ну и че?

— Я брезглив, — объявил Ник и ничего больше не добавил.

Лиса уже знала, что его очень легко разжалобить. Если она сейчас захнычет, что у нее невозможно устали ноги, он моментально перестанет раздражаться и начнет над ней убиваться — бедной, бедной маленькой девочкой. Некоторе время она раздумывала, стоит его жалобить или нет, и решила, что не стоит.

Сандро явился из ванной. Он сверкал, как глянцевый огурец, и благоухал на всю комнату. Благоухание перебило даже запах лилий.

— Здорово, чуваки, — сказал Сандро бодро. — Ник, вот же она, Лиса! У меня-то ты зачем ее телефон просил? Спроси у нее лучше.

— Я спрошу, — процедил Ник. — Ты что-нибудь узнал?..

— Сандрик, у тебя в мини-баре есть чупа-чупс? — перебила Лиса. — Достань мне!

Сандро распахнул полированную дверцу небольшого холодильника, помещенного в тумбе письменного стола, присел и посмотрел внутрь.

— Есть пиво и чипсы, — проинформировал он. — Виски, джин, водка, шампанское... Дальше перечислять?..

— В двери, — подсказала Лиса.

Ник неожиданно сильно удивился. Выходит, девчонка часто бывает в таких местах? Раз уж осведомлена о чупа-чупсе в двери мини-бара? Наверное, об этом стоило задуматься, но Нику было некогда задумываться.

Сандро достал из двери чупа-чупс и сунул девчонке. И посмотрел на часы. Потом посмотрел на телефон. А потом еще посмотрел на дверь.

— Ты кого-то ждешь? — прошепелявила наблюдательная Лиса.

— Жду, — согласился Сандро. — Смотрите, дети. Наш чувак, Селезнев Виктор Павлович, не проживает по адресу Подколокольный переулок, двенадцать, квартира семь, а вовсе служит полотером.

— Ке-ем? — оторопело протянула Лиса и даже перестала разворачивать леденец.

Сандро показал ногой.

— Полотером, — пояснил он словами. — Натирает паркет. Всем соседям. В том числе и нашему завещателю натирал, Милютину.

— Как ты узнал? — спросил Ник.

Сандро махнул рукой.

— Не суть важно. Важно, что мы с Авдотьей поехали к нему. У нее есть его телефон, а Глебов по телефону нашел адресок. Селезнев живет в каких-то развалинах на Мясницкой, и сначала я его даже... не признал, клянусь Шекспиром!..

— Почему? — заинтересовалась Лиса.

— Ну, он... — Сандро поискал слово. — Другой. Не такой, как в отделении. Там он хныкал, а тут держался так... важно. Я хотел к нему в гости наведаться, когда он ушел, там дверь хлипкая совсем, но Авдотья меня отговорила.

— Да кто такая Авдотья?! — Лиса взбрыкнула ногами и села на диване в облаках своего невиданного платья. — Авдотья, Авдотья! Из наших?

— Не, не из ваших, — Сандро ухмыльнулся. — Она живет в соседней квартире. Номер восемь — старик, которого убили, а номер семь Авдотья. Я на ней женюсь.

— Когда свадьба? — быстро спросила Лиса.

Братья посмотрели друг на друга.

— Что нам это дает, Сандро? Полотер с Мясницкой! А дальше?

— Получается, у него есть ключи от квартиры номер семь! И в подъезд его пускают, потому что его там все знают!

— Ну, логично, — согласился Ник. — Ключи он мог сделать в любой момент и от любой квартиры, если много лет натирал полы.

— Как сделать? — опять встряла Лиса. — Вот я, например, никаких ключей сделать не могу, а ты что, можешь, Сандрик?

— Полотер приходит в дом натирать полы, — стал объяснять Ник. — Это дело долгое.

— И вонючее! — подсказал Сандро.

— Ну да, — согласился Ник. — Мастика, лак, все это сильно пахнет. Хозяевам, если они много лет знают полотера, в квартире торчать не обязательно. Они его впускают и уходят по своим делам. Полотер берет ключи, спускается на бульвар, идет в любой металлоремонт, и там ему делают копии.

— А-а, — протянула Лиса и вдруг встрепенулась. — Тогда получается, он и убил старикана! Слушайте! Ну, точно! Этот ваш полотер!.. У него были ключи, он пришел и укокошил!..

— При чем тут ключи? — морщась, спросил Ник. — Он мог укокошить без всяких ключей! Он же приходил полы натирать!.. Ему открывали дверь, его никто не боялся!..

— А тогда при чем ключи?

— Вот именно.

— А полотер при чем?

— При том, что он на меня набрехал! — взвился Сандро. — Он меня якобы видел! Ночью двенадцатого апреля! А я там не был! Я у мамы на даче был! Спрашивается, зачем он брехал?

— Зачем он брехал? — повторила Лиса.

— Мы не знаем, — сказал Ник, стараясь оставаться терпеливым. — Мы так ничего и не выяснили.

Лиса многое знала, но не могла сказать! Не должна была говорить. У нее был единственный шанс вывести братьев на верный путь — те самые старые письма. Лиса возлагала на них большие надежды.

— Смотрите, братаны, — заговорила она преувеличенно оживленно, — полотеры-волонтеры — это одна ипостась.

— Ух ты, — восхитился Сандро. — Какие ты слова знаешь!.. А другая ипостась какая?

Лиса помахала в воздухе худым пальцем, вывернутым в непонятную сторону.

— А другая — ваша тетя Вера, ее сынок и вся эта история со стулом!..

Сандро не знал истории со стулом, и пока Ник рассказывал, Лиса нетерпеливо ерзала на диване, даже чупа-чупс бросила и сразу вступила, как только Ник замолчал:

— Вот теперь скажи мне, как умный, зачем все это было проделано? Стул, веревка, инсценировка! Наряд вызвали!.. Мишаков сам приехал, собственной персоной!..

— Чтоб я не прочитал писем, — предположил Ник.

— Ты бы ничего о них не знал, если бы тетя не сообщила! — возразила Лиса.

Братья переглянулись.

— Что ты хочешь сказать?

— Что мы должны поехать и прочитать письма!

— Может, и нет никаких писем? — предположил Сандро. — А тетя просто... ну, она...

— Привлекает к себе внимание, — подсказал Ник. — Она это любит.

— Во! — обрадовался Сандро. — Так и есть.

Лиса точно знала, что письма существуют и что Галицкие должны их прочесть!

— Вы дураки, — заявила она. — Если ваша тетя хотела привлечь к себе внимание, она бы сделала новую прическу, а не привязалась к стулу!.. Я уверена, что она сболтнула про письма, потом пожалела об этом, и они со Славой решили вопрос так: напали хулиганы, то ли мы с тобой, Ник, то ли не мы, но писем больше нет. А они есть, я уверена!..

Сандро плюхнулся в кресло и обеими руками потер бритую голову.

— Дела, е, — выговорил он с каким-то веселым изумлением. — Тетя Вера тебя в каталажку закатала, брат!.. Во дела так дела!..

— А может, Слава закатал? — предположила Лиса. — А вовсе не тетя?

Сандро отмахнулся, и Ник скептически пожал плечами.

— Слава без тети, как КПСС без Политбюро. Ложку мимо рта пронесет.

Про КПСС Лиса читала.

— Мы с Ником съездим и поищем, — сказала она, стараясь быть очень убедительной. — А Сандрик нас здесь подождет.

— Сандрик, знаешь, сам решит, что ему делать, — возразил Сандро.

Он все ждал, ждал, но ничего не происходило. Уже давно должно было произойти!..

— А тетя Вера? — спросил он, отвлекаясь от ожидания. — Она что скажет? Если не хочет, чтобы мы читали эти письма!..

— Она ничего не скажет, — хмыкнула Лиса. — Я сперла у нее ключи, мы с Ником заберемся в квартиру и все разнюхаем.

— Е-е, — протянул Сандро. — Пипе-ец.

— Вот это точно, — с сердцем выговорил Ник. — Лучше не скажешь.

Тут наконец позвонили. Сандро сорвался с места. Кажется, за ним остался аэродинамический след!.. Некоторое время он метался по комнате, как китайская шутиха, Ник и Лиса провожали его глазами. Наконец, он нашел аппарат, схватил трубку и, задержав дыхание, сказал по-рэперски:

— Хэлло!..

Ник и Лиса посмотрели друг на друга.

Сандро в телефон велел «проводить», нажал кнопку отбоя и сказал в пространство:

— Авдотья приехала.

Это прозвучало несколько самодовольно.

— Она приехала выходить за тебя замуж? — уточнила Лиса.

— Я у нее кошелек украл, — пояснил Сандро. — Вытащил из сумки. А ей сказал, что он сам выпал, и я его нашел на сиденье!.. Между прочим, она меня так благодарила! — Он повысил голос, потому что брат явно собирался напасть на него и отругать как следует. — И сейчас приехала! Значит так, в ее присутствии непристойностей не говорить, выражаться цензурно, вести себя прилично.

— Это ты мне?! — поразился Ник. — Чтобы я прилично себя вел?!

Сандро отмахнулся, промчался к двери, распахнул ее и замер. Лиса вытянула шею.

— Дуня! — вскричал Сандро. — Как я рад тебя видеть!..

— Во дела, — пробормотала Лиса.

Ник поднялся.

— Добрый день, — вежливо поздоровалась Авдотья Андреевна. — Николай, и вы здесь!..

— Это Юля, — представил Ник.

— Лиса, — представилась Юля и протянула вновь прибывшей лапку. — Так меня все зовут.

Авдотья пожала лапку, взглянула на Лису и словно насторожилась.

— Мы с Ником уходим на дело, — быстро объявила та. — Сандрик, мы тебе позвоним, если что-нибудь добудем.

— Я на одну минуту, — сказала Авдотья Андреевна. — Я заберу кошелек и тоже поеду.

— Стоп, — перебил Сандро и выставил руки ладонями вперед. — Вы все деловые люди, а я никто, звать меня никак, можно в расчет не принимать. Я торчу, блин, в этом номере, как башмак в розарии, и все мной недовольны!.. Я один раз вышел, так Дуня меня полдня пилила, что я все делаю не так.

— Я тебя пилила? — поразилась Авдотья.

— В первую очередь история с убийством касается меня, — продолжал Сандро словно заранее приготовленную речь. — При всем уважении!.. Вы все должны мне помогать.

— Должны? — переспросила Авдотья.

— Да! — отрезал Сандро. — Ментам интересно посадить за решетку именно рэпера ПараDon'tozza!

— Ника тоже могут посадить, — пролаяла Лиса.

Рэпер не обратил внимания.

— Расклад у нас будет такой, — продолжал он. — Мы сейчас все вместе поедем к тете Вере. Ник поищет письма, а мы его подстрахуем. Если они явятся, тетя или Слава, мы его предупредим.

— А вот и фигушки! — запальчиво перебила Лиса. — Я пойду с ним. Он один ничего не найдет никогда в жизни! Мужчины вообще ничего не могут найти, даже сосиски в холодильнике!.. А на шухере хорошо бы постоять, это ты правильно говоришь, Сандрик.

— При чем тут я? — осведомилась Авдотья Андреевна, и все остальные вдруг уставились на нее в явном затруднении.

Первой нашлась Лиса.

— А че? — спросила она с вызовом. — Тебе не интересно, что ли?

Авдотья собиралась решительно сказать — нет, не интересно, но остановилась.

Интересно, вот в чем штука!.. Знаменитый рэпер увивается за ней, раньше никто так не увивался, и это... ну, что делать, да, интересно! И еще девчонка из интернета! Авдотья смотрела ее регулярно, интервью ей нравились, девчонка казалась хорошей собеседницей, объехать ее на кривой козе пока что никому не удавалось. Теоретически все знаменитости знают друг друга, даже дружат или делают вид, что дружат, но для неподготовленной Авдотьи концентрация знаменитостей в одно время и в одном месте была слишком высока. Нет смысла и дальше притворяться, будто единственная ее мечта — чтобы от нее отстали.

— Так че? — продолжала Лиса. — Ты с нами или против нас?

— С вами, — решительно сказала Авдотья. — Что нужно делать?

— Выходи за меня замуж, — тут же предложил Сандро.

— Это не к спеху, — перебил Ник. — На самом деле делать ничего не нужно...

— Нужно, нужно, — пролаяла Лиса. — Ник, ты тупой. Иди и звони тете Моте. И ее сыночку тоже звони!.. Мы же должны знать, где они, прежде чем двинем брать хату!.. На чем мы поедем?

— Я могу вызвать Данияра, — предложил Сандро. — Или на лимузине. Здесь, в отеле, есть лимузины!..

— Вообще-то я на машине, — сказала Авдотья. — Могу подвезти. Или ты только на лимузинах передвигаешься?

— С тобой хоть на дрезине! — провозгласил Сандро. — Дрезины, лимузины, резиновые Зины, сияют магазины и ржут в лицо витрины...

— Кошмар, — пробормотала Авдотья. — Примитив.

— Привыкай, — сказал Сандро.

Ключи прогремели, дверь открылась. Лиса постояла на пороге, по-звериному насторожив уши, потом шагнула в квартиру. Ник вошел следом.

У тети Веры было всегда одинаково — скучно, тошно, вонь и тоска зеленая. Они с Лисой так и не придумали тоске другого цвета!..

Девушка аккуратно прикрыла за Ником дверь, которую тот оставил нараспашку.

— Идиотизм, — пробормотал Ник себе под нос.

— Да ладно тебе скулить, — отозвалась бодрая и решительная Лиса. — Найдем письма, да и все дела!..

— Где мы их найдем?!

— Откуда я знаю? Где-нибудь найдем!.. И ваще!.. Ты здесь сто раз был, должен знать, где тут что!

— Я ваще не знаю.

Лиса посмотрела на него подозрительно. Вид у него был то ли перепуганный, то ли просто раздраженный. А еще смеется над ней!..

— Ну, ванную и сортир напоследок оставим. Ник, шевелись, не стой столбом! Мало ли, вдруг у них сегодня короткий день!

— У кого, у них?

— У населения.

Лиса протопала в большую комнату, где в прошлый раз они нашли привязанную к стулу тетю.

— Как ты думаешь, — спросила она оттуда, — майору тогда кто позвонил? Слава?

Она перекладывала на столе стопки старых и новых журналов. Попадались интересные — «Здоровье» за восемьдесят третий год, «Крестьянка» за семьдесят шестой, «Юность» без обложки неизвестного года выпуска. Лиса брала журналы за корешки и трясла страницами. На пол спланировала какая-то бумажка. Лиса подняла ее и пробежала глазами.

— Рецепт витаминного напитка из чайного гриба и облепихи. Ник, ищи письма!..

— С чего ты взяла, что майору звонил Слава?

— А кто? Тетины соседи? Белые медведи?

— Зачем Славе звонить майору?

— Чтобы майор тебя застукал и посадил на цепь.

— Ты несешь ахинею, — сквозь зубы процедил Ник.

Лиса пролистала последний журнал и огляделась.

— Так мы ничего не найдем. Нужно применить логику. Тетя говорила, что их было много, мешки, но осталось всего полтора десятка. Все равно это стопка. Стопочка! Не хранит же она их по одному!

Она стала на колени, полезла в нижний отдел серванта. Внутри было наставлено, навалено, втиснуто и засунуто.

— Е, — пробормотала Лиса на манер Сандро. — Ник, принимай, а я буду вытаскивать.

Ни в серванте, ни в секретере они не нашли старых писем. Время шло, а дело не двигалось. Ник нервничал все сильнее. Лиса была безмятежна.

— Может, и нет никаких писем? — в пятый раз сказал Ник.

— А вдруг есть, — откликнулась Лиса. — Ты не бойся, Сандрик предупредит, если что! Они с Дуней караулят.

— Во что я ввязался?..

Лиса на коленях переползла к книжным полкам и стала выдвигать книги. Полетела такая пыль, что она повела носом, зашевелила ноздрями и несколько раз подряд чихнула, совершенно по-лисьи.

Ника вдруг умилило ее чихание.

Она нравилась ему, и за последне время он к ней... привязался. Да-да, привязался.

Ник наклонился и поцеловал ее ухо с веснушками.

— М-м-м? — вопросительно промычала Лиса. — Который час? Ник, иди в ту комнату и ищи там. Мы ничего не успеем!

Ник посмотрел на часы, ничего не понял и отправился в «ту комнату». Там он какое-то время размышлял о том, как ему нравится Лиса и как он к ней привязался.

— Ты не ищешь! — пролаяла невидимая, но бдительная Лиса. — Я слышу!

— Да ну, — пробормотал Ник и стал бестолково перекладывать вещи со стула на другой стул, где тоже были вещи.

Эта комната принадлежала Славе, и даже маленького Ника изумляло, как он в ней помещается, среди барахла и нагромождений мебели. Свободной была только узкая кушеточка, покрытая шерстяной красной дорожкой с дыркой посередине. Ник полез в письменный стол, стоявший как-то боком, и принялся выдвигать ящики.

— Ну че? — раздалось из-за двери.

— Ниче ваще, — пробормотал Ник.

— Ваще ниче?! — поразилась Лиса, появляясь на пороге. Мордочка у нее была веселая. Она перелезла через нагромождения, подобрав подол удивительного платья, смешно подпрыгнула и оказалась у Ника на коленях — он сидел на плетеном садовом стуле, невесть как сюда попавшем. Цепкими лапками девчонка обняла Ника, прижалась, худая, как дикий зверек, и очень горячая под платьем.

У Ника — фьюить! — все вылетело из головы. Тетя, письма, наследство, Сандро на шухере, тоска зеленая, майор Мишаков и все существующие и еще только предстоящие несчастья и трудности жизни.

Ничего там не осталось, в его голове.

Он прижал девчонку к себе, закинул ее руки себе за шею, поцеловал, еще раз поцеловал, а потом укусил за ключицу — что-то же нужно было сделать... такое. Чего нельзя делать, но обязательно нужно.

Лиса взвизгнула и тоже его укусила — в плечо. Ник моментально вспотел.

Они еще раз поцеловались. Она шевелилась у него в руках, цепкая и горячая. Ник снял очки, пошарил рукой и положил их на стол.

Лиса привстала у него на коленях, стиснула его голову, несколько раз быстро поцеловала в макушку и спрыгнула.

— Сейчас некогда, — объявила она, задыхаясь. — Мы на деле!

Ника постигло такое разочарование, словно у него, трехлетнего, в песочнице отобрали новое синее лаковое ведерко с нарисованным грибком! Только что, секунду назад, жизнь была прекрасна и наполнена новым смыслом, и вдруг все пропало. Осталась тетина квартира, хлам — «дело», будь оно все неладно!..

— Что ты успел посмотреть?

— Ничего, — буркнул Ник, нагнулся и полез в нижний ящик.

И тут у него зазвонил мобильный.

Он разогнулся, поддал головой крышку письменного стола так, что из глаз посыпались искры, и стал тащить из переднего кармана джинсов телефон. Лиса замерла в нелепой позе.

— Ник, — сказал в телефоне Сандро. — Слава припер. Я его на подходе засек, с той стороны, где остановка. Сматывайтесь быстро.

— Что? — тявкнула Лиса.

— Слава, — сообщил Ник и крепко взял ее за руку. — Быстро и тихо!..

— Мы же не нашли ничего!

— Кому я сказал!..

Лиса вырвалась и стала лихорадочно перебирать какие-то бумаги.

— Пошли отсюда быстро!..

Она оглянулась. Глаза у нее были белые и звериные.

— Вон еще трюмо! Я там посмотрю!

И она одним прыжком перемахнула через завалы к грушевидному зеркалу, укрепленному на полированной тумбочке.

Ник заревел и полез за ней — вытаскивать вон!..

Она лихорадочно выдвигала ящики.

Телефон опять зазвонил.

— Ник, е, ушли?!

— Нет, — придушенно проревел тот. Он наступил на что-то, кажется, на гантели, они поехали в разные стороны, и Ник с грохотом повалился навзничь, раскинув руки и ноги. Лиса мельком взглянула на него. В руках у нее была какая-то коробка.

— Нашла, — выдохнула она. — Нашла, Ник, бежим!

У него звенело в ушах от удара. Лиса снова перемахнула завалы, словно сила гравитации на нее не действовала, и стала поднимать Ника с пола.

Он кое-как, с трудом, поднялся.

— Быстрей, быстрей, — торопила Лиса, оглядываясь и скалясь.

Убежать они не успели. Как только они выскочили в коридорчик, в двери заскрежетал ключ. Лиса остолбенела.

Ник одной рукой схватил ее поперек живота, другой зажал рот, перекинул через плечо, спиной поддал дверь в ванную и моментально закрыл ее за собой.

В коридорчике зажегся свет.

Сердце Лисы бешено колотилось у Ника под ладонью.

— Дыши, — неслышно сказал он ей на ухо и опустил на пол.

Она отодрала его руку от своего лица, судорожно вдохнула и покрутила пальцем у виска.

За хлипкой желтой дверью топали, вздыхали, потом закашлялись.

Ник и Лиса не шевелились.

Проскрипели створки шкафа, звякнула вешалка. Тень прошла мимо ванной в глубину квартиры. Ник тихонько приоткрыл дверь и посмотрел в щелку. И подбородком показал подельнице — вперед, я прикрою.

Лиса кивнула, подалась вперед и тотчас же отпрянула. Человек возвращался.

Они замерли и вновь перестали дышать.

Брат Слава, насвистывая, погасил в коридорчике свет, чем-то зашуршал и мимо ванной, в которой засели преступники, отправился обратно на кухню.

Ждать дальше было нельзя.

Ник вытолкнул Лису из убежища, она пролетела несколько шагов, вновь нарушая законы гравитации, он на цыпочках прокрался следом. Только бы не скрипнула входная дверь!..

— Слушай, Олежка, — заговорил Слава на кухне. — Мать уехала, а я не знаю, что дальше! Не знаю, говорю!.. Пересечься бы! Почему не можешь?

Лиса насторожила уши. Ник подтолкнул ее в спину. Она словно очнулась, осторожно открыла дверь, выскочила на площадку и понеслась вниз по лестнице. Ник, стараясь не грохнуть ручкой, прикрыл створку, перевел дыхание и помчался следом.

Они вылетели на вечернюю улицу, начерпав полные башмаки воды из лужи, которая так и стояла в подъезде, осмотрелись по сторонам, и Лиса протявкала:

— Вон наши! Правей!..

Они домчались до машины, обежали ее с разных сторон, залезли на заднее сиденье и синхронно захлопнули двери.

— Поехали!..

Авдотья тронулась с места. Сандро сначала посмотрел на брата в зеркало заднего вида, потом повернулся и посмотрел просто так, без зеркала. Лиса сунула ему под нос жестяную коробку.

— Я нашла! — Вид у нее был торжествующий. — В последний момент!.. Зацени!..

Сандро отстранил коробку.

— Брат?

— Что-то мне нехорошо, — признался Ник.

— Да все хорошо, че такое-то?! — продолжала ликовать Лиса. — Смотри, конверты есть, обратный адрес есть, ты все правильно говорил!..

— Остановить машину? — спросила Авдотья.

— Нет, — сказал Ник. — Сейчас все пройдет. Я просто... не привык шарить в чужих домах и бегать от хозяев.

— Не выйдет из тебя домушник, — подытожила Лиса и принялась рыться в коробке.

Писем действительно было немного, должно быть, меньше десятка. Ник взглянул мельком, и что-то его удивило в этих письмах, но он никак не мог сообразить, что именно. В ушах по-прежнему шумело, в затылке стучало, и было неловко, стыдно.

Еще бы тебе не было стыдно, сказал он сам себе. Залез в тетину квартиру, украл бумаги, потом мчался по лестнице, как заяц!..

— Брат, у нас не было вариантов, — утешил его Сандро, кажется, все понимавший. — Мы же должны понять, что к чему.

— Да ладно, — пробормотал Ник.

Лиса продолжала рыться в коробке. Морщась, Ник вытащил жестянку у нее из рук, закрыл крышку и сунул Сандро.

— Читать чужие письма запрещено, — сказал он девчонке. — Тебе мама не говорила?..

— Да ладно, мы же их украли для того, чтобы прочитать!

— Сандро прочитает, — отрезал Ник. — Я не могу, не хочу.

— Я хочу! — тявкнула Лиса сердито.

Ник попросил высадить их возле гастронома — ему пришло в голову, что нужно хорошенько выпить, тогда полегчает.

В гастрономе Ник молчал, а потом всю дорогу до дома отчитывал Лису.

Он отчитывал громким, раздраженным голосом. Она слушала, не возражала, тащилась за ним следом, понурившись.

Под аркой, которая некогда так понравилась Иосифу Виссарионовичу Сталину, приезжавшему инспектировать быт советских ученых, Ник вдруг остановился. И Лиса остановилась — чуть поодаль.

— Ну че? — спросила она уныло. — Ты опять решил меня прогнать?

— В подъезде журналисты. Я забыл про них.

Они посмотрели друг на друга.

— Может, через чердак? — предложила Лиса, вдохновленная тем, что он перестал ее ругать. — В тот подъезд, потом на чердак и на крышу, а?..

— Ты ненормальная, — процедил Ник. — Угораздило меня!..

— Хочешь, я вперед пойду? А ты вон там спрячься, на детской площадке!.. Я все разведаю и вернусь.

— Как ты мне надоела.

— Ник, ты тоже меня достал! Ты все время ругаешься, ничего тебе не нравится, ты только ноешь, как старик!..

— Потому что я старик.

Он схватил ее за руку и потянул — она вознамерилась было пойти в другую сторону.

— Если они до сих пор там, — он кивнул на подъезд, — нужно бежать очень быстро. У тебя есть темные очки? Надень.

Лиса стиснула ему пальцы.

— Ник, — пробормотала она в ужасе. — Твои очки! Они же... там... у тети... на столе остались! Да?! Мы целовались, и ты их снял! Да?

— Да, — сказал Ник. — Я сообразил сразу, как только мы выскочили на лестницу. Сейчас это неважно.

— Как неважно?! Они обнаружат, что письма пропали, а на столе твои очки!..

— Лиска, — назвал он ее этим немыслимым именем. — Какая теперь разница?.. Нам нужно попасть в мою квартиру, а не в криминальные новости. Для этого надо бежать. Ты готова?.. На счет три. Раз, два...

Он распахнул дверь в подъезд, Лиса кинулась и побежала. Ник мчался за ней. На площадке первого этажа никого не было, зато в пролете на ступеньках сидели какие-то люди, немного, человека четыре.

Завидев бегущую девицу, они стали подниматься, зажегся прицельный свет, началась суета, словно поднялась волна и в ней закрутились окурки и мелкий мусор.

Кто-то сзади схватил Ника за полу пиджака, он, не глядя, отпихнул хватавшего, и тот, кажется, оступился, потянул за собой еще одного, — в общем, их не догнали. Ключи были наготове, Ник молниеносно отпер замок, Лиса ворвалась внутрь, Ник вбежал, захлопнул дверь, замкнул и привалился к ней спиной. Лиса обняла его и прижалась.

В дверь заколотили.

— Перестаньте безобразничать! — проорал Ник в воздух. — Сейчас наряд вызову!

Удары прекратились.

— Хорошо, что их стало меньше, — сказала Лиса. — Они небось все по другим заданиям разъехались. Не одни мы на свете злостные правонарушители!..

Он погладил ее по голове.

— Ник, можно я разуюсь? Сил нет.

Он присел на корточки и по очереди стянул с нее кроссовки. Она с изумлением смотрела ему в макушку.

— Как ты их носишь? — спросил он, поднимаясь. — По полпуда весом!..

Лиса решила, что завтра непременно опять скажет, что у нее нет сил, чтобы он опять снял с нее башмаки. Так никто и никогда не делал!.. Кажется, только няня, но это было совсем давно, в глубоком детстве.

Он чем-то шуровал на кухне, и ей нравилось слушать, как он шурует. Она послушала немного, повздыхала, потащилась в ванную, пустила воду, села на край, подобрав складки платья, и сунула ноги под кран. Болело везде, кажется, даже в колени отдавало, а в прохладной воде становилось легче. Лиса давным-давно не бегала и не прыгала так много, как в эти дни!..

В дверь постучали.

— Ты будешь ужинать?

— Да! — отозвалась Лиса.

— Я не слышу!

Дверь распахнулась, и Ник возник на пороге. Лиса проворно завернула кран.

Он вошел. На нем были утренние «коллаборационистские» штаны и футболка со знаменитой крысой Бэнкси. От него невозможно оторвать глаз, решила Лиса и опять вздохнула. Высоченный, поджарый, лохматый, на руках никаких татуировок, на носу очки в тяжелой черной оправе уже другие.

Ему так идут очки, подумала Лиса со сладким замиранием сердца и еще раз вздохнула.

— Ноги болят? — спросил объект ее грез.

Она задрала ногу и покрутила стопой из стороны в сторону.

— Я давно не ходила пешком. По чуть-чуть только.

— Слушай, — начал Ник. — Я же не знаю!.. Ты должна мне говорить! Если тебе больно или неудобно!

— Я буду говорить, — пообещала Лиса.

Он перехватил ее ногу и поцеловал мокрые пальцы. Лиса решила, что завтра непременно опять полезет в ванную так, чтоб он услышал, пришел и поцеловал ее. Никто и никогда не целовал ей пальцев на ногах, даже няня в совсем глубоком детстве!..

— У людей, — сказал Ник, обхватив ее щиколотку, — такими бывают руки, а не ноги.

Лиса заглянула ему в лицо.

Она считала себя... опытной женщиной. Ей недавно исполнилось двадцать два, она строила блестящую карьеру, дружила со знаменитостями, пару раз влюбилась, в общем, опыта у нее хоть отбавляй!.. Но по лицу Ника Галицкого она ничего не поняла. Оно было темным и словно сердитым.

Он опять сердится?.. На нее?..

Она аккуратно вытащила у него из ладони свою ногу — он проводил ногу глазами, — и выбралась из ванны.

— Я же танцевала, — неизвестно зачем объяснила Лиса. — Вот они и стали... такие.

Ник подтянул ее к себе, взметнул шелка платья, добрался до бедер и погладил вверх-вниз.

— Кто они и какие такие? — тихо выговорил он, прицелившись в ухо с веснушками.

Многоопытная Лиса понятия не имела, о чем он говорит. Ей стало жарко в прохладной ванной, загорелись щеки и ладони.

— Ты прыгаешь с нарушением законов всемирного тяготения. — Ник зубами прихватил ее ухо. Лисе стало щекотно и немного страшно, и она снова не поняла, о чем он говорит.

Зачем он вообще говорит?!

Она изо всех сил обхватила его руками и ногами, повисла, цепляясь. Ник подхватил ее так, что она оказалась выше, глаза его уперлись ей в грудь.

Ничего особенного. Вырез платья, фестоны, завитушки, сам черт не разберет. Очень бледная прохладная кожа. Именно такими — на ощупь — были розы в саду у дедушки в Тбилиси. Их было приятно и боязно трогать, казалось, от прикосновения человеческих пальцев тоненький прохладный лепесток съежится и потемнеет, сгорит.

— Поедем в Тбилиси, — предложил Ник с трудом. — Лучше всего завтра. Там такой дом!..

Лиса запищала, подставляя ему шею, чтобы он не останавливался.

Впрочем, он и не собирался останавливаться!..

Пинком он распахнул дверь, в два шага добрался до кабинетного дивана. Должно быть, в спальне удобней, но Нику было не до удобств. Он и так едва дождался!..

Лиса нетерпеливо вылезала из водоворота шелковых складок, запутывалась, рычала, принималась тащить с Ника майку и целовать его в живот, а потом опять стаскивала платье.

— Его нужно расстегнуть, — сказал Ник, поняв наконец, в чем дело. — Подожди, дай я сам.

Он обнял ее, провел руками вдоль позвоночника, и вдруг платье само куда-то исчезло. Лиса потянула Ника на себя, он упал рядом с ней на локти, почти голый, лохматый, весь плотный и твердый, и близко посмотрел ей в глаза.

И она посмотрела, притихнув.

— Что ты будешь делать, — сказал Ник сам себе.

Лисе срочно нужно было, чтобы он что-нибудь уже сделал такое... такое... вот как утром... когда она вернулась... и боялась, что он ее прогонит... а он не прогнал...

Ей некогда было думать, некогда ждать, некогда дышать!.. Она должна была получить то, что ей полагалось — немедленно и целиком. А ей полагался Ник. Вся жизнь, весь ее смысл, все ее зигзаги и повороты сейчас сосредоточились в этом человеке, и она точно знала только одно — это правильная, единственная возможность.

И еще она понимала: он откуда-то знает все, что она чувствует. Он знает и не даст ей пропасть!..

Она совсем перестала дышать, вытянулась, замерла, но он растормошил ее, заставил цепляться, кусаться, словно бороться. Она вся порозовела, и кожа не была больше похожа на розу в саду дедушки Дадиани. Она вся горела и плавилась и чувствовала только, что живет, и жить было так радостно!..

Ник поначалу очень старался ничего ей... не сломать, не раздавить, уж больно она казалась тоненькой и ломкой, а потом забыл. Какая осторожность, когда она вся была у него в руках, и в голове, и, кажется, в душе тоже, если душа на самом деле существует!.. Он присвоил ее, и теперь она принадлежит только ему.

Отныне и навсегда.

Всецело и безраздельно.

Полностью и целиком.

Когда все закончилось — триумфом, победой! — и они немного пришли в себя, оказалось, что почти стемнело и за окнами льет.

— Дождь, — сказал Ник.

— М-м-м, — протянула Лиса.

Они еще полежали, прижавшись друг к другу, и, кажется, она стала засыпать. Ник тихонько поднял голову и посмотрел — глаза закрыты, дышит неслышно, и только чуть подрагивают тонкие пальцы.

Ник, которому решительно не хотелось, чтобы она спала, а хотелось, чтоб она возилась, приставала к нему и задавала идиотские вопросы, благородно решил: пусть спит. Ей нужен отдых. Она устала за последние дни. А она совсем... молодая. И тоненькая, и легкая.

И прыгает, нарушая все законы!..

При мысли о тонкости и легкости Ник почувствовал волнение. Вместо умиления и благодарности захотелось осязания и обладания. Захотелось так явственно, что он фыркнул и засмеялся, изо всех сил стараясь сдержаться.

— М-м-м? — протянула Лиса и пошевелилась у него под боком.

— Ничего, ничего, — поспешно сказал Ник. — Спи.

Он еще полежал, прислушиваясь к дождю и ее дыханию, потом тихонько встал, нашарил на полу «коллаборационистские» штаны и вышел на кухню. Есть хотелось невозможно!..

Ник отрезал себе кусок сыра, набулькал в бокал вина и махнул одним глотком.

В голове сразу зашумело и стало просторно и пусто. Ник налил еще.

Все вопросы, тревоги, гадости — вроде привязанной к стулу тети Веры и майора Мишакова — перестали иметь значение, а все благодаря девчонке с диким прозвищем, плоскостопием и чупа-чупсом во рту!.. Ник знал, что любовь — или то, что он принимал за любовь, — не может ничего изменить и ни от чего спасти. Как ничего не может изменить вино, выпитое на пустой желудок!.. Оно может помочь забыться на очень короткое время, и только. И любовь не может изменить.

В данную минуту на собственной кухне с незашторенным окном, с журналистами, засевшими под дверью, с двумя убийствами, случившимися не по его вине, но казалось, что по его, Ник чувствовал себя счастливым всерьез, без дураков. Он знал, что победит — не может не победить, он же триумфатор, император, Зевс-громовержец!.. И это она, Лиса, каким-то невероятным образом заставила его чувствовать себя таким. Что-то непонятное она совершила, повернула какие-то рукоятки настроек, о которых он даже не подозревал, но он весь был полон ощущением жизни и ее справедливости и правильности.

Ник соорудил себе бутерброд — толстый кусок черного хлеба, три увесистых круга докторской колбасы, лист салата, половинка огурца — и съел в два укуса. Страшно хотелось есть.

Чем же он завтра будет ее кормить, свою волшебную лисицу, мастерицу тонких настроек?.. В гастрономе, покупая хлеб, сыр и вино, он был зол, и ему наплевать было, сыта она или голодна. А сейчас не наплевать, только есть ей все равно нечего. Она же ест только то, что... Что там? Только то, что упало, или пропало, или завяло. Ну, и кейл-чипсы, а также чипсы из водорослей!

— Черная дыра, — пробормотал Ник Галицкий. — Дырища. Пятнадцать лет!

И фыркнул.

Он допил второй бокал вина, доел сыр, заедая мятой, как учил дедушка Дадиани, кое-как, пару раз стукнувшись в темноте о косяки и углы, добрел до кабинета, пристроился на диван, где Лиса неслышно и крепко спала, укрыл ее как следует, а сам накрываться не стал — ему было жарко.

Засыпая, он сообразил, что все неправильно, раскопал под пледом Лису, прижал ее к себе как следует и провалился, словно в колодец.

Ему приснилось, что на них кто-то пристально смотрит. Ник во сне решил не обращать внимания, потом ему стало неловко, он проснулся и первым делом проверил, где Лиса. Она дышала ему в бок, рука его лежала у нее под головой, все в порядке. Ник тихонько подвинул ее голову, стараясь вытащить руку, она во сне замычала, повернулась и подложила его ладонь себе под щеку. Ник улыбнулся.

— Доброе утро, Никуша, — бодро сказали в дверях.

Ник вытаращил глаза, не осмеливаясь посмотреть, но потом все же посмотрел.

В дверях кабинета стояла Наталья Александровна и улыбалась странной улыбкой.

— Мама?!

— Ты меня не узнаешь, сыночек?..

Лиса выбралась из-под пледа и потянулась, Ник быстро и неловко накинул на нее плед.

— Мама, что случилось?!

Лиса клацнула зубами — она собиралась зевнуть, — подскочила и села. И тут же потащила на себя плед, а Ник стал тянуть его на себя. Вышла страшная неловкость.

— Доброе утро, — пробормотала Лиса убитым голосом.

— Доброе утро, Юлечка. — И Наталья Александровна улыбнулась Юле тоже. — Вставайте, а я пока приготовлю завтрак.

Дверь за ней закрылась.

Лиса и Ник посмотрели друг на друга.

— Какой кошмар, — ужаснулась Лиса. — Тебе теперь попадет, да?

— Что ты несешь!

— Почему ты не сказал, что она должна приехать?!

— Я не знал.

— Слушай, я, наверное, побегу, — подумав, решила Лиса и стала перебираться через Ника. — Я это все понимаю! Ужасно, когда родители... застают. Я тихонько оденусь и уйду.

— Нет.

Она замерла, сидя на нем верхом.

— Почему... нет?

— Ты останешься, мы позавтракаем и поедем по нашим делам.

— А твоя мама?

— Нужно узнать, зачем она приехала, — сказал Ник. — Она редко приезжает в Москву. Это их с отцом квартира, она не любит здесь бывать с тех пор, как папы не стало.

— Слушай, Ник, — заговорила Лиса и положила обе руки ему на грудь. — А они никогда не разводились, твои родители?.. Так и жили всю жизнь вместе?

— Конечно.

— Что конечно! — рассердилась она. — Так не бывает! У всех родители в разводе! У всех моих подруг до единой родители развелись.

— Наши не развелись.

На лице у нее появилось странное, детское, обиженное выражение. И Ник удивительным образом понял, на что она вдруг обиделась.

— Лисонька, — сказал он, прихватил ладонью ее затылок и притянул к себе. — По-разному бывает. У тебя так, у нас эдак.

— Нет, — замотала она головой. — Тогда получается, что можно не разводиться, да?! Я до сих пор!.. Я не могу их простить, что они развелись!.. Зачем? Почему?! А как же я?!

Ник молча смотрел ей в лицо.

— Я их умоляла, из дому убегала, всякие штуки делала, только чтобы не развелись, а они... все равно! И мама потом меня папе сплавила. Она сказала, что у нее тоже должна быть своя жизнь, а я ей мешала жить.

— Ты не мешала, — глупо утешил ее Ник.

— Я мешала!.. Им обоим! Но меня некуда было деть. Я же уже была.

— Мы должны вставать.

— У меня никогда не будет детей, — поклялась Лиса. — Я так решила. Никогда! Вдруг я тоже не смогу, и мне придется разводиться.

— С кем? — осведомился Ник Галицкий.

Лиса осеклась и посмотрела ему в лицо.

— Я не знаю, — сказала она осторожно и сделала в воздухе неопределенное движение лапкой. — С кем-нибудь, за кого я выйду замуж.

— А-а, — протянул Ник. — Ну, ты посмотришь. Может, и не придется тебе разводиться.

— Ник, не смей над этим смеяться!

— Я не над этим, — вздохнул он. — Я над тобой смеюсь.

Притянул к себе ее голову и поцеловал изо всех сил. Лиса запищала, вырываясь, но пищала и вырывалась недолго. Потом обхватила ладонями его лицо, вытянулась на Нике во всю длину и шумно задышала.

Дверь распахнулась.

— Доброе утро, Николай Михайлович. У вас открыто, и я вошла.

Их как ветром разбросало в разные стороны.

— Что такое?! — взревел Ник.

На пороге стояла Ирина из международного отдела, которой он так и не позвонил.

Лиса спряталась под плед.

— Ирин, прошу прощения, я не одет.

— Я вижу, — процедила та. — Михаил Наумович сказал, что в ближайшие дни вас не будет, и я заехала узнать, все ли в порядке.

— В полном, — уверил Ник. — В полном и окончательном, Ирина.

— Никуша, у нас еще гости?! — из коридора удивилась Наталья Александровна.

— Нежданные, мама! — проорал Ник. — Негаданные!..

Ирина смерила его уничижительным взглядом, и Ник понял, что пропал. В «чайную комнату» вход ему заказан. И вообще!..

— Я думала, мы с вами... друзья, — выговорила Ирина, и слезы показались у нее на глазах. — Я была в этом уверена!..

— Ничем не могу помочь.

Она выскочила из кабинета, хлопнула входная дверь.

— Ты с ней спал? — осведомилась Лиса мрачно.

Ник взял ее за ухо с веснушками.

— Еще только тебя не хватает! — выговорил он в это самое ухо. — Вставай и двигай в ванную. Вон в кресле халат, ты его так тут и бросила.

Лиса моментально спрыгнула с дивана, облачилась в халат и неслышно прокралась вон. Ник полежал еще секунду, встал, натянул штаны и футболку и вышел на кухню.

— Ну? — спросила Наталья Александровна от плиты.

— Ну? — повторил Ник, подошел и поцеловал ее в щеку. — Ты бы позвонила, мам.

— Мои сыновья лгуны, — объявила Наталья Александровна. — Вы совсем распустились, оба!..

— Мам, что случилось?

Мать дернула плечом — у нее это получалось великолепно! На плите уже что-то жарилось, пахло кофе, клубникой, ванилью, духами. Всегда там, где оказывалась мать, начинало вкусно пахнуть, словно из воздуха являлись яства, цветы, скатерти, хорошее настроение и радость жизни.

— Одного то и дело показывают в криминальных новостях, — продолжала Наталья Александровна. — Другой ворвался к тете Вере и что-то такое сделал, я ничего не поняла! Но Верочке пришлось даже полицию вызывать!

Ник выдвинул стул и сел, поводя носом. Он был не уверен, что доживет до того, что готовилось там, на плите, так сильно хотелось есть.

— Мама, я никуда не врывался. Сандро ни в чем не виноват. И я не виноват!

— Но Вера говорит по-другому. Она вчера вечером приехала ко мне и все рассказала. На нее напали!

— Мама, я не нападал.

Наталья Александровна принялась что-то взбивать миксером. Миксер визжал.

— Ты мне не звонишь, — продолжала она, остановив на мгновение визг. — Сандро не звонит. В его квартире нашли этого мальчика, Сиплого! Господи, я забыла его имя!..

И миксер опять завизжал.

— Потом приезжает Вера и рассказывает вообще нечто... отвратительное. Что случилось с вами обоими, Нико?..

— Наследство, — пробормотал Ник. — С нами случилось это гребаное наследство!..

— Не смей выражаться в моем присутствии!

— Когда Сандро выражается, ты терпишь!

— Больше терпеть не стану, вы мне надоели.

И вновь миксер.

— Мама, — сказал Ник, когда стало можно. — Выслушай меня. Пожалуйста.

— Я именно за этим и приехала, — отозвалась Наталья Александровна. — И жду объяснений.

— Все рассказывать?

Она энергично кивнула.

— Это долго, — предупредил Ник.

— Я никуда не спешу. Девочка все время была с вами? Тогда подождем ее. Я уверена, она дополнит твой рассказ.

Наталья Александровна поставила перед сыном тарелку с омлетом и кружку кофе. Омлет был величиной с луну. Ник с трудом, как гусь, сглотнул.

— Ешь, — распорядилась она, повернулась и оказалась лицом к лицу с девочкой, которая незаметно возникла на кухне. — Прекрасно, как раз вовремя! Я сделала клубничный смузи. Ник, ты совершенно запустил дом. Окна не мыты, еды нет.

Ник замычал, не в силах оторваться от омлета. Лиса просеменила за стол.

— Прекрасное платье, — оценила Наталья Александровна, выставляя перед ней высокий бокал, наполненный розовым.

— Спасибо! — придушенно тявкнула Лиса и облизнулась на бокал.

Некоторое время они молча ели. Мать крохотными глотками отпивала кофе из чашечки.

Ник доел омлет и тут же получил миску творога со сметаной.

— Как ты догадалась, — спросил он, принимаясь за творог, — что мы голодаем?

— Мы не голодаем, — тихонько возразила Лиса.

— Я знаю своих сыновей, — отрезала Наталья Александровна. — Если вы уже способны говорить, начинайте.

Ник принялся рассказывать. Лиса некоторое время слушала молча, потом встряла, опять послушала, а потом они уже говорили вдвоем, перебивая, размахивая руками, переглядываясь, дополняя и поправляя друг друга.

Когда дело дошло до тети-Вериных ключей, украденных Лисой во время полицейской операции, Наталья Александровна закрыла глаза и застонала.

— Да я же взяла, чтобы заполучить письма! — зачастила Лиса. — Не просто так! Я поняла, что по доброй воле нам их никто не даст, что-то не то с этими письмами...

— Замолчи, — приказала Наталья Александровна. — Замолчите оба.

Лиса посмотрела на Ника. Он молчал.

Наталья Александровна встала, достала из холодильника маленькую бутылочку воды, налила себе и попила немного.

— Так, — сказала она в конце концов. — Значит, Вера наконец-то дождалась. Всю жизнь она надеялась, и наконец! Теперь она с полным правом может говорить: я же тебя предупреждала, что твое воспитание выйдет им боком. Мои сыновья и их подруги хулиганят, как малолетние преступники.

— Мы не хулиганим! — тявкнула Лиса. — Мы стараемся!..

— Мама, мы правда не хулиганим!

— Я вижу, как вы стараетесь, — процедила мать. — Вы добыли письма?

Ник кивнул.

— Что там было?

Ник и Лиса переглянулись.

— Мы не знаем, — начала Лиса, а Ник перебил:

— Они у Сандро. Он обещал прочесть. Их немного, штук восемь. Или девять. Я сам... не мог читать, честное слово.

— Ник очень нежный, — вдруг сказала Лиса, мать с сыном уставились на нее. Она принялась объяснять: — Ему не нравятся всякие такие штуки, он считает, что мы должны сидеть и ждать, когда за нас кто-нибудь разберется.

— Я так не считаю!

— Считаешь! Ты не хотел идти в квартиру к тете! Искать тоже не хотел!..

— Я бы сказала, мой сын разумный человек, — заметила Наталья Александровна.

Что-то ее развеселило, подумал Ник.

— Разумный, — согласилась Лиса с жаром. — Но мы же должны довести дело до конца! Сандро не сможет, даже с Дуниной помощью! Его каждая собака в лицо знает, и журналисты кругом караулят!

— Утром, когда ты шла, в подъезде никого не было? — вспомнил Ник.

Наталья Александровна покачала головой — никого.

— Я один конверт припрятала, — сказала Лиса и посмотрела на Ника. — Обратный адрес! Помнишь, ты говорил, я еще спрашивала, что за адрес, какого рожна его писать надо! В электронной почте всегда адрес отправителя есть!..

— Помню, — согласился Ник. — Я тогда подумал, что ты окончательная идиотка. Где конверт?

Лиса порылась в складках платья и достала нечто прямоугольное и сильно измятое.

— Дай я посмотрю, — велела Наталья Александровна. — Действительно, обратный адрес...

Лиса вытягивала шею и заглядывала ей под руку.

— И вообще странно, — сказала она. — Я еще в машине заметила! Все письма на белой бумаге. Понимаете?

Мать посмотрела на нее.

— Ну, на белой! Как сейчас!.. — заявила Лиса.

Ник посмотрел тоже.

— Бабушка, — принялась объяснять Лиса, — всегда писала папе письма, когда уезжала. А она часто уезжала!.. Папа письма хранил и перечитывал. Он был маленький и хотел, чтобы родители скорее вернулись!.. И бабушка мне их показывала. Они написаны на тетрадных листах, в клетку или в линейку. И так сбоку подвернуты, чтобы в конверт влезли! Тогда другие конверты были! — И она шустро сложила салфетку, чтобы показать, как были «подвернуты» письма. — А белая бумага не продавалась. На белой бумаге только письма из-за границы были!..

Ник вдруг хмыкнул.

— То есть про обратный адрес ты все и без меня знала, — заключил он. — А идиоткой притворялась. Зачем?..

— Никуша, время от времени каждая из нас притворяется идиоткой, — перебила его мать. — Спрашивать «зачем» глупо и запрещается правилами.

— Мама.

— Сыночек.

Лиса слегка покраснела.

— Да дело не в этом! А в том, что письма на белой бумаге, хотя это была большая редкость в то время. И обратный адрес у нас теперь есть. Мы можем по нему съездить и узнать хоть что-нибудь про человека, который оставил вам наследство. Ну, если там до сих пор живут его родственники!.. Вдруг живут!..

Наталья Александровна подумала и принялась варить вторую порцию кофе.

— То есть вы намерены продолжать свою незаконную деятельность?..

— Ник может не продолжать, — быстро сказала Лиса. — А я продолжу!.. Меня никто ни в чем не обвиняет и не собирается посадить в тюрьму за убийство, следовательно, мне ничего не угрожает.

— Да, — Наталья Александровна помрачнела. — Убийство!.. Мало того, что это незаконно, так еще и опасно!.. Ник, ты не должен подвергать девочку опасности.

— Девочка сама везде лезет.

— Останови ее.

— Нет! — тявкнула Лиса. — Я все равно! Я должна! Вы не понимаете, а я должна!..

Они же не знали и не должны знать, как она перед ними виновата. Она понимала, что рано или поздно им станет все известно, и она больше никогда никого из них не увидит, но пока у нее есть время — пусть немного, — она должна сражаться, бороться, стараться, как лиса Джунипер из интернета, приготовленная на шубу!.. Вдруг ей немного повезет и ее не пустят на шубу, не состоится шуба...

Ник пожал плечами — он ничего не понял, никакого отчаяния не заметил. А Наталья Александровна заметила.

Девочка в страшном напряжении, словно ее что-то гнетет, и дело тут не в том, что она влюблена в Никушу, хотя она явно влюблена!.. Хотелось бы знать, отвечает ли он ей взаимностью — тут мать на него взглянула, — но по нему вечно ничего не поймешь. Сколько их перебывало, этих девиц! С некоторыми Наталья Александровна даже была знакома, о других только слышала, но они никогда в жизни старшего сына не задерживались, появлялись и пропадали, и вскоре возникали другие. Мать особенно не беспокоилась, в их семье мужчины женились поздно, но зато уж раз и навсегда. Странно было думать, что Ник может жениться именно на этой — совершенно белой, худющей, с цыплячьей шейкой и выпирающими ключицами, — но данная мысль доставляла Наталье Александровне некое смутное, словно даже веселое удовольствие. Никуша всегда был «правильным» в отличие от непутевого младшего брата, и явная «неправильность» девочки ему подходила — с точки зрения матери! Вот та, вторая, что ворвалась утром в квартиру, как раз не подошла бы, ибо подходила по всем статьям: взрослая, уверенная, нарядная, причесанная.

Посмотрим. Посмотрим.

— Что там за адрес? — спросила Наталья Александровна, отвлекаясь от своих мыслей. — На конверте?

Ник посмотрел.

— Поселок Николина Гора, улица и дом. — Тут он вдруг поднял глаза и уставился сначала на Лису, а потом на мать. — Сейчас, подождите... Нет, где-то я уже слышал такой адрес!.. Мам, кто у нас может жить на Николиной Горе?..

— Не знаю, — пожала плечами мать. — Кто угодно.

— Да не кто угодно!.. — Ник вскочил. — Где мой телефон? Лиска, где телефон?

— В пиджаке, наверное, — подумав, сказала она. — Ты вчера был в пиджаке. Таком синем, в клетку.

Ник выскочил из кухни. Воцарилось молчание.

— Я стараюсь помогать, — наконец выговорила Лиса.

— Я вижу.

— Нет, правда.

— А кто такая Дуня? — осведомилась Наталья Александровна. — Твоя подруга?

— Не-ет, — удивилась Лиса. — Она подруга Сандрика! Он собирается на ней жениться. Ну, он так сказал сначала нам, а потом ей!

— Как интересно.

— Ой, — испугалась Лиса. — Это я зря, наверное, да?.. Не нужно было говорить, да?..

Наталья Александровна вздохнула. Водить себя за нос так уж открыто она не позволит. Мужчины пусть остаются в неведении, это их дело, но она играть в игры по правилам этой девицы не станет.

— Девочка, — сказала Наталья Александровна проникновенно. — Ты берешь такие интересные интервью у таких интересных и больших людей!.. Я часто и с удовольствием смотрю. Ты задаешь серьезные вопросы, и твоя логика мне нравится! Я никогда не поверю, что ты просто так, в разговоре с малознакомым человеком, способна выболтать чьи-то секреты!

Лиса вдруг вся вспыхнула. Очень белая кожа покраснела неровно, пятнами. Даже на ушах появились пятна!

— За информацию тебе спасибо, — продолжала Наталья Александровна. — Я поняла, что Сандро не один, с ним Дуня, но ты не знаешь, кто она такая и откуда взялась.

— Откуда взялась, знаю, — пробормотала Лиса и потрогала собственные горящие уши. — Она соседка того человека, Милютина, который оставил завещание в пользу Ника и Сандро. Она красивая. Она нам вчера помогала.

— Отлично. Там осталось немного взбитой клубники. Тебе добавить?..

Лиса кивнула.

— Я бы вам все рассказала, — призналась она. — Но не могу.

— Будем ждать, когда сможешь.

Ник с телефоном в руке заорал с порога:

— Ну, конечно, я знаю этот адрес! От нотариуса!.. Дом на Николиной Горе — часть завещанного нам имущества, чтоб ему провалиться!.. А я кретин, дебил!..

— Что такое?! — грозно спросила мать.

— Надо было раньше сообразить!

— Нико, мы даже не знали, тот ли Милютин ухаживал за нашей Верочкой или не тот! Как ты мог сообразить раньше?..

— Не знаю как, но должен был! И это тот самый Милютин! Лиска, собирайся, поедем на гору!

— Передай Сандро, чтобы позвонил, — распорядилась мать. — Когда все закончится, вымой окна, на дворе весна, а у тебя в квартире осень и запустение.

— Хорошо, мама.

— Сразу же сообщите, если хоть что-нибудь выяснится.

— Ладно, мама.

— Я расспрошу Верочку получше. Она любит рассказывать о себе!.. Я позвоню.

— Конечно, мама.

— И не лезьте на рожон, — заключила мать с сердцем. — Большое зло ходит совсем рядом. Я его чувствую.

Лиса уставилась в пол.

Она тоже чувствовала это самое «большое зло» и улавливала его приближение.

Ник поехал бы на электричке — чего лучше, тем более машины все равно нету, она так и осталась возле дома тети Веры после первого визита на радость майору Мишакову, если он возьмется искать вещественные доказательства виновности братьев Галицких. Майор только начнет искать, а тут уж для него все приготовлено — и машина на стоянке, и очки на столе, которые Ник оставил там во второй визит.

Ник поехал бы на электричке и даже речь стал произносить о том, что только дебилы и кретины везде раскатывают на машине, хотя ни проехать как следует, ни припарковаться нельзя, и вообще схему движения то и дело меняют, не разобраться, где есть повороты, где нет, а где сделали одностороннее!..

Он поехал бы, но Лиса сказала, что не выстоит в электричке, показала на свои ноги, и Ник покорился — хорошо, пусть будет такси.

В машине они почти не разговаривали. Лиса о чемто напряженно думала, работа мысли отражалась на острой мордочке. Должно быть, думы ее были нелегки, потому что мордочка вскоре стала несчастной, а потом Ник заснул под протяжную восточную музыку.

Проснулся он, когда Лиса стала тянуть его за руку.

— Приехали? — пробормотал он и сразу полез в карман за кошельком. Ему стало неловко, что он проспал всю дорогу. Должно быть, храпел еще!..

— Нет пока, — бодро сказала Лиса. Она уже выбралась наружу и теперь заглядывала в распахнутую дверь. — То есть приехали, но еще не туда.

— А куда мы приехали?

Ник сунул водителю деньги, вылез и огляделся.

Узкая асфальтовая шоссейка, обсаженная с двух сторон кустами, только взявшимися зеленеть. Слева и справа заборы — от земли до неба.

Лиса перешла шоссейку и нажала кнопку домофона, прикрученного к калитке. Ник подумал: надо же, даже в Великой Китайской стене, оказывается, есть домофоны!..

— Забежим на пять минут, — сказала Лиса с фальшивым оживлением. — Я кроссовки другие надену, и мы сразу дальше двинем. Здесь близко, через две улицы!

— Подожди, — попросил Ник, заподозривший неладное. — Ты сейчас куда ломишься?

Внутри Великой Китайской стены сухо щелкнуло, калитка приоткрылась.

— Я тут живу, — призналась Лиса. — С папой и его... семьей. Тут еще живут... эта... папина жена, и Елисей, и Светозар.

— Какой... Елисей?

— Мои братья, — объяснила Лиса. — Елисей и Светозар. Малолетние. Проходи. Только я тебя прошу, Ник, — она вздохнула и понизила голос. — Ты сразу не устраивай скандалешник, ладно?.. Лучше потом, попозже.

— Я никогда не устраиваю!..

— И хорошо, и правильно, — заторопилась Лиса. — К чему нам скандалы?

— Юля, — грозно сказал Ник. — Я ничего не понял.

Она сильно потянула его за руку, как норовистого ишака за сбрую, он поневоле пошел за ней, слишком ошеломленный, чтобы всерьез сопротивляться.

За забором простирался просторный парк в английском духе — зеленые лужайки, купы нарциссов и тюльпанов в свежей траве, подстриженные пихты, шаровидные сосны, все весеннее, ухоженное!.. По обеим сторонам дорожки были высажены молодые липы, словно тронутые зеленой акварелью. В глубине парка между деревьями виднелась беседка с онегинской скамьей.

— Там спуск к Москве-реке, — мрачно сообщила Лиса.

— Ты живешь в санатории?..

— Это не санаторий. Это папин дом.

Парк все не кончался, дорожка петляла между деревьями.

Они шли рядом.

— То есть про бизнес-школу в Швейцарии ты не выдумывала? — осведомился Ник.

— Как это ты запомнил про бизнес-школу?..

Деревья расступились, навстречу им выплыл дом в старинном усадебном духе — с греческими колоннами, портиком и подъездной дорожкой, засыпанной гравием. Меж колонн стояла детская машинка и валялся перевернутый велосипед. Под греческим портиком оказались свалены пластмассовые ведерки, совки, кубики, надувной дракон, которого шевелил весенний ветер, и всякое прочее.

— Я только башмаки другие надену! Правда!..

Двустворчатая дверь распахнулась, из нее выскочил бутуз в шапке и ярком комбинезоне, а за ним две тетки с одинаково тревожными лицами.

Бутуз, обнаружив прямо перед собой Лису и Ника, открыл рот и замер.

— Здорово, Елисей, — сказала Лиса.

Бутуз не шевельнулся.

— Юля! — воскликнули тетки почти хором. — Приехала!.. Павел Витальевич за тебя только утром говорил!.. Стой, стой, Иля, не бежи, упадешь!.. Иля, стой, давай ручку, пойдем лучше до площадки! Бери ведерко и пойдем, Иля!..

Иля, не обращая на теток никакого внимания, шустро чесал по дорожке. Тетки кинулись в погоню, но не успели. Иля бухнулся на живот, подумал короткое время, затем старательно наморщил лицо и заорал.

— Елисей, — объяснила Лиса, глядя им вслед. — И его няньки.

— У него сразу две? — спросил Ник зачем-то.

— Шесть, — поправила Лиса. — Четыре дневных, посменно, и две ночные, тоже посменно.

Ник старательно наморщил лицо, совсем как Елисей, — чтобы не рассмеяться.

На первом этаже дома было просторно, чисто, прохладно и роскошно. Плитка сверкала, люстра низвергалась, справа белый рояль, слева мраморная скульптура, посередине эрмитажная лестница с позолоченной бронзой.

А может, и не с бронзой, подумал Ник. Может, все из высокопробного золота!

— Юля! — раздалось с лестницы гневное. — Где ты была?! Почему так долго?! Ты уехала на один день!

— Привет, пап, — с тоской сказала Лиса. — Пап, это Ник, мой друг. Мы сейчас уедем, мы на пять минут.

Моложавый джентльмен сбежал с мраморных ступенек, оценил Ника — от очков до ботинок, — и с некоторым сомнением подал ему руку.

— Павел Витальевич.

— Николай Михайлович.

Больше говорить было нечего, и Ник решил не говорить. Да и Павел Витальевич явно затруднялся!..

— Пап, я поднимусь к себе.

— Юлька, ты хоть предупреждай о своих отлучках! Ни слуху ни духу столько времени!

— Хорошо, пап, буду предупреждать.

— И на чем ты приехала, спрашивается? Я звонил твоему водителю, а ты его, оказывается, отпустила!

— Пап, у меня всякие... дела.

— Какие у тебя могут быть дела! — фыркнул отец.

Разумеется, у нас никаких дел быть не может, подумал Ник Галицкий. Да и какие наши дела, даже если они есть, сравнятся с папиными?.. По всей видимости, папины дела были огромны и шли хорошо, в ногу, так сказать, со временем.

Лиса заскакала по эрмитажной лестнице, а отец между тем обратил взор на Ника.

— Вы с Юлькиной работы?

— Нет, — признался Ник. — Я физик, работаю... в научном институте.

— Скучно, наверное, — посочувствовал Павел Витальевич.

— Ничего, терпимо.

И Ник посмотрел вслед Лисе, а хозяин посмотрел на него.

— Вы давно знакомы с моей дочерью?

— Всего несколько дней. Она давняя приятельница моего брата. — Ник вдруг подумал, что понятия не имеет, давняя ли приятельница Лиса или только приобретенная. Оказалось, он вообще ничего о ней не знает!.. Но джентльмен явно ждал продолжения, и Ник стал объяснять: — Нам нужно заехать к знакомым. Они живут на соседней улице. Так сказала Юля, я сам здесь не ориентируюсь.

— Вы не похожи на ее друзей, — заметил хозяин дома.

— Наверное, — согласился Ник.

— Может быть, выпьете чего-нибудь? — Тут он повернулся куда-то в сторону и зычно позвал: — Настя! Настя!..

Тотчас же из мраморных глубин выступила фигура в униформе и прошелестела, уставившись в пол:

— Анастасия Игоревна в детской. Сказали, скоро будут.

— Дети, — развел руками хозяин и отец семейства. — Много хлопот. Настя — моя жена, я вас познакомлю. Ну? Выпьем?

Ник согласился. Отчего ж не выпить?..

В просторной гостиной, обращенной окнами на регулярный парк и реку, нашлось все необходимое — хрустальные штофы, графины и кувшины, разнообразнейшие рюмки, бокалы, стаканы и стопки, а также фрукты, орехи и еще нечто аппетитное в серебряных корзиночках.

На стенах висели произведения искусства в виде картин и такие же произведения — в виде мебели, — были расставлены тут и там.

— Я вообще-то против этих Юлькиных упражнений в интернете, — говорил хозяин.

Он говорил и одновременно открывал какой-то особый ящичек с полированной крышкой. Как только крышка откинулась, из ящика повалил пар. Заинтересованный Ник подошел и заглянул. Внутри на решетке были уложены ровные круглые камни. Хозяин щипцами подцепил один и аккуратно опустил в бокал, затем процедура повторилась. Камни в бокалах моментально покрылись плотным инеем. Хозяин сверху на камни налил виски — довольно много.

— Вы что, никогда не видели? — удивился он. — Это чтобы лед не класть, не разводить виски водой!..

— Никогда не видел, — признался Ник.

Павел Витальевич пожал плечами и повторил:

— Вы не похожи на Юлькиных друзей. — Тут он вдруг прищурился. — Или вы герой?

Ник глотнул виски — камушек в бокале легонько и приятно стукнул.

— Я не герой. Я физик.

— Но вы в ее программе участвовали?!

Ник понял, что дело зашло в тупик. Прямо-таки въехало на полном ходу. Дальше дороги нет.

— Павел Витальевич, — сказал он очень вежливо. — Я не представляю, о чем идет речь. Правда. И на данном этапе даже не знаю, имеет ли смысл что-либо объяснять.

Джентельмен страшно удивился.

— То есть как! Что значит — не имеет! Моя дочь интервьюер. Ее программы очень популярны, она своего рода знаменитость.

— Прекрасно.

— Называется «Лисьи тропы». Вы что, никогда не видели?!

Ник покачал головой.

— Она отличный интервьюер, — продолжал возмущаться папа. — Я плохо разбираюсь в этих делах, но у нее там миллионы просмотров!.. И офис! У нее офис в Москва-Сити, в самом крутом небоскребе, ну, как спираль!.. Сейчас, как же адрес... нет, забыл! Мы с женой всю эту ее деятельность не слишком одобряем, но тем не менее!..

— Почему не одобряете? — поинтересовался Ник.

Ему так хотелось выбраться из этого сказочного дома — на воздух, на свободу, — что заболела голова, словно в ней что-то лопнуло от напряжения. Он аккуратно вернул свой бокал на столик — произведение искусства.

— Не одобряем, потому что ее никогда нет, и вся эта интернет-тусовка на нее дурно влияет!.. Она вечно на каких-то съемках или на монтаже, и это невозможно контролировать!..

— Павлуша, что ты так кричишь?..

— Я не кричу! Это Настя, моя жена. А это Юлькин друг, я прошу прощения, как вас...

— Николай Галицкий, — представился Ник второй раз.

— Но он даже не знает, что Юлька в интернете...

— Боже мой, — произнесла жена Настя успокаивающе. — Павлуша, ну, кому какое дело, что там твоя Юлька в интернете!.. Подумаешь, персона года!

Жена была прекрасна: юна, стройна, златокудра и волшебна.

Бедная моя Лиса, подумал Ник, и голова у него вдруг сама собой перестала болеть. Папа и его юная жена тебя не одобряют, еще бы!.. Интересно, а шесть нянек царевича Елисея одобряют или нет?

Раздался дробный частый топот, словно к ним мчался еж-переросток, и в дверях зала возникла Лиса. Вид у нее был встревоженный и виноватый.

— Юля, — начал джентльмен. — Твой приятель даже не знает про «Лисьи тропы»!

— Ну, не знает, и что? Ник, я собралась, мы можем ехать.

— Ты бы поздоровалась, — сказала прекрасная Настя добродушно. — Люди всегда так делают, Юлечка. Здороваются.

— Привет, Насть. Пап, я возьму свою машину?

— Вызови водителя, — велел отец. — Ты плохо ездишь!

— Я все делаю плохо, — согласилась Лиса. — Можно без водителя?..

— В случае чего Юлечкин друг сядет за руль, — Настя улыбнулась Нику. — Вы же поможете Юлечке?

— Хуже меня вообще никто не ездит, — сказал Ник и улыбнулся Насте в ответ. — Сам диву даюсь.

Джентльмен вдруг засмеялся — искренне, от души, — и похлопал Ника по плечу.

— Заезжайте, — пригласил он. — Всегда рады. Юлька, а ты не пропадай надолго. Я беспокоюсь!..

— Ладно, пап.

— Посмотрите «Лисьи тропы», — посоветовал Нику джентльмен. — Это интересно.

— Обычные разговоры, — вставила Настя. — Ничего особенного.

К выходу Лиса повела Ника совсем другой дорогой. Они прошли через просторный бальный зал и вышли в картинную галерею. Ника поразил портрет балерины, висевший на самом видном месте. О том, что изображена именно балерина, можно было догадаться только по тому, что за присевшей на краешек кресла фигуркой был виден кусочек зеркала и словно поперечина балетного станка. Девушка на портрете была хороша и очень грустна, облачена в пышную юбку и короткую меховую накидку. Руки, почти утонувшие в складках юбки, выражали массу чувств.

Ник остановился перед портретом, Лиса тоже остановилась.

— Это бабушка, — сказала она и взглянула Нику в лицо. — В Париже, по-моему, в начале шестидесятых.

— Та самая, которой шил Зайцев, а ты сидела на диване и не могла слезть?..

Лиса так удивилась, что даже рот у нее приоткрылся.

— Ты и это запомнил?!

Ник снова посмотрел на портрет.

— Ты на нее похожа.

— Да ну-у-у. Бабушка красавица, а я недоразумение.

— Как ее звали?

Лиса вздохнула:

— Суламифь Азур.

Теперь изумился Ник.

— Так она... знаменитая балерина! Я прекрасно помню это имя.

— Ну да, — согласилась Лиса. — Как Плисецкая.

Они еще посмотрели на портрет.

— Всякие великие художники ее писали, — продолжала Лиса. — И еще, кажется, у нее был роман с Робертом Кеннеди. Когда она про него рассказывала, у нее всегда было такое... заговорщицкое лицо. И еще она вздыхала.

— Ты тоже все время вздыхаешь, — заметил Ник.

— Ничего я не вздыхаю!.. Пойдем?..

Они пошли дальше, и в дверях галереи Ник еще раз оглянулся на портрет. Пожалуй, у той девушки вполне мог быть роман с легендарным американским сенатором!.. В ней чувствовались характер, юмор и как будто шик, высший класс.

— Я часто думаю, — продолжала Лиса, — куда она делась?.. Она же была, и когда она была, я так хорошо жила!.. Мне и в голову не приходило, что родители разведутся, а я брошу балет и всякое прочее начнется. Она всегда как-то так говорила, что было ясно: все будет хорошо, целую вечность хорошо. И я думаю: что значит, она умерла? Умерла, это значит, она сейчас где?..

— Я не знаю.

— Но ведь не может быть, чтобы ее совсем не стало. А, Ник? — Лиса с надеждой заглянула ему в лицо.

Он на самом деле не знал, что сказать. Говорить, как Суламифь Азур, так, чтобы стало понятно, что все будет хорошо целую вечность, он не умел. В загробную жизнь не верил. Чудес не ждал.

Лиса отворила решетчатую дверцу, озарилась кабинка, обитая бархатом и золотым шитьем, как будто распахнулась шкатулка для драгоценностей. Они вошли внутрь, лифт поехал вниз.

Лифт Ника доконал.

— Почему ты не сказала мне, что знаменита, как лиса Джунипер из интернета?

Она пожала плечами. Ник рассердился.

— И вообще ничего не рассказала! Еще притворялась! Зачем ты притворялась?

— Ну, когда тебя считают дебилом, притворяться не надо!.. Всем заранее ясно, что ты дебил. Дебилка. Я Насте столько раз пыталась доказать, что я... в школе училась, книжки читала! А потом плюнула. Пусть думает что хочет. И папа тоже.

— Твой отец все понимает.

— Ничего он не понимает!.. Его Настя давно убедила, что я никчемная и от меня одни проблемы. И я буду дурно влиять на ее мальчиков!..

Она открыла дверь причалившего лифта. Ник взял ее сзади за шею.

— Лиска, — сказал он. — Если ты умная, а не дебилка, подумай получше. Кто и в чем может убедить твоего отца?.. Уверен, никто и ни в чем. Он все знает сам!.. А тебе нравится думать, что тебя тут никто не понимает и не ценит. И все твои достижения не благодаря, а вопреки! Ты сразу все себе прощаешь, ты же несчастная!..

— Ник, я не просила читать мне морали. — Лиса оскалила зубы. — Мне их читают достаточно!.. И я чувствую себя виноватой!

— Перестань, — посоветовал Ник. — Перестань чувствовать себя виноватой.

— У меня не получается!

— Ты не пытаешься.

— Я пытаюсь!.. — Она вывернулась из его ладони, подпрыгнула и повисла, обняв руками и ногами. Ник подхватил ее. — Я так рада, что я с тобой! Несмотря на то, что ты страшный зануда!..

Ник поцеловал ее, еще раз поцеловал, нацелился на ухо с веснушками, но она так же внезапно, как запрыгнула, соскочила с него и заявила:

— Мы пришли. Вон моя машина.

В обширном и светлом гараже — светлом не от электричества, а от весеннего солнца, которым был залит пол, — стояло множество разнообразнейших автомобилей и лимузинов, которые Ника совершенно не заинтересовали, а заинтересовал вопрос, откуда в подземелье солнце.

— Слушай, как это построено?

Лиса распахнула дверь «Порше».

— Садись. Что построено, я не поняла?

Ник плюхнулся на переднее сиденье, вытягивая шею и заглядывая в лобовое стекло.

Лиса завела мотор и тронулась. Ворота стали медленно раздвигаться.

— Остановись, — сказал Ник. — Я должен посмотреть.

«Порше» выкатился на лужайку и остановился. Ник выскочил и уставился. Гараж был встроен в горку по всем законам сложной архитектуры. На горке росли кусты и трава, выше начиналась балюстрада, а еще выше виднелась задняя стена особняка.

— Класс, — восхитился Ник. — Слушай, это прямо инженерное сооружение!..

Лиса сбоку посмотрела на него.

— Этот дом строил какой-то знаменитый архитектор, — сообщила она осторожно. — Я забыла фамилию. Папа сказал, что все должно быть не только красиво, но и функционально, иначе оно никому не нужно. Свет должен гореть, ворота открываться, батареи греться.

— Я ничего не понимаю в таких расчетах, — продолжал восторгаться Ник, — но зато представляю, как это сложно посчитать!.. Нагрузки, контуры, веса, шпангоуты, на которых все крепится!.. Чертежи бы посмотреть, это интересно.

И Михаилу Наумовичу показать тоже хорошо бы. Старик всегда интересуется новым!..

Вспомнив старого учителя, Ник словно вернулся в настоящее. Этот дом, похожий на Эрмитаж, портрет Суламифь Азур, неожиданные открытия и странные разговоры совсем заморочили ему голову! Он отвлекся от единственной на сегодняшней день и главной цели — узнать, кто такой Александр Аггеевич Милютин и почему он завещал свое имущество братьям Галицким.

— Так, — произнес он совсем другим голосом. — Ты тут все знаешь, на Николиной Горе, правильно я понимаю? И знаешь, куда едешь?

Лиса пожала плечами.

— Я по адресу еду. Улицу знаю, да.

Ему вдруг стало досадно. Так досадно!..

Дом, сложное инженерное сооружение, Суламифь Азур и неожиданные открытия подтверждали то, что ему и так было понятно, — никакая они не пара, и парой никогда не будут. Впрочем, он знал это с самого начала, но как-то... позабыл. А теперь вспомнил.

Они еще несколько раз переночуют в его квартире, возможно даже сыграют в «Имаджинариум» или в другую игру, и она своими лисьими тропами уберется обратно во дворец — страдать. Она так явно демонстрировала, что страдает!.. Возможно, он даже позвонит ей пару раз или она ему напишет на электронную почту, которую он никогда не читает, и все закончится навсегда. Не нужно решать уравнение, прикидывая, будет ли со временем черная дыра расширяться, или есть ли возможность заставить ее уменьшиться хоть немного.

Да и зачем это ему? Он же знал с самого начала, что они не пара!..

— Ник, теперь ты вздыхаешь, — сказала Лиса.

Он ничего не ответил.

Она считала себя исключительно опытным человеком — карьера, пара оставшихся в прошлом любовей, сложные отношения с отцом и всякое такое, — но хоть убей не могла догадаться, почему Ник вздыхает!.. А ей так понравилось, что он назвал гараж «сложным инженерным сооружением», выскочил, чтобы посмотреть, зато вовсе не обратил внимания на ее супермашину!.. Ей не попадались мужчины, которым не было дела до ее славы, связей и «Порше». Она знала, что очень виновата перед ним и Сандро, и как только они это поймут, их больше не будет в ее жизни, но все же... надеялась, что обойдется. В конце концов, у нее же деньги и связи, кто по доброй воле от такого откажется?!

В голове у нее была полная каша и ерунда, а в душе смятение.

— Мы приехали.

Ник выбрался из низкой машины и захлопнул дверь. Здесь было просторней, шоссе не напоминало коридор. Заборы стояли посвободнее, за ними были видны сосны и верхушки зазеленевших сиреней.

— Ну че? — спросила Лиса, вытесняя из головы ерунду и кашу. — Полезем через забор или позвоним?

— Юля, подожди меня в машине, — велел Ник. — Если здесь до сих пор живет кто-то из родственников Милютина, вряд ли они будут рады нас видеть. Меня особенно.

— Да нам-то какая разница?! Не стану я ждать тебя в машине, ты ж понимаешь!..

Разумеется, он понимал, но размеры черной дыры за последние пятнадцать минут увеличились до катастрофических.

— Как хочешь, — холодно согласился Ник и нажал блестящую кнопочку домофона.

Внутри пластмассовой коробки мелодично прозвенело.

— Никого тут нет, — пробормотал Ник и еще раз нажал.

Домофон вдруг ожил и спросил бодрым голосом:

— Вам кого?

Ник не ожидал ничего подобного. Он был уверен, что дом пустует, как и квартира в Подколокольном переулке!.. Лиса подсунула острую белую мордочку, и он, позабыв про дыру, взял ее за руку.

— Мы к родственникам Александра Аггеевича, — произнес Ник в решетку, стараясь быть убедительным. — Нам нужно поговорить!..

— Ожидайте, — сказали в домофоне, и они посмотрели друг на друга.

— Вот видишь, — зачастила Лиса. — Я же говорила! А ты письма не хотел искать!..

— Адрес точный? Ты не ошиблась?

— Ник, смотри сам! Вон табличка.

Он взглянул на табличку — все верно. Время шло. Домофон молчал. Позвонить еще раз?..

Калитка распахнулась так широко, что Ник сделал шаг назад. В проеме стоял пожилой человек.

— Сколько вас? — спросил он буднично.

— Двое, — тявкнула Лиса. — Все здесь.

— Кто вы такие?

Позади по шоссе прошуршала машина, Ник оглянулся на нее, а потом посмотрел на открывшего и начал:

— Меня зовут Николай Галицкий. Александр Аггеевич Милютин завещал мне и моему брату...

Человек его перебил:

— Документы есть?

Ник достал из внутреннего кармана паспорт и протянул. Хозяин принялся его изучать.

— И вы давайте, — приказал он Лисе.

— Да мы просто спросить хотели!

— Давайте, давайте!..

Паспорта он изучал довольно долго, потом вернул — оба Нику — и пригласил:

— Проходите.

Калитка бабахнула за спиной, закрываясь.

— За мной, — и человек пошел вперед по дорожке.

— Это дом Милютина? — на всякий случай спросил Ник, и мужчина кивнул на ходу.

Участок был не так велик, как у родственников Лисы. Не так велик и не слишком ухожен — кусты разрослись, в них возились и попискивали воробьи, между плитками дорожки пролезала иглами молодая трава, газон на лужайке был весь неровный, как видно, там рылся крот.

Справа от дома располагалась каменная беседка. Летом, по всей видимости, она была увита виноградом, но сейчас бессильные старые плети валялись на земле. Поодаль дымился костерок. Провожатый свернул туда, видимо, не собираясь приглашать их в дом.

Под высокой черепичной крышей беседки стояли обширный стол, темный от времени, несколько стульев и газовый торшер с широкой крышкой. На столе лежали садовые перчатки, секатор, моток веревки и еще что-то. Должно быть, когда они позвонили, хозяин подвязывал виноградные плети.

— Прошу садиться, — сказал он и выдвинул стул. — Звать меня Александр Александрович, с Милютиным я работал. Теперь присматриваю за домом. Что вам нужно?..

Хозяин закинул ногу на ногу, пошарил в кармане клетчатой куртки, вытащил пачку сигарет и закурил. Он сидел вполоборота, так, чтобы смотреть на костерок и лужайку, а не на гостей.

Ник не знал, с чего следует начинать подобные разговоры. Вот что у него спросить?! Кто вы такой? Кто такой Александр Аггеевич Милютин, наш щедрый завещатель?

И он спросил о главном:

— Вы не знаете, почему завещание составлено в нашу пользу?.. Почему Милютин завещал все нам с братом?

— Разумеется, знаю.

Такого поворота Ник Галицкий не ожидал.

— И... почему?

Хозяин смял в пепельнице сигарету:

— Потому, что братья Галицкие наследники. Не прямые, разумеется! Наследники второй линии.

— Я так и знала! — тявкнула Лиса, и ошеломленному Нику послышался в ее голосе восторг. Она пришла в восторг!..

— Я прошу прощения, — начал Ник. — Здесь какая-то ошибка. Системная ошибка!.. Наследниками бывают родственники, но у нас нет родственников по фамилии Милютины.

— Есть, — сказал хозяин равнодушно. — И раз уж на то пошло, я не верю ни одному вашему слову. Не старайтесь, молодой человек.

Ник понял, что был прав с самого начала — произошло некое фатальное недоразумение, глупость, фарс!.. Кто-то кого-то когда-то ввел в заблуждение, и все запуталось.

— Так я и знал, — вздохнул Ник, пожалуй, с облегчением. — Вы ошибаетесь, уважаемый. И, видимо, Милютин ошибался тоже. Скажите, родственники у него есть? Нам нужно их разыскать, чтобы исправить ошибку. Или вы и есть родственник?..

— Хватит ерунду молоть, — хозяин поморщился. — Я не родственник, другие родственники из завещания исключены. Да ведь вы все сами знаете! Или у вас натура артистическая? Требует представления?

— Нет, нет, — встряла Лиса. — Он не знает, он ничего не знает! — И вдруг добавила: — Зуб даю.

— Замолчи, — велел Ник.

В тишине слышно было, как шумят в вышине сосны и потрескивают в костерке старые лозы.

Ник прикидывал, что делать. Как объяснить этому человеку, что он ошибается, и Милютин тоже ошибся. Все ошиблись!..

— Моя фамилия Галицкий, — сказал он, понимая, что говорит какую-то и без того понятную ерунду. — Это фамилия отца. Он давно умер, родных никого не осталось. Мамина фамилия Дадиани, и у нее тоже никогда не было родственников по фамилии Милютины. Понимаете?

— Александр Аггеевич Милютин — брат вашего дедушки Сандро Дадиани, — сообщил хозяин, покачивая ногой.

Ник засмеялся. Вот все и открылось!.. Вот откуда началась эта страшная путаница!

— У нашего деда не было братьев, совершенно точно! У него была сестра Софико, мать нашей Верочки, то есть тети Веры.

Хозяин вдруг повернулся и впервые взглянул на Ника очень внимательно.

— Дед всю жизнь прожил в Тбилиси, — продолжал Ник. — Он грузин, понимаете? Человек по фамилии Милютин не может быть братом человеку по фамилии Дадиани! Софико, его сестра, рано уехала в Москву, она здесь училась, я ее почти не помню. Да это все неважно! — Ник поднялся. — Самое главное, что мы разобрались. Это просто ошибка. Видимо, Милютин искал родственников и ошибся...

— Александр Аггеевич никаких родственников никогда не искал, — сообщил хозяин, пожалуй, с интересом. Теперь он смотрел Нику прямо в лицо. — Видите ли, в чем дело, молодой человек, Александр Аггеевич прекрасно знал всех своих родственников.

— Тогда непонятно, почему он ошибочно составил завещание в нашу пользу.

— Да потому что вы и есть его родственники! — вдруг вспылил хозяин. — Вы и ваш брат! Разумеется, есть прямые наследники, дочь Вера Владимировна и внук Вячеслав Всеволодович, но завещание в их пользу было аннулировано. Незадолго до своей гибели Милютин завещание переписал.

— Во-он что... — протянула Лиса задумчиво. — Во-он как...

— Вы тоже внуки, — продолжал хозяин. — Двоюродные, кажется, это так называется.

— Я не знаю, как это называется, — перебил его Ник, — но мы никакие не родственники. Нужно Глебову позвонить, вот что. Он моментально докажет, что Милютин Александр Аггеевич...

— Ваш двоюродный дедушка, — подхватил хозяин со злорадным удовольствием. — Глебов — это адвокат, что ли? Весь из себя такой... не подкопаться, за бороденку не схватить!.. Что ж вы раньше-то не сподобились, молодой человек? Навели бы справки, давно бы уж все узнали!..

— Что узнали? — тупо спросил Ник.

— Да вот, к примеру, что у вашего прадеда было трое детей, а не двое! Документы в свое время, конечно, изымали, но следы найти можно. Актовые записи, свидетельства о рождении, это все бесследно не пропадает!..

— Какие документы?.. Кто изымал?.. — Ник выдвинул стул, сел, положил руки на стол. Лиса взяла было его за локоть, но он дернул плечом, и она отстала.

— Когда брат вашего дедушки поменял имя и фамилию и превратился в Александра Аггеевича Милютина, все его прежние документы изъяли, — продолжал хозяин с непонятным злорадством. — Он же работал на внешнюю разведку, на нелегальном положении был столько лет.

— Е-е-е, — выдохнула Лиса.

— Ту-ру-ру, — протрубил Ник. — Трам-пам-пам.

— Вот вам и пам-пам, — передразнил хозяин. — Я предупреждал его, я просил, чтобы не спешил с завещанием! Познакомился с внуком, и достаточно, хватит на первое время! Но к старости все становятся сентиментальными, и он все-таки его написал, это завещание, мать его так и эдак.

— Я все же позвоню Павлу Глебову, — произнес Ник. — Мы сами не разберемся.

— Ник, да чего тут разбираться-то, — вновь встряла Лиса. — Ты че, тупой? Смотри, у твоего деда были брат и сестра.

— Не было никакого брата!

— Брат пошел служить в разведку и стал засекреченным. С родственников взяли подписку о неразглашении. Они и не разглашали! У него здесь родилась дочь, ее мать умерла и ее удочерили родственники, то есть его сестра. Вот и все, чего тебе неясно?

— Да, — согласился хозяин. — Проще пареной репы.

Ник понял, что сейчас они его... убедят, и он поверит! Во всю эту ерунду с разведчиками-нелегалами, удочеренными девочками, тайнами и шпионскими страстями. Немного осталось!.. Он уже почти поверил.

— Спасибо, что выслушали нас, — сказал он и опять поднялся. — Мы должны ехать. Как только Глебов опровергнет вашу... теорию о том, что мы родственники, я вам позвоню. Или сам Глебов позвонит, и мы согласуем дальнейшие действия. Нужно найти настоящих родственников.

— Ну, ты правда тупо-ой, — протянула Лиса и с азартом обратилась к хозяину: — А вот письма, письма!.. Мы нашли адрес этого дома на старых конвертах. Тетя Вера нам сказала, что за ней ухаживал Саша Милютин, и мы решили, что это как раз Александр Аггеевич.

— Я за ней ухаживал, — буркнул хозяин и вновь полез в карман клетчатой куртки за сигаретой. Ник вытаращил глаза и плюхнулся обратно на стул. — У меня такое задание было, я и ухаживал. Звали меня тогда и вправду Сашей, тогда дело не дошло до Александра Александровича! Я за ней ухаживал, я же и письма писал. Подписывал, ясное дело, не своей фамилией! Милютиным подписывался. У нас есть такое правило: лишнего не придумывать, в том числе ненужных имен.

Вот есть реальная фамилия Милютин, я так и подписывался!..

— Зачем все это, а?..

— Так у Милютина с дочерью никакой связи не было и быть не могло! Он знал только, что она есть, а как живет, чем дышит, не голодает ли, мать у нее рано умерла, мало ли! А дочь вообще ни сном ни духом!.. С сестрой связаться он разрешения не получил, тогда обстановка в мире уж больно сложная была. Мне и дали задание — наладить контакт с его дочерью, выяснить условия жизни, в случае необходимости всячески помогать ей. По этому адресу, вот где мы сейчас с вами сидим, была дача КГБ, ее только после восемьдесят пятого рассекретили. Вера сюда и писала, ей отсюда отвечали. Иногда я, а иногда другой кто-то...

— Письма были на белой бумаге! — выдохнула Лиса с восторгом. — На белой! Тогда никто на такой не писал! Все на листках из тетрадок писали, в клетку, в линейку!..

— Смотри ты, — удивился Александр Александрович. — Наблюдательная девчушка!.. И мы хороши! — Он засмеялся и закашлялся. — Вот на таких штуках нас и ловят, козлов самодовольных!..

Лиса взяла Ника за плечо и потрясла.

— Александр Аггеевич Милютин, — начала она, — был человек-легенда! Ну вот как... не знаю... как Зорге во время войны! Я брала интервью у одного деятеля из Службы внешней разведки, и он мне рассказал после съемки. Про Милютина!.. Он там, знаешь, чудеса творил, на Западе. Типа, третью мировую войну предотвратил!.. Я так приставала, чтобы мне материалов подкинули, а мне фиг с два! Говорят, время должно пройти и всякое трали-вали!.. И не дали материалов!.. А он всю жизнь на нелегальном положении прожил, вернулся, только уж когда старенький стал.

— Юля, — остановил ее Ник.

Он взял у хозяина из пачки сигарету и прикурил.

— Брось, — велела Лиса, вытащила у него из пальцев сигарету и с силой затушила в пепельнице. — Сейчас курить не модно. Только старики курят! Мик Джаггер всякий и ему подобные. Которые рок-н-ролл мертв, а мы еще нет!

Хозяин встал, подошел к костру и стал подбрасывать сухие длинные плети.

— Так ты и впрямь не знал, парень? — негромко спросил он издалека. — Про знаменитого дедушку, хоть и двоюродного?..

— Я запутался, — пожаловался Ник. — Хорошо, разведчик, нелегальное положение, КГБ, допустим. Все это совершенно невероятно, но можно допустить. Но если тетя Вера его дочь, то почему он все завещал нам с Сандро?! Мы-то тут при чем?!

— Да вы ни при чем, только он родному внуку решил ничего не оставлять.

— Славе? Почему?

— Э-эх! — И Александр Александрович махнул рукой. — Вон под столом самовар, доставай, парень. Топить-то умеешь или как все нынешние только в гаджеты пялиться научился?

— Самовар? — переспросил Ник и заглянул под стол. — Подождите, при чем тут самовар? Я спрашиваю, почему завещание в нашу пользу?..

— Вода в доме, в канистре. Пойдем, девушка, со мной. — Лиса тут же с готовностью вскочила. — На стол накроем, чаю выпьем, да и водочки неплохо бы. Заодно поговорим как следует.

Александр Александрович кинул в костер охапку хвороста и отряхнул руки. Повалил плотный белый дым.

— Надо же, — пробормотал он и покачал головой. — И я стар стал. Давно бы мне догадаться...

— О чем?! — крикнул Ник. — Что такое?!

— О том, что не знаете вы ничего, дураки малолетние.

Ник — и впрямь как дурак малолетний! — хотел
было закричать, что он не дурак, и брат его тоже не дурак, а наоборот, все остальные дураки, но Лиса вновь
крепко взяла его за плечо. Он повернул голову и очень
близко от себя увидел ее серьезные глаза.

— Это только начало, — сказала она ему с непонятной торжественной печалью. — На самом деле мне тоже
нужно многое рассказать тебе об этом деле. Вот прямо сейчас.

— Ты-то тут при чем?!

— Я заварила всю кашу.

— Юля, не ерунди!.. Без тебя ерунды хватает!

— Юля, за мной ступай, — распорядился хозяин. — А ты, парень, пока самовар ополосни — во-он,
под краном.

Ник, ругаясь себе под нос последними словами, поволок самовар под кран. Вода была очень холодной,
тяжелая толстая струя, попадая на самоварные бока,
брызгала во все стороны. Джинсы и ботинки моментально промокли, даже очки залило, и их пришлось
снять.

Что такое?! Что за шпионские страсти?! Что за
книжные выдумки?! Лиса всему верит. Ей нравится,
что она тоже причастна к каким-то тайнам — ну и ладно, ей двадцать с небольшим, вполне простительно!
Но разве так бывает, чтоб о человеке ничего не было
известно — долго, годами, десятилетиями?.. Дедушка
Дадиани — балагур, шутник, лучший тамада на всех
праздниках, — знал, что его родной брат служит в разведке под чужим именем и ни разу в жизни никому об
этом не сказал?! Даже любимым внукам не похвастал-
ся?! Да и вообще!.. Истории про шпионов были попу-

лярны в семидесятые и еще, кажется, в тридцатые, но ведь это... вранье. Или нет?..

Лиса показалась на дорожке. Обеими руками она волокла канистру с водой, и видно было, что ей тяжело, она сильно откидывалась назад и перехватывала ее руками. Ник кинулся и забрал у нее канистру.

— Ник, скажи вот прямо сейчас, — она ни с того ни с сего уткнулась лицом в его пиджак. — Ты меня любишь?

Он поставил канистру на дорожку, взял ее за шиворот и заставил посмотреть в глаза. И сказал:

— Да. Мне кажется — да. А что такое?

— Ник, я тебя точно люблю. Мне не кажется.

— Хорошо, — оценил он, подумав.

— Да что хорошего-то!.. Там этот, Александр Александрович, сооружает знатный закусон. Ты выпей с ним водки, а потом поговорим. Ладно?

Ник вдруг встревожился. Видно, ее торжественно-печальный тон неспроста!

— Юль, если ты хочешь мне что-то сказать, скажи сейчас.

Она словно дрогнула.

— Да? — переспросила с недоверием. — Прямо сейчас?..

— Да, — ответил Ник. — Это правило.

— Правило?

— У нас так принято. Если есть что сказать, выкладывать надо немедленно. Не потом, не завтра, не в понедельник и не в следующем году!.. Так положено. Иначе можно упустить момент.

— Лучше бы упустила, — выговорила Лиса и опять уткнулась ему в пиджак.

Они немного постояли молча. Белый дым от костра стлался по лужайке.

— Как я люблю весну, — с тоской сказала Лиса. — Зиму тоже люблю.

— Понятно.

— Ничего тебе не понятно!..

Со стороны дома появился хозяин с огромным подносом в руках.

— Помогайте, помогайте! — издалека крикнул он. — А самовар-то что?.. Заглох?..

— Елки-палки, — проговорил Ник и отодвинул от себя Лису. — Самовар!..

Для начала он забрал у Александра Александровича поднос, мельком удивившись, что на нем и впрямь оказалась водка!.. И замороженные стопки, подернувшиеся инеем, три штуки, и закуски — черный хлеб, килька, посыпанная зеленым лучком, селедка ровными ломтиками, шпроты, несколько пластов осетрины, буженины и всякого прочего.

Или там, в доме, есть кухарка и повар?.. Кто их знает, этих засекреченных, как у них все устроено?..

— Шишки для самовара вон, в корзине, — Александр Александрович подбородком показал на корзину, расставляя на садовом столе кушанья. — Раз уж не затопил, выпьем сначала, пока водка холодная. Давайте, рассаживайтесь!..

Вмиг он распределил яства по столу и ловко разлил водку.

— Ну, за начальника моего и друга Александра Агеевича Милютина!.. Хороший мужик был, профессионал. С дочерью и внуком не задалось, а так отличную жизнь прожил.

Хозяин опрокинул стопку, и Ник тоже опрокинул и потянулся за черным хлебом и салом.

— Э, нет, — остановил его хозяин. — Так не пойдет. Вы, молодые, ничего не умеете, ни выпить как следует, ни закусить!.. Водку закусывать тоже надо умеючи! Для начала килькой закусывают или икрой. Ну, селедочкой. А вторую — уже можно салом, бужениной. А так что получается? Получается, ты после мяса рыбу, что ли, станешь есть?

Ник развеселился:

— А нельзя?

— Нельзя, — заявил Александр Александрович торжественно. — Запрещается. А ты чего не ешь, девушка?

— Она вегетарианка, — сообщил Ник. — Ест только то, что само с дерева упало.

— Дела-а, — протянул Александр Александрович и сбоку посмотрел на Лису. — И водки не пьешь?

— Ей нельзя, — опять вмешался Ник. — Она, если выпьет, замертво упадет. Без закуски.

— Ну, хоть хлебушком, — произнес Александр Александрович с жалостью. — Так жить с ума сойдешь. Не евши — не пивши.

Лиса покраснела. Веснушчатые уши налились краской и словно набрякли.

— Я ем и пью! — выпалила она. — А тебя никто не спрашивает, Ник!..

— Винегрет есть, — подумав, сообщил хозяин. — Я его не очень, а ты, может, будешь?.. С соленым огурцом, без кильки! Будешь?..

— Буду! — с вызовом сказала Лиса и ни с того ни с сего опрокинула свою стопку.

— Погоди ты, не спеши, — развеселился Александр Александрович. — Хоть винегретика пожуешь, а так скучно!..

Поднялся и направился к дому.

— Какая ему разница, что я ем, чего не ем, — начала Лиса, как только хозяин отошел немного. — Что ты лезешь? Я не советую, что тебе есть, и ты не смей мне приказывать!.. Двадцать первый век давно наступил, ты что-нибудь об этом слышал? Я свободная личность, что хочу, то и ем!..

— Я тебе приказываю? — поразился Ник, которому понравилось ее дразнить. — Я сообщаю хозяевам о кулинарных предпочтениях гостей. Откуда ему известно, что тебе нужно подавать исключительно маракуйю?

— Не нужна мне никакая маракуйя!

— Как ты думаешь, в доме есть еще повар и кухарка?

— Никого там нет, — выпалила Лиса. — Я же заходила!..

Ник налил себе еще стопку водки и махнул одним глотком.

— Как ты думаешь, — начал он, — что из рассказанного правда?

— Все правда, — убежденно сказала Лиса. — А ты что?! До сих пор не веришь?!

— Не знаю, — протянул Ник с сомнением. — Ты Юлиана Семенова наверняка не читала, а я-то читал!..

Лиса фыркнула.

— Был такой писатель, любил описывать жизнь шпионов. Штирлица знаешь? Да, я и забыл, ты же образованная! У меня такое чувство, что нам пересказали роман о героических советских разведчиках в тылу врага. Получается, тетя Вера — дочь героя! Смешно.

— Ник, ты как хочешь, а я точно знаю, что Милютин Александр Аггеевич — легендарная личность в разведке. Я наводила справки. В музее ФСБ ему посвящен отдельный зал. Не стенд, а целый зал!..

— Ты что, была в музее ФСБ?

— Конечно! Я хотела про него программу делать, я же говорю!..

Из куста жасмина во все стороны брызнули воробьи, словно их кто-то спугнул, и сразу вокруг стало тихо, птицы затаились.

— И он совершенно точно ваш родственник!

— Это тебе в музее ФСБ рассказали?

— Про родственников там не рассказывают, но биография Милютина известна до мельчайших подробностей. Разумеется, мне дали прочесть, что можно, а что нельзя, не дали!.. Но там ясно написано и про семью Дадиани, и про вашу...

Ник вдруг как будто проснулся.

— Подожди, — сказал он и взял ее за руку. И повернул к себе. — Про нашу семью?! Когда ты узнала про нас?

Она отвела глаза.

— Довольно... давно, Ник.

— До того, как познакомилась с Сандро?

Она вздохнула.

— Не вздыхай, а отвечай на вопросы!..

— Я познакомилась с Сандро специально, — призналась Лиса. — Мне нужно было узнать что-нибудь о родственниках Милютина. Ты понимаешь, это так круто! Он разведчик, а внук рэпер!.. Это прямо мечта! Такую программу можно было забацать!..

На дорожке показался хозяин. Он приближался бодрым шагом, в руке белый фарфоровый салатник. В салатнике отражалось солнце.

— Еще по одной? Под винегрет! — И он поднял повыше солнечное пятно. — У меня сегодня хороший день получился. Я-то ведь думал, что шеф мой каким-то негодяям все заработанное завещал!..

Александр Александрович засмеялся, ни с того ни с сего споткнулся на дорожке, покачнулся, не удержал равновесия и повалился лицом вперед. Фарфоровая миска отлетела в сторону.

Лиса остолбенела.

Ник вскочил.

Хозяин, странно задергавшись, подогнул ноги, попытался встать и упал опять. Ник подбежал и стал его тащить.

— В укрытие, — прохрипел старик. — Быстро, ну!..

Лиса тоже подбежала и присела на корточки рядом.

— Вставайте, я вам помогу!

— Мать вашу, в дом быстро, — снова захрипел старик. — И... телефон... вызывайте... подмогу...

Где-то совсем близко раздался сухой щелчок, словно ветка сломалась. Ник ничего не почувствовал. Потом стало трудно дышать, дорожка с проросшей травой и рассыпанными кубиками картошки и свеклы надвинулась на него, и ему показалось, что пахнет подсолнечным маслом.

Рядом что-то вибрировало и дрожало, и ему хотелось это остановить. В голове вдруг стало просторно и пусто, только на окраине сознания осталась лиса Джунипер. Она металась и кричала, кричала — так вот откуда этот звук.

Ник судорожно вздохнул, ясно осознавая, что в последний раз. Вокруг посветлело, раздвинулись какие-то стены, за которыми тоже был свет.

— Лиса, — пробормотал он, и все кончилось.

Ник пришел в себя от холода.

Он страшно замерз, так что зубы стучали, он слышал их костяной дробный стук.

Некоторое время пытался сообразить, где он и что с ним могло случиться, но ничего не получалось. От холода мутился разум. Он пошевелился — тело слушалось плохо, и его сразу замутило.

Он подождал, пока отступит тошнота, и открыл глаза.

Все плыло и кружилось, качались незнакомые стены, валился потолок, мир вокруг ходил ходуном. Ник снова закрыл глаза.

Лиса, вдруг вспомнил он. На нее напали охотники. Она металась и кричала, а они наступали на нее. Он должен встать и отбить ее у охотников.

Кряхтя, он стал подниматься на ноги — ему казалось, что поднимается, а потом осознал себя сидящим на полу. Пол был холодный, но все же немного теплее, чем его собственное тело, и ему захотелось лечь на пол.

— Да что ты копаешься, блин?! Привяжи его как следует, и все!..

— Веревки не хватает!..

— Твою мать, я сам!.. Девку с той стороны, а его с этой!..

Что-то сильно дернуло Ника вверх, стало так больно, что он на миг вновь потерял сознание. Но эта боль словно привела его в чувство. Он весь залился потом — от того, что не мог терпеть, завыл и стал вырываться.

— Тихо, мать твою! Не дергайся! Кому говорю, не дергайся!..

Вновь боль — такая, что он закричал, как давеча кричала загнанная Лиса.

— Вот и молодчик! Сиди тихо, понял!..

Ник приоткрыл слипшиеся от слез веки. Он сидел возле батареи, сильно наклонившись вперед, руки выкручены назад. Он шевельнулся — от боли глаза полезли из орбит. Он часто задышал, стараясь больше не шевелиться.

— Ну чего? Девку упаковал?

— Она кусается, — прохныкал второй голос, странно знакомый и неуместный здесь.

— Да хрен с ней!.. Где канистра?

— В машине. Принести?

— Б... дь, придурок! Я сам! Стой здесь!..

Шаги, звуки, стук и топот.

— Юлька, — позвал Ник. Он никак не мог ее увидеть. — Ты жива?

Мычание, какие-то толчки и дрожь. Батарея, к которой Ник был привязан, затряслась и заходила ходуном. Он скосил глаза.

Она оказалась привязана с другой стороны, во рту тряпка. Лиса мычала и бешено вырывалась. Веревка не пускала ее.

Ник подтянул ноги, попробовал встать, но не смог, и опять выстрелила боль, почти невыносимая.

— Давай, поливай, придурок! Их поливай, а потом уже все остальное!

— А... того? Старого? Куда?

— Да сюда же, твою мать! Где он?..

— Вон на полу.

В лицо Нику плеснул бензин, он захрипел, закашлял, задыхаясь, попытался уклониться, стукнулся виском о батарею, вновь разлепил глаза и прямо перед собой увидел... Славу.

Тетиного сына. Своего двоюродного брата. Впрочем, никто в семье так толком и не мог сказать, какие именно они братья!..

— Слава, — прохрипел Ник.

— Тише, тише, — умоляющим голосом попросил тетин сын. — Сейчас, сейчас.

У него сильно тряслись руки, бензин из канистры лился неровно. Слава порядочно наплескал на батарею, а потом стал лить на голову Лисе. Она мотала головой, дергала ногами, билась.

— Славка, ты что?! — спросил Ник.

— А что мне было делать? — плачущим голосом заговорил Слава с ходу. — Ну что?! Без наследства остаться?! А тут миллионы!.. Даже если дом сгорит, все равно!.. Участок же!..

— Славка!..

— Зачем ты влез?! Кто тебя просил?! И Сандро! Ему своих денег не хватает, что ли?!

— Славка, ты хочешь нас сжечь?

— Я не хочу! — страстно вскрикнул двоюродный или какой-то более сложный брат. — Нико, правда не хочу!.. Но зачем ты влез?! Что мне теперь делать?! Ты меня вынудил, понимаешь?! Ты меня заставил!

Показались чьи-то ноги в растоптанных ботинках. Человек двигался спиной и волоком, под мышки тащил второго.

— Помоги мне! — велел он, оглядываясь и скалясь. — Давай сюда, сверху на него стол и тоже поливай!.. Тяжелый, хрен старый!.. И там на улице надо водку разлить, как будто они упились!..

— Славка, развяжи меня! — попросил Ник.

Тот, что в растоптанных ботинках, бросил старика, обернулся и мелко засмеялся.

— Щас, — выговорил он, кажется, с удовольствием. — Развяжем! Жди!..

Лиса все мычала и билась.

Второй подошел к ней и присел на корточки.

— Эх, дуся моя! — Он протянул руку и нежно потрепал Лису по щеке, залитой бензином, а потом брезгливо вытер ладонь о ее джинсы. — Распрекрасная ты моя начальница!.. Сгоришь ведь, следа не останется, а туда же — крутышка, самая главная!..

Он засмеялся, встал и посмотрел вниз.

— Расследовательница! Знаменитость, мать, мать, мать!.. Вся из себя, «поршик» у нее, папаша подарил!.. У меня теперь тоже «поршик» будет, заинька! Вот спасибо тебе, что ты меня на такое дело подписала! Вот поклон тебе, на том свете повидаемся!

И человек в растоптанных ботинках до земли поклонился.

— Ну чего? — спросил он другим, деловым тоном. — Все, или остался еще бензинчик? Дай сюда, придурок!.. И не ссы, смотреть тошно!.. Тащи спички из кухни, слышь, боец?

— Зажигалка есть...

— Какая, в узду, зажигалка! Делай, что тебе говорят!

Он сейчас чиркнет спичкой, подумал Ник совершенно спокойно, и мы сгорим. Заживо. Лиса, старик и я.

Бедная Лиса. Бедная моя мама. Она не переживет.

Человек в стоптанных ботинках отшвырнул канистру и огляделся.

— Где ты пропал, придурок?! Спички давай, и двигаем отсюда! Нам еще машину ее отогнать надо! Ключи забрал?

— Вот ключи, — прохныкал брат Слава. — Может, не надо, а?.. Может, лучше их застрелить? Гореть долго будут...

— Еще шум поднимать на весь мир! И патроны все считаны, на деньги куплены! На мои, между прочим!.. Ходу, ходу! Шевелись, карась!..

Ник, взревев, стал подниматься на ноги, веревка не пускала его, и оказалось, что, когда боль становится невыносимой, ее можно терпеть.

Деревянный стол, которым сверху придавили старика Александра Александровича, вдруг подпрыгнул, загрохотал и свалился на бок.

— Руки в гору, — приказали оттуда.

Александр Александрович неожиданно, словно на пружинах, распрямился, сделал шаг. Тот, что командовал, изумился и потерял две драгоценные секунды. Когда он бросился на старика, было поздно. Тот одним движением перехватил его за шею, повернул и аккуратно опустил на пол, бездыханного.

Тут над головой у Ника загрохотало, просвистело, потемнело, обвалились осколки, и зычный голос заревел:

— Всем стоять, работает ОМОН!..

Пространство заполонили люди в масках и пятнистых одеждах. Один из них, прыгая, задел веревку, которой Ник был привязан к батарее, споткнулся, сильно потянул, Ник повалился на бок, и все кончилось.

Три дня он провел в больнице — «на коечке», как сформулировал лечащий врач.

— Полежите несколько деньков на коечке, — сказал он, зашив Нику бок.

Рана была пустяковая, но болезненная, да еще рука задета, не пошевелить, и все три дня Ник изо всех сил жалел себя.

Как это он не сообразил? Ничего не смог сделать, никому не смог помочь! И Славка! Его-то куда понесло?! Когда Ник вспоминал, как двоюродный или какой-то более сложный брат поливал его бензином, ему становилось дурно, к горлу подкатывала тошнота, рука наливалась болью и потом долго не отходила. Ник старался не вспоминать.

Лиса не показывала носа, зато с утра до ночи возле его кровати, сменяя друг друга, толклись мать, Сандро, водитель Сандро и домработница Сандро. Водитель привозил подарки, домработница притаскивала еду. Они ни о чем с ним не разговаривали — разве что о погоде и перспективах отпуска. Об этих перспективах особенно убедительно толковал брат — нужно лететь на море, надолго, не на пять дней, там ничего не делать, только приходить в себя и наслаждаться жизнью.

Ник терпеть не мог это выражение — наслаждаться жизнью!..

О том, что Лиса жива и старик Александр Александрович жив и здоров, Ник, разумеется, знал, а больше ничего выведать ему не удавалось, и он злился на родных.

У Натальи Александровны, когда Ник принимался допытываться, глаза моментально наливались слезами, а они с братом с самого детства не выносили маминых слез, и Ник сразу же отставал, просил прощения, каялся и тоже начинал рассуждать об отпуске на море.

Сплошное наслаждение жизнью, что ты будешь делать!..

В день выписки почему-то никакого столпотворения возле его «коечки» не было. Лечащий врач заглянул, осмотрел рану, велел сестре поменять повязку, и в двенадцать Нику принесли «историю болезни».

— Вы уж больше под обстрел не попадайте, — добродушно напутствовал его лечащий врач. — Ничего страшного, конечно, но ведь неприятно, согласитесь!..

Ник согласился.

Телефон у него куда-то пропал, и он много времени потратил, прикидывая, куда все могли деться и как ему теперь добираться домой.

Потом вышла заминка со штанами. Джинсы натянуть он не смог. Он старался изо всех сил, вспотел, как мышь, на свежей повязке стало расплываться красное пятно, и Ник понял, что если кто-нибудь из персонала это увидит, его задержат в отделении еще на несколько дней, а ему очень хотелось... на волю, в лето.

Ему представлялось, что за больничными, до половины закрашенными окнами давно наступило лето.

Среди подарков Сандро Ник раскопал очередные немыслимые брюки на веревке вместо пояса, должно быть, тоже «коллаборационистские». С этими дело пошло!.. Они легко наделись, веревку можно не завязывать, авось не упадут. Там же нашлись футболка и толстовка на молнии. Футболка была огромной и мягкой, Нику даже удалось просунуть в рукав раненую руку.

После всех этих упражнений он так устал, что некоторое время сидел на «коечке», свесив голову и тяжело дыша.

Интересно, как он домой поедет?..

Затолкав собственную одежду вместе с «историей болезни» в сумку — сумку тоже прислал Сандро, — Ник повесил ее на здоровое плечо и потихонечку отправился восвояси.

Звонить с сестринского поста брату он не стал — зачем?.. Раз уж его все бросили, так тому и быть.

Ник вышел на улицу, и у него сразу же закружилась голова. Воздух был прохладный и показался ему очень вкусным, несмотря на то, что за домами ревело Садовое кольцо.

Никакого лета не было. Деревья по-прежнему акварельно зеленели, травка еще только пролезала, и тетки в оранжевых формах высаживали на газонах тюльпаны.

Ник зажмурился и вздохнул.

— Николай Михайлович!..

К обочине был припаркован белый «Форд» с синими полосами и буквами «МВД РФ», задняя дверь распахнута. Возле «Форда» топтался лейтенант, который однажды уже забирал Ника в отделение, кажется, майор Мишаков называл его Павлушей.

Ну вот. Началось.

— Проедем, Николай Михайлович?

Ник исподлобья посмотрел на лейтенанта. Тот твердо выдержал его взгляд.

— Надо, надо проехать, Николай Михайлович!..

— Надо так надо, — пробормотал Ник, зашвырнул в «Форд» сумку и, кряхтя, полез на заднее сиденье.

Хорошо, что я в этом дурацком костюме, подумалось ему. На нарах отдыхать удобнее!..

Из-за раны — пустяковой, но болезненной! — и еще из-за трех дней непрерывной жалости к себе Ник плохо соображал и всю дорогу до отделения был уверен, что его везут «арестовывать». Должно быть, майору взбрело в голову, что Ник сам решил поджечь дом Милютина, сам привязал себя и Лису к батарее, сам стрелял и так далее.

Почему нет Лисы? Не могли же охотники напугать ее до смерти так, что она теперь и носа не покажет из своей лисьей норы!..

По пробкам ехали долго. Весеннее солнце шпарило вовсю, Ник щурился, глаза слезились.

Нужно позвонить Глебову. И Сандро. Нет, наверное, сначала Сандро, а потом Глебову.

— Мне нужно брату позвонить, — сказал Ник в спину лейтенанту.

— Александр Михайлович уже на месте, — сообщил Павлуша, взглянув в зеркало заднего вида. — Можно не звонить, через десять минут увидитесь.

Значит, Сандро тоже забрали, подумал Ник уныло. История продолжается!..

«Форд» взревел сиреной, повернул через сплошную и уткнулся рылом в железные ворота.

— Там журналисты опять набежали, — сказал лейтенант, пожалуй, с гордостью. — Мы со служебного зайдем.

Ник долго и неуклюже вылезал из машины, а когда выбрался, понял, что еще нужно вытащить сумку — целое дело!.. Он нагнулся было за ней, но оказалось, что ее уже забрал лейтенант.

— Проходите вперед!..

Знакомыми коридорами они дошли до кабинета Мишакова, и Павлуша распахнул дверь.

— А-а! — вскричал майор радостно. — Здоров, потерпевший! Как сам?

В кабинете было полно людей. Он был просто набит людьми!.. Сандро торчал верхом на стуле посередине, больше некуда было приткнуться!..

Вдоль стены размещались адвокат Глебов, старик Александр Александрович, вроде бы убитый на даче Милютина, красавица Авдотья Андреевна и...

— Лиса, — выговорил Ник.

Она вскочила, кинулась и вцепилась в него всеми лапами.

— Где ты была, дура?! Я чуть не умер.

— Ник, прости. Прости меня!..

— Хорош реветь, милая! — зычно приказал майор Мишаков. — Чего теперь реветь, давай веселись уже!

— Я веселюсь, — провсхлипывала Лиса.

— Нико, сядь, — сказал Сандро и двинул в его сторону стул с перекошенной спинкой.

— У нас так не говорят, — вновь встрял Мишаков. — У нас говорят — присаживайся, блин!..

— Ну, присаживайся, блин, — передразнил Сандро. — Лис, отцепись от него. Он у нас еще слабенький.

— Со мной все в порядке, — возразил Ник.

— Павлуш, сгоноши всем чаю! А мне кофе. Или нет, чаю. Не, давай лучше кофе. Ну чего, потерпевший? Как сам-то? Как жизнь молодая?..

Ник посмотрел по сторонам. Ничуть не было похоже, что в кабинете находятся... арестованные. Все присутствующие чувствовали себя свободно и даже, пожалуй, раскованно.

— Это я настоял, — подал голос старик, вроде бы убитый на даче Милютина, — чтобы майор Мишаков всех нас собрал. Для полного и окончательного выяснения!

— Мы на земле работаем, навоз лопатим, — непонятно отозвался майор, — а ваши соколы все больше в небесах летают! Как вам отказать-то, когда вы просите!

— Мы — это кто? — зачем-то спросил Ник.

— Они — это ФСБ, — объяснил майор.

— Давайте к делу, господа, — вмешался Глебов и коротко взглянул на часы. — Мы все люди занятые. У меня еще судебное заседание сегодня.

— Подонков от шконки отмазывать будете, господин адвокат? — осведомился майор.

— Выполнять свою работу, — парировал Глебов, не моргнув глазом. — Если бы я плохо выполнял свою работу, вы Галицких так и держали бы в КПЗ. С вашими-то методами.

— Лиса, — спросил Ник, которому про шконки и КПЗ было совсем неинтересно, — где ты была?.. Куда ты делась с той дачи? Я ничего не помню. Бензин... помню. И Славу.

— Нас всех майор сюда привез после того, как дом штурмом взял, — с готовностью отрапортовала Лиса. — А потом Александр Александрович меня к папе проводил. И я там... застряла. Ты же видел моего отца!..

— Видел, — согласился Ник со вздохом.

— Он меня вообще никуда выпускать не хотел. В Ниццу, говорит, поедешь! Но я вырвалась, Никуша.

Никушей Галицкого-старшего называла только мать. Иногда еще брат — под настроение.

— Ну, я начну, пожалуй, — Александр Александрович прочистил горло, довольно воинственно. — Мой начальник Милютин, вернувшись с работы из-за границы, решил понемногу наладить контакт с родственниками. Родственников у него в Москве осталось немало! Дочь Вера, внук Вячеслав, племянница Наталья и ее дети, двоюродные внуки Николай и Александр. Никто из них о существовании дедушки и дяди ничего не знал, прошу заметить!.. Потому завещание и стало такой неожиданностью!..

— На поверхности никаких документов о родстве нет, — вставил Глебов. — Мы ничего не смогли разыскать.

— Стало быть, плохо искали!.. Дочь Вера об отце ничего не знала, а Милютин получал сведения о жизни дочери через меня. Я познакомился с ней и некоторое время даже числился ее кавалером. Недолго, правда, но тем не менее в гости был зван, к столу приглашен, так что вполне мог перед Александром Аггеевичем отчитаться. Вера писала письма на уже известный вам адрес, как раз на Николину Гору. Там была государственная дача.

— В смысле, кагэбэшная, — пояснил присутствующим майор Мишаков.

Сандро слез со стула, подошел к сидящим вдоль стены и встал — со стороны Авдотьи. Она снизу вверх посмотрела на него, он кивнул.

— Милютин вернулся и решил знакомство с семьей начать с внука Вячеслава. Дочь Вера, как бы это сказать...

— Не внушала ему доверия, — подсказал Мишаков.

— Да не в доверии дело, — отмахнулся старик. — Она женщина неплохая, но пустая и недалекая. Александр Аггеевич очень себя винил, что сам не мог ее воспитывать, отдал сестре, а та умерла, приемный отец сразу женился снова. По большому счету девочка была брошена.

— Внук Вячеслав — это, стало быть, ваш братан Слава, — вновь вылез Мишаков.

Ник посмотрел на него. Майор показался ему жизнерадостным и самодовольным. По всей видимости, они с Сандро сегодня нисколько его не раздражали!

— Милютин начал регулярно видеться с внуком, и он ему понравился!.. Хорошо образованный, воспитанный. Не слишком удачливый, но это дело поправимое, да и какие его годы!.. Уж не знаю, как там у них речь зашла о завещании, но Александр Аггеевич внука оповестил — ты, мол, все мое и унаследуешь в свое время.

— А внук ждать, когда время придет, не пожелал, — подхватил майор. — А пожелал поиметь богатство прямо сейчас и сию минуту. Он и так всю жизнь босяком прожил!.. Заметьте себе, мамаша при этом вообще не в курсе была, ни боже мой!..

— Мамаша, — тявкнула Лиса, — это ваша тетя Вера, мальчики.

Ник голову мог дать на отсечение, что с ней произошла какая-то катастрофа. Она нервничала, кусала ногти, и белая альбиносная кожа казалась нездоровой, воспаленной. Ничего в этой новой Лисе не осталось от той, которая явилась в необыкновенном платье и привезла на ужин капустных чипсов, а для развлечения игру «Имаджинариум»!

«Вскоре разбирательство закончится, и мы поговорим. Мы приедем ко мне в квартиру, я завалюсь на диван, она примостится рядом и станет рассказывать. Она смешно рассказывает!»

— И вот Слава стал подыскивать способы, как бы ему от новоявленного дедушки и благодетеля избавиться, — продолжал Александр Александрович. — Понадобился сообщник, один он бы не справился. И сообщник вскоре нашелся.

— Сообщник? — переспросила Авдотья. — Наш полотер дядя Витася? Селезнев?

— Это номер раз, — сказал майор. — А про номер два пусть нам Юлия Павловна Демидова расскажет, звезда наша. — Тут он покрутил головой, словно призывая собравшихся разделить с ним изумление. — Во дельце, а?! Куда ни плюнь, попадешь в звезду!..

— Йес-экспресс, — согласился Сандро совершенно по-рэперски.

— Юлька? — переспросил Ник.

— Да, да, — заговорила Лиса. — Я начала тебе рассказывать, ты забыл, что ли?.. Там, на даче!

Он смотрел на нее.

— Ко мне на интервью пришел один перец из Службы внешней разведки. Я, конечно, руководителя приглашала, но это совсем нереально, и руководитель перца прислал. Между прочим, интервью вышло первый сорт! Перец мне рассказал про легендарного разведчика Александра Милютина. Я потом про него почитала, что мне позволили, и в музей ФСБ сходила, фотографии посмотрела, дела кое-какие, рассекреченные уже. И решила про него кино снять. Модная тема! Кругом враги, а мы бодры, и танки наши быстры!.. Или как там?

— Броня крепка, — подсказал Александр Александрович, — и танки наши быстры.

— Ближе к делу, Юлия, — попросил Глебов, но на часы смотреть не стал.

— Для кино нужен был материал. Я зарядила одного нашего редактора, Олега, искать всякие сведения. Он это умеет. У него лицензия частного детектива. Для сбора информации обязательный номер, лицензия эта!.. Олег разузнал, что внуков у Милютина трое, и один из них знаменитый рэпер ПараDont'Ozz, в миру Александр Галицкий. И мы разделились. Я познакомилась с Сандро, а Олег познакомился со Славой.

— И тут такое началось, — с удовольствием добавил Мишаков и захохотал. — Не, а чего? Анекдот! Приехал поручик Ржевский, и тут такое началось!..

— Я же не знала, что так получится! — крикнула Лиса. — Я представить себе не могла!.. Слава к Олегу проникся. Олег вообще умеет располагать к себе!.. И рассказал ему про наследство, а оно на самом деле... не маленькое.

— Да уж, — фыркнул Мишаков.

— Да заткни ты пасть, майор, — попросил Сандро. — Дай дослушать!

— Олег придумал, как попасть в квартиру Милютина, чтоб тот ничего не заметил! Полотер! Ходит в дом, его там все знают, подозрений никаких. Олег всё про него разузнал, про полотера. Живет в трущобе, нищета, ни квартиры, ничего! Олег его и уговорил. Всё будет, новая жизнь начнется хоть в старости, но самая настоящая — санатории, доктора, уважение! Деньги — вот они, только руку протянуть! И нужно-то всего лишь сделать дубликаты с ключей от квартиры Милютина. А у полотера доступ и к ключам, и в дом как раз имелся. Милютин часто оставался на Николиной Горе, квартира пустовала...

— Это правда, — вставила Авдотья. — Александр Аггеевич по выходным всегда на дачу уезжал, и на все праздники тоже. Однажды в Сочи собрался, я даже деду позвонила, чтобы дед посоветовал, в какой санаторий лучше всего поехать. Но потом Александра Аггеевича... убили.

— Не сразу убили, вот в чем штука, — сказал Александр Александрович. — Не с первой попытки. Сначала попытались отравить. Полотер ему микстуру подменил. Этот ваш проходимец, частный детектив-то, на это полотера и подцепил — делов-то, всего-навсего капли поменять! Обыкновенный травяной сбор, вонючий очень, Милютин его от кашля пил. Курил всю жизнь, вот и кашлял. Микстуры он по полстакана принимал. Вот они и подлили ему фенобарбитал. Полстакана фенобарбитала — и вечный сон. Только моего шефа на такой пустячной мякине провести было уж никак нельзя!.. Подмену он обнаружил сразу, отраву вылил, завещание вмиг переделал — на двух других внуков. На даче мы с ним это дело обсудили как следует. И опять я ему: да что ты так спешишь? Куда торопишься? Поживи, приглядись к тем, другим! А этого гони в шею!..

— Ни Слава, ни Олег, ни полотер о том, что завещание было переписано, ничего не знали, конечно, — продолжала Лиса. — Они только поняли, что Милютин жив-здоров и помирать не собирается. И тогда они его... убили.

— То есть забили до смерти, — проговорил Ник.

Рука болела все сильнее, и от какого-то непонятного стыда он не мог смотреть на людей. Словно он должен был остановить зло — и не остановил, то ли по трусости, то ли от разгильдяйства.

Лиса облизнула губы.

— У полотера были ключи. Их было трое, а старик один. И они его убили.

— Твой сотрудник, наш брат и абстрактный хрен, натиральщик паркета, — уточнил Сандро.

Лиса кивнула.

— Потом, конечно, вскрылась эта фишка с завещанием, и стало ясно, что ничего они не получат. И все по очереди стали наводить на вас. Чтобы вас посадили за убийство и признали недостойными наследниками. Тогда завещание аннулируется, и все получат прямые наследники.

— Подставляли они, конечно, маленько топорно, — все же вмешался Мишаков, — но с другой стороны, вроде и неплохо. Ну, кому выгодна смерть старикана? Только наследникам! Мы такие дела за полдня раскрываем! Еще ни разу не ошиблись!..

— Никаких гарантий, — проговорил Глебов себе под нос.

— Да ла-адно вам, адвокат!..

— С Галицкими тем не менее вы ошиблись.

— Ну и чего?! Разобрались же! На нарах зазря никто не парился!

— А крови попортили изрядно!

— А мне-то сколько крови портят такие, как ваша компашка, блин!..

— Товарищ майор, не горячитесь, — предупредил Павлуша. — Вдруг у нее опять диктофон.

— Нету у меня сейчас диктофона, — огрызнулась Лиса.

— Сиплого кто убил? — спросил Сандро, и в кабинете стало тихо. — И за что?

— Да этот ейный сотрудник, частный детектив, мать его, и убил, — сказал Мишаков. — Вы все вместе в Луцино обретались в гостях у мамаши. А тут ты, ПараDont'ozz, про доставку возьми и ляпни, сейчас, мол, приедет, а там Сиплый спит! Братан Слава все это на ус намотал, рысью побежал, Олегу позвонил. Тот кепку натянул, какую-то коробку прихватил на свалке, ему охрана все двери поотворяла. Он зашел, чувака укокошил, да и вышел тем же путем. Он рассчитывал, что если с первого раза я тебя не закрыл, то с трупом в квартире точно закрою. И завещаньице в силу не вступит!

— Господи, — пробормотала Авдотья.

— Деньги, — развел руками майор. — Несметные богатства.

Ник чувствовал, как колотится сердце и намокает под футболкой повязка. На Юлию Демидову он больше не смотрел.

— А тетя Вера? Письма? Это куда девать? — спросил он.

— Да все туда же. Тетя ваша про письма сболтнула, а дальше уже Славина самодеятельность началась. Он ей наплел с три короба про покойного дедушку, про то, что письма эти, мол, никому показывать нельзя, дед как раз родственников разыскивает! Ну и нагородили они на двоих весь огород с веревками и со стулом. Слава нам позвонил на всякий случай, может, хоть в этот раз сработает, я старшего Галицкого за нападение посажу. Но тут Юлия Павловна не сплоховала. Вещдоки, экспертиза! Это она вам потом за рюмашкой расскажет! Расскажете, Юлия Павловна?.. Когда вы за письмами полезли, она сообразила, что Олег, которому Слава звонил, покуда вы в ванной отдыхали, может быть ейный детектив и доверенный сотрудник. А дальше уж она нас подключила.

— Кого — вас? — не понял Сандро.

— Кого! Силы охраны правопорядка!..

— Что это означает?

— Они с Николаем Михайловичем на Николину Гору двинули, а по дороге к Юлии Павловне в гости заехали. Она и позвонила сначала Олегу — рассказать, что уже почти все узнала, последняя деталь осталась. Едем сейчас по такому-то адресу, там все и откроется. А потом мне позвонила и свои соображения изложила. Мы и решили на живца брать. И взяли.

— Ничего себе, — сказала Авдотья. — Их там чуть всех не перестреляли. Ника ранили!..

— Да чего там они стреляют, гопота, подонки!.. Адрес я сразу пробил, узнал, что дача бывшая кагэбэшная и там до сей поры сотрудник живет. В отставке, правда, но какая разница! Убить он никого не дал бы.

— Милютин дал себя убить!..

— Так Милютин уж совсем пожилой был, и силы неравные!..

— Я видел, как вы упали, — сказал Ник Александру Александровичу. — Я решил, что вас первым застрелили.

— Упал, — согласился Александр Александрович. — А застрелить не застрелили. Да и Юля меня в доме предупредила, что в любую минуту могут злоумышленники заявиться! Я был готов. Подкрепления долго ждал, это правда. Задержался ты, майор, со своим штурмом.

— Пробки, — вздохнул Мишаков. — Фиг проедешь, даже по обочинам и по осевой! Вот вы мне разъясните, вы же все умные, какого лешего народ на машинах прет, когда давно пора на общественном транспорте передвигаться?! А?! Башки ни у кого нет, что ли?!

— Значит, все это был фарс, — проговорил Ник задумчиво и улыбнулся. — Все были готовы. Зря я глотал бензин.

— Ник, послушай меня... — начала Юлия Демидова.

— Не хочу, — сказал Николай Галицкий. — Тут все очень просто. С одной стороны, кино и рейтинг. А с другой стороны... люди.

— Где сейчас задержанные? — деловито осведомился Глебов.

— Где им быть! В КПЗ друг на друга доносы строчат, кто вперед. То есть показания дают! Хилые они совсем, задержанные эти, я же говорю, подонки. Нынче настоящего уголовника, чтобы по понятиям жил, чтоб честь воровскую соблюдал, днем с огнем не сыщешь. А чего? Защищать их хотите?

— Защищать их я не стану, — сдержанно ответил Глебов. — Мне нужно удостовериться, что к моим клиентам у вас больше вопросов нет.

— Один есть! — Мишаков ни с того ни с сего подмигнул Юлии Демидовой. — Один-единственный!

— Какой?

— Слышь, рэпер. Когда я тебя первый раз опрашивал, еще братан твой приехал, ты мне напел, что двенадцатого апреля в ночь убийства у мамаши на даче всю ночь мирно спал в своей постельке! И братан подтвердил — спал, мол. Сбрехал?

— Сандро, можешь не отвечать, — быстро сказал Глебов. — У тебя есть полное право не отвечать.

— А ты? — Майор, не слушая, повернулся к Нику. — Ты же прям лицом дрогнул, когда я спросил! Ну чего? Скажете? Или нет?

Братья переглянулись, Сандро кивнул.

— Я проснулся от того, что во дворе заработала машина, — сказал Ник Галицкий. — Потом все стихло, и я заснул. Когда мой брат вернулся, я не слышал. Мама тоже не слышала, и мы решили, что говорить об этом не станем.

— Куда тебя ночью носило-то, рэпер?

Сандро подошел, положил обе ладони на стол и заглянул майору в лицо.

— Я никуда не ездил, — сказал он. — Я музыку слушал и курил. Мама не любит, когда я в спальне курю, а на кухню идти далеко, на улицу ближе. Я мотор завел, наушники воткнул и кайф ловил.

— Да небось брешешь, — усомнился Мишаков не слишком уверенно.

— Машина осталась на участке, потому что у моего водителя дом в деревне через одну остановку. По той же дороге. Он тачку оставил и на ночь уехал к теще, чтобы зря в Москву не мотаться. А я машину водить не умею. — Сандро улыбнулся. — Вообще никак.

— Прав нет или не умеешь?!

— И прав нет, и не умею. За рулем ни разу не сидел. Вот она, — тут Сандро указал на Авдотью, — считает, что это все из-за моей копеечной славы и никчемного образа жизни. А я на ней жениться собираюсь, клянусь Шекспиром!..

— Ну-ну, — благословил майор Мишаков.

Все лето Ник жил очень хорошо.

Он слетал в Новосибирск и привез оттуда результаты эксперимента, которые оказались неожиданными, но интересными.

Потом он слетал в Бразилию и привез оттуда гамак, деревянную фигурку броненосца и новые связи.

Потом он не полетел в Италию, хотя Сандро бесился и скакал вокруг брата, как павиан. Ник сказал, что третий лишний, они с Авдотьей прекрасно обойдутся без него.

Потом слетал в Сочи и там от лютой скуки написал три неплохих статьи. Михаил Наумович все статьи одобрил, а про одну сказал, что из нее, пожалуй, можно вычленить новое направление исследований и она по-своему революционна.

Немного утомляли пересуды на работе, но он старался не обращать внимания. К августу все более или менее утихло и забылось, как утихла и забылась рана — нестрашная, но болезненная.

К августу самыми болезненными оказались воспоминания о Лисе.

Ник не вспоминал. Не думал. Не работал в кабинете. Ходил кругами, как зверь ходит вокруг выжженного леса.

Он был уверен, что справится с собой, и прекрасно справлялся. Правда, он пристрастился к интернет-шоу «Лисьи тропы» и смотрел его каждый вечер, но что тут особенного?.. «Тропы» смотрят сто тысяч человек, или полмиллиона, или два миллиона. Ник Галицкий один из них.

Сандро выиграл очередные баттлы, получил некую непонятную награду и иногда становился совершенно невыносимым. Хорошо хоть Авдотья его осаживала!.. Авдотью брат побаивался.

На один из баттлов Ник сходил — шумно, дымно, стремно, скучно, хотя в динамиках грохотало и все то и дело принимали на грудь, а принятие, как известно, способствует безудержному веселью. Сандро бился с восходящей звездой рэпа по имени Гостомысл — как бы ГОСТ и как бы мысли. И победил его!..

Гостомысл с точки зрения Ника шпарил вовсе ахинею, было непонятно и совсем не смешно, а Сандро читал с огоньком.

Когда определили победителя, вручили награду, пореве́ли, покидали ПараDont’Ozza к потолку и поносили туда-сюда по небольшому, пропахшему потом, дымом и чем-то кислым залу, Нику стало совсем скучно.

Ему все время было скучно.

Сандро протолкался к нему, вытирая пот с бритой башки:

— Ну че, братух? Проперся?

— Еще как! — согласился Ник. — Проперся не то слово!

— Хочешь, я тебе его подарю? — В руках у Сандро была уродливая бронзовая статуэтка — награда.

— Я, пожалуй, поеду.

— Стой, погодь! Погодь!

Сандро сунул ему тяжеленного бронзового урода, растолкал толпу, взлетел на ринг и сказал в микрофон, что сейчас прочитает старый-престарый рэп, написанный лет пятьдесят назад.

В зале загоготали и засвистели.

— Тогда рэпа не было! — заорали самые подкованные.

— Читай, братан! Старье всегда в моде! — заорали остальные.

Сандро взял микрофон, притопнул и сделал специальное рэперское движение рукой и всем телом. Ник переложил урода в другую руку.

— Я, признаться, проявил глупость бесконечную, — начал отчетливо читать Сандро. — Всей душой я полюбил куклу бессердечную. Для нее любовь — забава. Для меня — мучение. Придавать не стоит, право, этому значения. Не со мною ли при луне пылко целовалася, а теперь она во мне разочаровалася, для нее любовь — забава, все ей шуткой кажется. Кто ей дал такое право надо мной куражиться?.. Позабыть смогла она все, что мне обещано, вам, наверно, всем видна в бедном сердце трещина. Для нее любовь — забава, для меня — страдания. Ей налево, мне направо, ну и до свидания![1]

И Сандро опять сделал движение руками и ногами. Толпа восторженно заревела и опять собралась было носить его вокруг ринга, но он вырвался и не дался.

---

[1] Владимир Лифшиц «Для нее любовь — забава».

— Это я для тебя прочел, — выпалил он, пробравшись к Нику. — Не догоняешь?..

— Вон там, — сказал Ник, — фотографы из какого-то иностранного журнала. Пойди снимись, знаменитость!

Сандро махнул рукой.

— Мы съемку уже отработали. Они баттл фоткали. Ник. — Среди шума и гогота толпы он взял брата за плечо и тряхнул. — Съезди к ней, поговори! Ты че, малолетний?

— Не лезь, — процедил Ник.

— Да разве я лезу! Ты лучше всех знаешь, когда я лезу!.. Я тебе как брат говорю — съезди. Ты че, самый правильный чувак на планете, что ли?! Че ты прикидываешься?! Какого хрена лицемеришь! Ну, вляпалась она по малолетству в страшную историю, и че теперь?! Кто ты такой, чтоб ее судить?! В чем она виновата?..

— Сандро, я сам разберусь. Держи, — и он сунул брату бронзового урода.

Тот его перехватил.

— Не, ты смотри сам, конечно, — продолжал Сандро. — Нравится тебе страдать, валяй дальше. Только она хорошая девка! Никакая не кукла бессердечная! Упустишь, хрен потом такую найдешь.

— Я не понял, ты обо мне заботишься, что ли?!

— А че, нельзя?!

После этого вечера Ник думал еще недели две.

Он думал так и сяк, представлял себе черную дыру и ее размеры. Черная дыра, а вокруг Вселенная, полная звезд. Древние смотрели на небо и придумывали название созвездий. «Приезжай, попьем вина, закусим хлебом или сливами. Расскажешь мне известья. Постелю тебе в саду под чистым небом и скажу, как называются созвездья». Ник смотрел с балкона на звезды и улыбался, представляя себе, как к нему приедет Лиса, — ну, просто приедет, и все, без всяких трудных решений и усилий с его стороны! Ник угостит ее сливами и хлебом — она ведь ест и сливы, и хлеб — постелет чистую постель, непременно в кабинете, а потом выведет на балкон и станет показывать звезды. Она еще будет доедать сливы и плевать косточки в кулачок, а потом Ник вынет у нее из ладони влажные и теплые косточки! И станет дразнить. На небе столько звезд! И древние с древних времен рассматривали их и давали им названия — созвездие Стрельца, Кассиопея, Орион, да еще с поясом!.. Ну, и Медведицы, разумеется — Большая и Малая. Но среди звезд не было никаких лис, почему-то древние не думали про лис, когда называли свои созвездия!

Ник нашел бы среди звезд лису, обязательно. И показал бы настоящей, собственной Лисе.

Еще он думал другое.

Если бы не Лиса, возможно, дедов брат остался бы жив, и Сиплый остался жив, но в этот момент логика начинала сбоить и рваться, как производная в эксперименте.

Перед ним, Ником Галицким, она уж точно ни в чем не виновата, и — прав брат! — кто он такой, чтоб ее судить?! И с чего вообще он вдруг решил стать... судьей?!

Он думал, думал и понял, что боится.

Боится отказа. Боится согласия.

Для нее любовь забава, для меня — страдания!..

Ник никогда не страдал... от любви. Страдал, когда умер отец, если заболевала мать. Выяснилось, что страдать он не умеет, не привык.

Но так нельзя было оставить — и в этом брат прав!..

Ник должен увидеться с ней. Почему-то он был уверен, что, как только ее увидит, все сразу станет ясно, отныне и навсегда.

После этого он заспешил так, как будто вскоре должен был наступить конец света. Он почти не спал, утром махнул кофе, сунул в карман «коллаборационистских» штанов деревянную фигурку броненосца, привезенного из Бразилии, и поехал к деловому центру, где работала Лиса. Адрес он нашел в интернете. Ее папаша когда-то горделиво сообщил Нику, что у нее офис в богатом и роскошном небоскребе, в Москва-Сити, но позабыл адрес. Помнил только, что в «таком спиральном»!

Папа позабыл, а Ник нашел.

Ник ждал долго — до самого вечера. Он слонялся перед стеклянными дверьми, отходил на угол и опрометью кидался обратно, опасаясь, что пропустил, считал площадь плитки на дорожках и на стоянке, а потом окна в здании. Потом стал считать скорость, с которой в окнах загорается вечернее солнце.

Однажды Лиса прождала его возле института целый день. Попала под дождь, замерзла, оголодала. Ничего, и он подождет!..

Часов в девять он стал сомневаться, что правильно запомнил название центра, а потом сказал себе, что название совершенно правильное.

В десять он сел на асфальт под липой, но его оттуда быстро прогнали.

Лиса появилась в половине двенадцатого. Было уже совсем темно и безлюдно. Звезды давно высыпали, и даже электрический свет не мог их затмить. Ник долго прикидывал, что там, на небе, может сойти за созвездие лисы. Она вышла из стеклянных дверей, протопала по дорожке, потом оглянулась по сторонам и одним прыжком перемахнула бетонный ящик с цветами.

Балерина!..

Тут Ник ее перехватил. Она приземлилась прямо ему в руки.

— Привет, — сказал он. — Я тебя заждался, честное слово! Хорошо хоть дождя не было.

Словно не веря своим глазам, Лиса всмотрелась в него, потом пискнула, прыгнула и повисла, уцепившись всеми четырьмя лапами. Ник подхватил худое, подвижное тельце.

И все стало ясно!..

— Ник, где ты был?!

— Я думал.

— О чем ты думал?!

— О тебе. Я пересмотрел все выпуски «Лисьих троп».

— Только не начинай сразу меня ругать, — попросила она счастливым голосом и укусила его за шею.

— Я решил, что теперь буду только хвалить.

— Меня?! — поразилась Лиса.

Ник достал из кармана деревянную фигурку и сунул ей.

— Я привез тебе из Бразилии броненосца.

Она засмеялась, рассматривая странного зверя, и объявила:

— Лисы и броненосцы — большие друзья!

— Помнишь, — сказал Ник, — как ты постирала свои труселя? И повесила сохнуть у меня на батарее?..

— Ник!

Он вдруг перепугался:

— Нет, нет, я не ругаю! Я говорю, что у нас уже есть собственные, личные воспоминания. Представляешь?..

Лиса подумала и кивнула — очень серьезно. И потрясла у него перед носом деревянным броненосцем.

— А как мы его назовем?

— У него уже есть имя.

— Какое? — заинтересовалась Лиса.

Ник засмеялся.

— Ну — какое? Ты же у нас образованная! Давай соображай!..

— А!.. — обрадовалась Лиса. — Конечно! У него не имя. У него фамилия — Потемкин. Если броненосец, то Потемкин. Все ясно.

Вот именно, подумал Ник. Все ясно.

— Слушай, — сказала Лиса, оглянулась по сторонам и шмыгнула носом. И зачем-то подтянула на нем «коллаборационистские» штаны, как на маленьком. — Купи мне чупа-чупс. Во-он видишь? Киоск!

И они пошли к киоску покупать чупа-чупс.

Литературно-художественное издание

ТАТЬЯНА УСТИНОВА. ПЕРВАЯ СРЕДИ ЛУЧШИХ

Устинова Татьяна Витальевна

ЗВЕЗДЫ И ЛИСЫ

Ответственный редактор *О. Рубис*
Младший редактор *А. Залетаева*
Художественный редактор *С. Груздев*
Технический редактор *Г. Романова*
Компьютерная верстка *Г. Клочкова*
Корректор *О. Супрун*

ООО «издательство «эксмо»
123308, Москва, ул. Зорге, д. 1. Тел.: 8 (495) 411-68-86.
Home page: www.eksmo.ru   E-mail: info@eksmo.ru
Өндіруші: «ЭКСМО» АҚБ Баспасы, 123308, Мәскеу, Ресей, Зорге көшесі, 1 үй.
Тел.: 8 (495) 411-68-86.
Home page: www.eksmo.ru   E-mail: info@eksmo.ru.
Тауар белгісі: «Эксмо»
Интернет-магазин : www.book24.ru
Интернет-дүкен : www.book24.kz
Импортёр в Республику Казахстан ТОО «РДЦ-Алматы».
Қазақстан Республикасындағы импорттаушы «РДЦ-Алматы» ЖШС.
Дистрибьютор и представитель по приему претензий на продукцию,
в Республике Казахстан: ТОО «РДЦ-Алматы»
Қазақстан Республикасында дистрибьютор және өнім бойынша арыз-талаптарды
қабылдаушының өкілі «РДЦ-Алматы» ЖШС,
Алматы қ., Домбровский көш., 3«а», литер Б, офис 1.
Тел.: 8 (727) 251-59-90/91/92; E-mail: RDC-Almaty@eksmo.kz
Өнімнің жарамдылық мерзімі шектелмеген.
Сертификация туралы ақпарат сайтта: www.eksmo.ru/certification
Сведения о подтверждении соответствия издания согласно законодательству РФ
о техническом регулировании можно получить на сайте Издательства «Эксмо»
www.eksmo.ru/certification
Өндірген мемлекет: Ресей. Сертификация қарастырылмаған

Подписано в печать 27.07.2018. Формат 84x108 1/32.
Гарнитура «Ньютон». Печать офсетная. Усл. печ. л. 16,8.
Тираж 75 000 экз. Заказ 7323.

Отпечатано с готовых файлов заказчика
в АО «Первая Образцовая типография»,
филиал «УЛЬЯНОВСКИЙ ДОМ ПЕЧАТИ»
432980, г. Ульяновск, ул. Гончарова, 14

Оптовая торговля книгами «Эксмо»:
ООО «ТД «Эксмо». 123308, г. Москва, ул.Зорге, д. 1, многоканальный тел.: 411-50-74.
E-mail: **reception@eksmo-sale.ru**

По вопросам приобретения книг «Эксмо» зарубежными оптовыми
покупателями обращаться в отдел зарубежных продаж ТД «Эксмо»
E-mail: **international@eksmo-sale.ru**

*International Sales: International wholesale customers should contact
Foreign Sales Department of Trading House «Eksmo» for their orders.*
international@eksmo-sale.ru

По вопросам заказа книг корпоративным клиентам, в том числе в специальном
оформлении, обращаться по тел.: +7 (495) 411-68-59, доб. 2261.
E-mail: **ivanova.ey@eksmo.ru**

Оптовая торговля бумажно-беловыми
и канцелярскими товарами для школы и офиса «Канц-Эксмо»:
Компания «Канц-Эксмо»: 142702, Московская обл., Ленинский р-н, г. Видное-2,
Белокаменное ш., д. 1, а/я 5. Тел./факс +7 (495) 745-28-87 (многоканальный).
e-mail: **kanc@eksmo-sale.ru**, сайт: **www.kanc-eksmo.ru**

В Санкт-Петербурге: в магазине «Парк Культуры и Чтения БУКВОЕД», Невский пр-т, д. 46.
Тел.: +7(812)601-0-601, **www.bookvoed.ru**

Полный ассортимент книг издательства «Эксмо» для оптовых покупателей:
Москва. ООО «Торговый Дом «Эксмо». Адрес: 123308, г. Москва, ул.Зорге, д. 1.
Телефон: +7 (495) 411-50-74. E-mail: reception@eksmo-sale.ru
Нижний Новгород. Филиал «Торгового Дома «Эксмо» в Нижнем Новгороде. Адрес: 603094,
г. Нижний Новгород, ул. Карпинского, д. 29, бизнес-парк «Грин Плаза».
Телефон: +7 (831) 216-15-91 (92, 93, 94). **E-mail:** reception@eksmonn.ru
Санкт-Петербург. ООО «СЗКО». Адрес: 192029, г. Санкт-Петербург, пр. Обуховской Обороны,
д. 84, лит. «Е». Телефон: +7 (812) 365-46-03 / 04. **E-mail:** server@szko.ru
Екатеринбург. Филиал ООО «Издательство Эксмо» в г. Екатеринбурге. Адрес: 620024,
г. Екатеринбург, ул. Новинская, д. 2щ. Телефон: +7 (343) 272-72-01 (02/03/04/05/06/08).
E-mail: petrova.ea@ekat.eksmo.ru
Самара. Филиал ООО «Издательство «Эксмо» в г. Самаре.
Адрес: 443052, г. Самара, пр-т Кирова, д. 75/1, лит. «Е».
Телефон: +7(846)207-55-50. **E-mail:** RDC-samara@mail.ru
Ростов-на-Дону. Филиал ООО «Издательство «Эксмо» в г. Ростове-на-Дону. Адрес: 344023,
г. Ростов-на-Дону, ул. Страны Советов, д. 44 А. Телефон: +7(863) 303-62-10. **E-mail:** info@rnd.eksmo.ru
Центр оптово-розничных продаж Cash&Carry в г. Ростове-на-Дону. Адрес: 344023,
г. Ростов-на-Дону, ул. Страны Советов, д. 44 В. Телефон: (863) 303-62-10.
Режим работы: с 9-00 до 19-00. **E-mail:** rostov.mag@rnd.eksmo.ru
Новосибирск. Филиал ООО «Издательство «Эксмо» в г. Новосибирске. Адрес: 630015,
г. Новосибирск, Комбинатский пер., д. 3. Телефон: +7(383) 289-91-42. **E-mail:** eksmo-nsk@yandex.ru
Хабаровск. Обособленное подразделение в г. Хабаровске. Адрес: 680000, г. Хабаровск,
пер. Дзержинского, д. 24, литера Б, офис 1. Телефон: +7(4212) 910-120. **E-mail:** eksmo-khv@mail.ru
Тюмень. Филиал ООО «Издательство «Эксмо» в г. Тюмени.
Центр оптово-розничных продаж Cash&Carry в г. Тюмени.
Адрес: 625022, г. Тюмень, ул. Алебашевская, д. 9А (ТЦ Перестройка+).
Телефон: +7 (3452) 21-53-96/ 97/ 98. **E-mail:** eksmo-tumen@mail.ru
Краснодар. ООО «Издательство «Эксмо» Обособленное подразделение в г. Краснодаре
Центр оптово-розничных продаж Cash&Carry в г. Краснодаре
Адрес: 350018, г. Краснодар, ул. Сормовская, д. 7, лит. «Г». Телефон: (861) 234-43-01(02).
Республика Беларусь. ООО «ЭКСМО АСТ Си энд Си». Центр оптово-розничных продаж
Cash&Carry в г.Минске. Адрес: 220014, Республика Беларусь, г. Минск,
пр-т Жукова, д. 44, пом. 1-17, ТЦ «Outleto». Телефон: +375 17 251-40-23; +375 44 581-81-92.
Режим работы: с 10-00 до 22-00. **E-mail:** exmoast@yandex.by
Казахстан. РДЦ Алматы. Адрес: 050039, г. Алматы, ул. Домбровского, д. 3 «А».
Телефон: +7 (727) 251-59-90 (91,92). **E-mail:** RDC-Almaty@eksmo.kz
Интернет-магазин: www.book24.kz
Украина. ООО «Форс Украина». Адрес: 04073 г. Киев, ул. Вербовая, д. 17а.
Телефон: +38 (044) 290-99-44. **E-mail:** sales@forsukraine.com

**Полный ассортимент продукции Издательства «Эксмо» можно приобрести в книжных
магазинах «Читай-город» и заказать в интернет-магазине www.chitai-gorod.ru.
Телефон единой справочной службы 8 (800) 444 8 444. Звонок по России бесплатный.**

Интернет-магазин ООО «Издательство «Эксмо»
www.book24.ru
Розничная продажа книг с доставкой по всему миру.
Тел.: +7 (495) 745-89-14. E-mail: imarket@eksmo-sale.ru

ISBN 978-5-04-096936-4

16+